FINLAY DONOVAN
UMA ESCRITORA
DE MATAR

ELLE
COSIMANO

FINLAY DONOVAN

UMA ESCRITORA DE MATAR

TRADUÇÃO DE SOFIA SOTER

Editora Melhoramentos

Dados Internacionais de Catalogação na Publicação (CIP)
(Câmara Brasileira do Livro, SP, Brasil)

Cosimano, Elle
Finlay Donovan: uma escritora de matar / Elle Cosimano; tradução Sofia Soter. – 1. ed. – São Paulo: Editora Melhoramentos, 2021.

Título original: Finlay Donovan Is Killing It
ISBN 978-65-5539-340-8

1. Ficção norte-americana I. Título.

21-74345 CDD-813

Índices para catálogo sistemático:
1. Ficção: Literatura norte-americana 813

Aline Graziele Benitez – Bibliotecária – CRB-1/3129

Título original: *Finlay Donovan Is Killing It*

Tradução de © Sofia Soter
Preparação de texto: Marcia Men
Revisão: Elisabete Franczak Branco e Mônica Reis
Capa: Omar Chapa
Projeto gráfico, diagramação e adaptação de capa: Carla Almeida Freire
Imagem de capa e miolo: Clash_Gene/Shutterstock

1ª edição, outubro de 2021
ISBN: 978-65-5539-340-8

Atendimento ao consumidor:
Caixa Postal 729 – CEP 01031-970
São Paulo – SP – Brasil
Tel.: (11) 3874-0880
sac@melhoramentos.com.br
www.editoramelhoramentos.com.br

Impresso no Brasil

Para Ashley e Megan,
porque eu enterraria um
cadáver com vocês duas

É um fato conhecido que, às oito e meia da manhã, a maioria das mães já está disposta a matar alguém. Na manhã de terça-feira, oito de outubro, eu já estava assim às quinze para as oito. Se você nunca precisou enfiar uma criança de dois anos lambuzada de mel em uma fralda enquanto outra, de quatro anos, resolve cortar o próprio cabelo antes da hora da escolinha, ao mesmo tempo que tenta encontrar a babá desaparecida e limpar o pó de café que derramou da cafeteira transbordante porque, morta de sono, se esqueceu de botar o filtro, vou explicar.

Eu estava disposta a matar alguém. Qualquer um.

Estava atrasada.

Minha agente já tinha pegado o trem na Grand Central e desceria na Union Station, onde eu deveria encontrá-la para o brunch em um restaurante caro demais para o meu bolso, com o intuito de conversarmos sobre quão atrasada eu estava com a entrega do livro que eu começara três vezes e provavelmente não acabaria nunca porque... Jesus amado, era só olhar ao meu redor. Eu tinha motivos.

Minha casa de dois andares de estilo colonial em South Riding era próxima o suficiente do centro para que dez da manhã parecesse um horário razoável quando eu combinara. Também era longe o suficiente do centro para convencer pessoas normalmente sãs a comprarem bonecas infláveis e ocuparem com elas todos os assentos do carro com a intenção de usar a faixa para veículos com alta ocupação sem levarem multa nem correr o risco de serem metralhadas pelo restante de nós, que não vendemos a alma em troca de bonecas infláveis para uso próprio.

Não me entenda mal. Eu gostava de South Riding, antes do divórcio. Antes de saber que meu marido estava transando com a corretora imobiliária, que também fazia parte do conselho da associação de moradores. Acho que não era bem isso que a vendedora tinha em mente ao descrever o clima de cidade pequena do nosso paraíso suburbano. O folheto era cheio de fotos de famílias felizes abraçadas em varandinhas charmosas. Usava termos como "idílico" e "pacífico" para descrever o bairro, porque, nas páginas brilhantes da revista imobiliária, ninguém espiava pela janela para encontrar a mamãe exausta e assassina, o bebê pelado e melado, nem a mistura de sangue, cabelo e café no chão.

– Mamãe, conserta!

Delia estava na cozinha, esfregando a área úmida e careca da cabeça onde se arranhara com a tesoura. Uma gotícula de sangue escorria pela testa dela, que limpei com um paninho velho antes que pingasse no olho.

– Não sei consertar, filha. Te levo ao cabeleireiro depois da escola.

Apertei o pano contra a área cortada até o sangramento estancar. Em seguida, apertando o celular entre a orelha e o ombro, engatinhei para baixo da mesa, juntando os fios caídos de cabelo e contando toques sem resposta.

– Não posso ir pra escola assim. Todo mundo vai rir! – disse Delia, chorando lágrimas catarrentas, enquanto Zachary esfregava um waffle no cabelo e a olhava, boquiaberto, da cadeirinha alta. – O papai sabe consertar.

Bati a cabeça na mesa e meu bebê de dois anos explodiu em prantos. Eu me levantei com dificuldade, segurando um punhado de fios de cabelo finos da minha filha. O restante do cabelo cortado estava grudado no mel que tinha caído nos meus joelhos. Engolindo um palavrão, que Zachary certamente passaria semanas repetindo no supermercado se fosse dito em voz alta, joguei a tesoura de cozinha cheia de cabelo na pia.

Por volta do toque quarenta e sete, a chamada foi para a caixa postal.

– Oi, Veronica. Aqui é a Finlay. Espero que esteja tudo bem – falei, com doçura, caso ela tivesse morrido esmigalhada em um acidente de carro ou em um incêndio durante a noite.

Ninguém quer ser o babaca que deixou um recado prometendo matar alguém por um atraso e descobriu depois que a pessoa já tinha sido morta.

– Eu estava te esperando às sete e meia para sair para minha reunião no centro – continuei. – Imagino que você tenha esquecido?

A dúvida alegre ao fim da frase indicava que estava tudo bem. Estávamos bem. No entanto, não estava nada bem. *Eu* não estava bem.

– Se receber este recado, me ligue de volta. Por favor – acrescentei, porque meus filhos estavam ouvindo e em casa sempre pedimos por favor. – Obrigada.

Desliguei, liguei para meu ex e enfiei o celular de novo sob a orelha, me livrando de qualquer esperança de salvar o dia.

– Vero está vindo? – perguntou Delia, cutucando a cabeça e fazendo uma careta para os dedos vermelhos e grudentos.

– Não sei.

Vero provavelmente pegaria Delia no colo e ajeitaria o cabelo dela em um penteado estiloso repartido de lado. Ou o disfarçaria com uma trança elaborada. Eu tinha certeza de que qualquer tentativa semelhante de minha parte apenas pioraria a situação.

– Pode ligar para a tia Amy?

– Você não tem uma tia Amy.

– Tenho, sim. Ela era irmã da Theresa na faculdade. Ela sabe consertar meu cabelo. Ela estudou cometologia.

– É *cos*metologia. E não, ela não é sua tia Amy só porque estava na irmandade da Theresa na faculdade.

– Está ligando para o papai?

– Estou.

– *Ele* sabe consertar tudo.

Forcei um sorriso amarelo. Steven sabia quebrar tudo, também. Sonhos e votos de casamento, por exemplo. No entanto, não disse nada disso, e apertei os dentes, porque psicólogos pediátricos dizem que não é saudável xingar o ex na frente dos filhos. Já o senso comum diz que não é sensato xingá-lo enquanto espera que ele atenda o telefone e venha cuidar das crianças.

– Ele usa a cola do Rex – insistiu Delia, me seguindo pela cozinha enquanto eu jogava os restos do café da manhã na lixeira e largava os pratos na pia, junto com minha sanidade.

– É fita Durex. Não dá para consertar seu cabelo com fita, amor.

– O papai sabe.

– Espera aí, Delia – falei, quando meu ex finamente atendeu. – Steven?

Ele parecia irritado antes mesmo de me cumprimentar. Pensando bem, acho que não foi um cumprimento.

– Preciso de um favor – pedi. – A Vero não apareceu hoje e já estou atrasada para uma reunião com a Sylvia no centro. Preciso deixar o Zach com você por umas horas.

Meu filho abriu um sorriso melado da cadeirinha enquanto eu usava um paninho úmido para limpar a mancha grudenta na minha calça. Era minha única calça decente. Trabalho de pijama.

– Talvez ele precise de um banho – acrescentei.

– Ah, é – disse Steven, devagar. – Isso da Vero...

Parei de me limpar e larguei o paninho na bolsa de fraldas aberta aos meus pés. Eu conhecia aquele tom. Era o mesmo que ele usara para dar a notícia de que tinha ficado noivo da Theresa. Também era o mesmo que usara no mês anterior para contar que o negócio de paisagismo estava fazendo sucesso por causa dos contatos imobiliários da Theresa e ele estava cheio da grana – ah, e por sinal ele tinha falado com um advogado para pedir guarda compartilhada.

– Eu ia te ligar ontem, mas eu e a Theresa tínhamos ingresso para o jogo e acabei me distraindo.

– Não.

Eu agarrei a bancada da cozinha. "Não, não, não."

– Você trabalha de casa, Finn. Não precisa de uma babá em tempo integral para o Zach...

– Não faz isso, Steven.

Apertei o ponto entre meus olhos onde brotava uma dor de cabeça, enquanto Delia puxava minha calça e choramingava, falando de fita adesiva.

– Então eu a demiti – disse ele.

"Escroto."

– Não posso ficar te salvando...

– Me salvando? Sou mãe dos seus filhos! É pensão.

– Você atrasou o financiamento do carro...

– Estou esperando o adiantamento do livro.

– Finn.

Sempre que ele dizia meu nome, soava como um palavrão.

– Steven.

– Pode ser hora de pensar em arranjar um emprego de verdade.

– Tipo regar a vizinhança? – É, eu ia entrar naquela. – Eu *tenho* um emprego de verdade, Steven.

– Escrever livro ruim não é um emprego.

– São livros de suspense romântico! E eu já recebi metade adiantado. Tenho um contrato! Não posso largar um contrato assim. Teria que devolver o dinheiro.

Finalmente, porque estava me sentindo especialmente sanguinária, acrescentei:

– A não ser que você queira me salvar dessa também?

Eu o ouvi resmungar enquanto me ajoelhava para limpar a poça de café no chão. Conseguia imaginá-lo à mesa impecável da cozinha na casa perfeitamente decorada dela, tomando uma xícara de café preparado na prensa francesa e arrancando o que restava de cabelo.

– Três meses – disse ele.

A paciência dele parecia tão parca quanto o cabelo no topo da cabeça, mas engoli aquele comentário porque precisava da babá mais do que da satisfação de cutucar aquele ego masculino frágil.

– Você está com três meses de atraso no financiamento da casa, Finn.

– Financiamento, não, aluguel. O aluguel que eu pago para *você*. Dá um tempo, Steven.

– E a associação de moradores vai entrar com um penhor para a casa se não pagar a taxa especial de condôminos que te mandaram em junho.

– E como você sabe disso? – perguntei, mesmo que já soubesse a resposta.

Ele estava comendo a corretora imobiliária e era melhor amigo do gerente do banco que cuidara do financiamento. Era *assim* que ele sabia.

– Acho que as crianças deveriam vir morar comigo e com a Theresa. Permanentemente.

Quase derrubei o celular. Abandonando os montes de papel-toalha, saí em derrocada da cozinha e abaixei a voz para um sussurro furioso.

– De jeito nenhum! Não há hipótese de mandar meus filhos morarem com aquela mulher.

– Você mal ganha o suficiente de direito autoral para pagar o mercado.

– Talvez eu tivesse tempo de acabar meu livro se você não tivesse demitido a babá!

– Você tem trinta e dois anos, Finn...

– Não tenho.

Eu tinha trinta e um. Steven só estava amargurado porque eu era três anos mais nova do que ele.

– Você não pode passar a vida trancada nessa casa, inventando histórias. Temos contas e problemas de verdade que você precisa encarar.

– Babaca – resmunguei, baixinho.

A verdade doía, e Steven era a verdade maior e mais dolorosa de todas.

– Olha – disse ele –, não estou tentando ser um babaca. Pedi ao Guy que esperasse até o fim do ano, assim você tem tempo de dar um jeito.

Guy. O amigo de faculdade que virara seu advogado de divórcio. Guy, que plantara bananeira no barril de cerveja até vomitar no meu carro na faculdade, tinha se tornado um advogado que jogava golfe com o juiz aos domingos e me tirara os fins de semana com meus filhos. Além do mais, Guy tinha dado um golpe e convencido o juiz a pegar metade do adiantamento do meu último livro e dar para Theresa, como compensação pelos danos que eu causara ao carro dela.

Tá, ok.

Eu admito que me embebedar e enfiar um monte de massinha de modelar da Delia no cano do escapamento da BMW da Theresa não foi a melhor forma de processar a notícia quando soubera que eles estavam noivos, mas deixar que ela saísse daquela com metade do meu adiantamento *e* meu marido era jogar sal na ferida.

Da sala de jantar vazia, vi Delia enroscar o que restava do cabelo em um dedo vermelho e melado. Zach choramingava, se remexendo na cadeirinha. Se eu não ganhasse dinheiro nos três meses seguintes, Guy daria um jeito de tirar minhas crianças de mim e dá-las para Theresa também.

– Estou atrasada. Não posso entrar nessa discussão agora. Posso levar o Zach ou não?

"Não vou chorar. Não vou..."

– Pode – disse ele, cansado.

Steven nem sabia o que era cansaço. *Ele* tomava café e dormia oito horas ininterruptas toda noite.

– Finn, descul...

Desliguei. Não foi tão satisfatório quanto dar uma joelhada no saco, e provavelmente foi meio infantil e clichê, mas parte de mim se sentiu melhor ao desligar na cara dele. A parte bem pequenininha (se é que ainda existia) que não estava coberta de mel e atrasada para a reunião.

Dane-se. Eu ainda não estava bem. Não estava nada bem.

Senti outro puxão na calça. Delia virou o rosto para mim, os olhos cheios de lágrimas, o cabelo todo espetado com pontas grudadas de sangue.

Suspirei profundamente.

– Fita. Eu sei.

O ar bolorento de outono entrou quando abri a porta de serviço da garagem. Acendi a luz, mas o espaço cavernoso continuou escuro e deprimente, vazio exceto pela mancha de óleo deixada pela F-150 no concreto e minha Dodge Caravan empoeirada. Alguém tinha desenhado um pênis na sujeira da janela traseira, que Delia não me deixara limpar pois dizia que parecia uma flor, e tudo aquilo parecia uma metáfora para minha vida. Uma bancada percorria a parede no fundo da garagem, sob um quadro gigante para guardar ferramentas. Só que não tinha ferramenta alguma além da minha pá de jardinagem genérica cor-de-rosa comprada por dez dólares em uma loja de departamento – uma das poucas coisas que Steven não levara embora ao esvaziar a garagem. Todo o restante pertencia ao negócio de paisagismo, pelo que alegara. Revirei os restos deixados na bancada – parafusos soltos, um martelo quebrado, um frasco quase vazio de produto para limpar estofado – e encontrei um rolo de silver tape. Estava grudento e peludo, que nem meus filhos, e eu o levei para dentro de casa.

O olhar chorão de Delia sumiu. Ela olhou para o rolo de fita com a segurança inabalável de uma menina que ainda não se decepcionara com o homem mais importante de sua vida.

– Tem certeza? – perguntei, segurando uma mecha de cabelo castanho.

Ela assentiu. Peguei um gorro de lã no cabideiro da entrada e voltei à cozinha. Zach nos observava, com um pedaço de waffle grudado na cabeça, juntando e afastando os dedos grudentos com uma expressão arregalada que era quase mística. Tenho quase certeza que ele estava cagando.

Ótimo. Steven trocaria a fralda.

A tesoura estava soterrada por pratos sujos do café, então peguei uma faca na bancada. A fita se soltou do rolo com um guincho agudo, e eu segurei as mechas de cabelo cortado na cabeça de Delia, enrolando a fita como uma coroa prateada horrorosa até o cabelo estar (mais ou menos) preso no lugar. A faca estava cega, mal capaz de rasgar a fita do rolo.

"Jesus amado."

Eu me obriguei a sorrir e puxei o gorro na cabeça dela, abaixando o suficiente para esconder a bagunça. Delia sorriu, limpando com os dedinhos as mechas-Frankenstein dos olhos.

– Feliz? – perguntei, tentando não fazer careta nem chamar atenção para o tufo de cabelo que se soltara e caíra em seu ombro.

Ela assentiu.

Enfiei a faca e a fita na bolsa junto com o celular e peguei Zach da cadeirinha, levantando-o o suficiente para cheirar a fralda caída. Satisfeita, o segurei contra o quadril e bati a porta ao sair.

Estava tudo bem, insisti ao bater no controle remoto da parede da garagem. O motor ligou, um rangido horroroso que soterrava a tagarelice infantil ao abrir o portão, derramando na garagem a luz cinzenta do outono. Eu nos instalei na minivan, ajeitando com cuidado a fralda cheia de Zach na cadeirinha do carro. Não era tão satisfatório quanto chutar o saco do meu ex, mas, naquele dia, um menino grudento de dois anos com a fralda cagada era o melhor que eu podia fazer.

– Aonde o Zach vai? – perguntou Delia, quando liguei o carro, saindo de ré da garagem.

– Zach vai para a casa do papai. Você vai para a escola. E a mamãe...

Apertei o controle remoto no visor e esperei o portão fechar. Nada aconteceu.

Puxei o freio de mão, me abaixando para olhar melhor a garagem. A luz do motor estava desligada. Assim como as luzes da entrada e a luz do quarto, que Delia sempre se esquecia de desligar. Tirei o celular da bolsa e conferi a data.

"Merda." A conta de luz estava mais de um mês atrasada.

Bati com a cabeça no volante e a descansei ali. Precisaria pedir a Steven que pagasse... Ele precisaria ligar para a concessionária de energia e implorar para ligarem de volta... outra vez. Eu precisaria que ele fosse ali fechar a garagem manualmente. E Guy provavelmente ouviria falar daquilo tudo antes mesmo de eu chegar em casa.

– Aonde você vai, mamãe? – perguntou Delia.

Levantei a cabeça e encarei a pá cor-de-rosa ridícula no quadro de ferramentas. A janela escura do escritório no qual eu não entrava havia semanas. Os matinhos se esgueirando pela frente da casa e a pilha de contas que o carteiro jogara na entrada quando a caixa de correio transbordara. Dei ré no carro, encontrando os rostos melequentos, grudentos e angelicais no retrovisor ao sair devagar para a rua, meu coração doendo só de pensar em perdê-los para Steven e Theresa.

– A mamãe vai dar um jeito de ganhar dinheiro.

Eram 10h36 quando finalmente cheguei ao Panera em Vienna, atrasada para o café, mas adiantada para o pico de almoço, e mesmo assim não tinha vaga para estacionar. Quando liguei para Sylvia e expliquei que não chegaria a tempo da reserva no restaurante chique que ela escolhera, ela pediu o nome de um lugar próximo de uma estação do metrô e aberto de manhã que não exigisse reserva. Culpada e estressada, no meio do engarrafamento do pedágio, o Panera foi a primeira coisa que soltei, e Sylvia desligou antes que eu mudasse de ideia.

O estacionamento do Panera estava lotado de Audis, BMWs e Mercedes brilhantes. Quem eram essas pessoas e por que elas não tinham empregos regulares? Por que *eu* não tinha um emprego regular?

Parei a minivan no estacionamento da lavanderia vizinha e limpei mais uns fios de cabelo de Delia das calças antes de desistir de vez. Cobri a maior parte do rosto com um par de óculos escuros gigantescos, amarrei o lenço de seda com peruca acoplada na cabeça, afofei as ondas loiras e compridas e passei batom vermelho-vinho, desenhando além das linhas naturais da boca. Suspirei ao ver o reflexo no retrovisor. Era a mesma versão de mim nas orelhas dos meus livros, mas, ao mesmo tempo, não era. Nas fotos, eu parecia misteriosa e glamourosa, uma escritora de romances que queria esconder a identidade secreta das hordas de fãs fervorosas. Na luz desanimadora da minha minivan velha, com manchas grudentas e cabelo na calça e Hipoglós debaixo das unhas, uma mecha solta do meu próprio cabelo castanho escapando por baixo da peruca, eu parecia apenas estar me esforçando muito para ser quem não era.

Sejamos sinceros, eu não estava usando a peruca acoplada ao lenço para impressionar minha agente – Sylvia sabia quem eu era, e quem não era. Eu só decidira usá-la para não ser expulsa daquele café específico. Já bastaria se eu conseguisse passar o almoço sem ser reconhecida como o desastre que fora banido do estabelecimento oito meses antes.

Pendurei a bolsa grande de marca falsificada no ombro, respirei fundo e saí do carro, rezando para Mindy, a gerente, ter sido demitida desde a última vez que eu estivera ali, quando Theresa me chamara para discutir a relação no almoço.

Entrei no restaurante, olhando por entre as mechas loiras da peruca que caíam como uma franja. Sylvia já estava na fila, examinando o cardápio na parede atrás do caixa como se estivesse escrito em uma língua estrangeira misteriosa. Fiquei um bom minuto e meio ao lado dela e precisei chamá-la para que finalmente me olhasse, confusa.

– Finlay? É você? – perguntou.

Entrei na fila atrás dela e pedi silêncio, olhando para os funcionários atrás do balcão. Quando não vi Mindy, a gerente, entre eles, nem outros caixas conhecidos, ajeitei as mechas soltas atrás da orelha.

– Desculpa por não ter conseguido te encontrar no centro – falei. – Minha manhã meio que explodiu.

– Dá para ver.

Sylvia deixara de examinar o cardápio para me examinar. Ela abaixou os óculos com uma unha vermelha e comprida.

– Por que está usando isso? – perguntou.

– Longa história.

Minha relação com o café Panera era complicada. Eu gostava da sopa de lá. Eles não gostavam que eu a tivesse jogado na cabeça de outra freguesa. Em minha defesa, Theresa tinha começado a briga, tentando justificar por que transara com meu marido.

– Tem alguma coisa na sua calça – disse Sylvia, fazendo uma careta ao ver a mancha grudenta e peluda.

Apertei os lábios. Tentei sorrir. Sylvia era tudo que se possa imaginar dos nova-iorquinos das séries de TV. Provavelmente porque era de Nova Jersey. O escritório dela era em Manhattan. Os sapatos eram de Milão. A maquiagem parecia ter chegado dos anos oitenta em um DeLorean, e as roupas podiam ter sido arrancadas diretamente do couro de um felino selvagem.

– Posso atender vocês – chamou um funcionário do caixa vazio.

Sylvia se aproximou do balcão, interrogou o jovem funcionário sobre as opções sem glúten, e acabou pedindo um sanduíche de atum na baguete e uma sopa de cebola.

Quando chegou minha vez, escolhi o item mais barato do cardápio: a sopa do dia.

– Eu estou convidando – disse Sylvia, estendendo o cartão de crédito, então acrescentei um sanduíche de presunto com queijo brie e uma fatia de cheesecake para levar.

Carregamos as bandejas até o salão, em busca de uma mesa. Andando, expliquei os detalhes horrendos da minha manhã para Sylvia. Ela já tivera filhos, muito tempo antes, então tinha certa empatia, mas não chegava a se emocionar com as provações da minha vida de merda como mãe solo.

As cabines estavam todas ocupadas, então pegamos a única mesa vazia para dois no meio do salão cheio. De um lado, uma universitária de fones de ouvido encarava o MacBook. Do outro, uma mulher de meia-idade comia macarrão sozinha. Sylvia se esgueirou entre as mesas e se sentou na cadeira dura, visivelmente exasperada. Eu larguei a carteira na bolsa e a apoiei no espacinho de chão aos meus pés. A mulher ao lado olhou para a bolsa e para mim, piscando. Sorri, sem emoção, bebendo chá gelado até ela finalmente voltar a atenção para a comida.

Sylvia fez uma careta para o sanduíche.

– Me explica por que escolhemos vir aqui?

– Porque dá muito trabalho limpar machucados na cabeça – respondi. – Desculpa pelo atraso.

– Como você está com o prazo? – perguntou, dando uma mordida no atum. – Por favor, me diga que peguei o trem para ouvir boas notícias.

– Não exatamente.

Mastigando, ela me olhou com seriedade.

– Pelo menos você tem um plano?

Eu me curvei sobre a bandeja e mexi na comida.

– Mais ou menos.

– Você recebeu metade do valor adiantado pelo serviço. Diga que está acabando.

Eu me inclinei ainda mais sobre a mesa e abaixei a voz. Felizmente, a universitária ao meu lado estava de fones de ouvido.

– Meus últimos assassinatos foram tão genéricos. Estou ficando previsível demais. Acho que estou travada, Syl.

– Então muda de abordagem – disse Sylvia, abanando a colher no ar, como se conjurar um romance não fosse nada. – O contrato não especifica como tudo tem que rolar, desde que seja feito até mês que vem. Você dá conta, não dá?

Enfiei um pedaço de sanduíche na boca para não precisar responder. Se eu me esforçasse muito, acabaria o primeiro rascunho em oito semanas. Seis, no máximo.

– Não pode ser tão difícil. Você já fez isso antes.

– É, mas esse vai ser uma bagunça. – Provei uma colherada de sopa. Tinha gosto de papelão. Que nem tudo que eu comia desde o divórcio. – Eu mataria por molho de pimenta – resmunguei, olhando para a mesa ao lado.

Sal, pimenta, açúcar e guardanapo. Nada de molho. A mulher mal notou. Ela estava encarando minha bolsa aberta no chão. Enfiei a carteira mais fundo e dobrei as alças, escondendo o conteúdo. Como ela continuou a olhar, a encarei com frieza.

– Não entendo a dificuldade. Uma mulher linda, doce e simpática precisa ser resgatada de um cara malvado. O cara leva a pior, a moça revela sua enorme gratidão, todo mundo vive feliz para sempre, e você recebe uma boa grana.

Arranquei mais um pedaço da baguete.

– Falando na grana...

– De jeito nenhum – disse Sylvia, sacudindo a colher. – Não posso voltar e pedir mais adiantamento.

– Eu sei. Mas tem muita pesquisa envolvida – falei baixinho. – Boates suspeitas, instrumentos de tortura, códigos secretos... É completamente fora da minha área. Eu costumo ser simples. Sabe, careta. Nada tão exagerado. Mas isso... – falei, cortando a ponta do cheesecake. – Desta vez é diferente, Syl. Se eu der conta, posso virar a referência da área.

– O que quer que vá fazer, faça rápido. Vamos enterrar essa e partir para a próxima.

Sacudi a cabeça.

– Não quero me apressar. Preciso que seja um tiro certeiro. Esses adiantamentos de dois ou três mil dólares não valem o tempo nem o esforço. A próxima oferta precisa dar um gás na minha carreira, ou vou desistir – declarei, mastigando cheesecake. – Se esse der certo, só faço o próximo por cincão, nem um centavo a menos.

– Tá bom. Cai matando e depois falamos do próximo trabalho.

O celular de Sylvia vibrou na mesa. Ela estreitou os olhos ao ver o número.

– Licença. Preciso atender – falou, se apertando para sair da mesa.

Quando me virei para dar passagem para Sylvia, a mulher na mesa ao lado encontrou meu olhar. Com o garfo apoiado no prato de macarrão frio, ela me encarou por um momento longo e constrangedor o suficiente para eu me perguntar se me reconhecia, apesar da maquiagem, da peruca e do lenço. Ou talvez ela reconhecesse o disfarce. Ninguém nunca me pedira autógrafo. Se ela viesse com um guardanapo para assinar, eu provavelmente surtaria. Não sabia se sentia alívio ou decepção quando ela desviou o olhar e pegou a bolsa.

Voltei para meu sanduíche, conferindo o celular entre uma mordida e outra. Tinha uma mensagem de Steven, perguntando quanto eu demoraria. Duas do banco, avisando que eu estava devendo pagamentos de cartões de crédito. Por fim, um e-mail da editora, perguntando como andava o livro. Tive a impressão estranha de estar sendo observada, mas a mulher ao meu lado estava concentrada com uma caneta e um pedacinho de papel.

Depois de alguns minutos, Sylvia voltou ao salão, seus saltos batendo ritmados. Meu peito afundou quando ela nem se deu ao trabalho de se sentar.

– Desculpa, querida. Preciso ir – disse, pegando a bolsa carteiro e pendurando-a no ombro. – Tenho que pegar o trem de volta. Recebi uma oferta enorme para outro cliente e o prazo é de quarenta e oito horas. Tenho que correr, se não vão o liquidar sem mim. Queria que tivéssemos mais tempo para conversar.

– Não, tudo bem – falei, tranquilizando ela. Mas eu não estava bem. Não estava nada bem. – A culpa foi toda minha – acrescentei.

– Foi, sim – concordou ela, pondo os óculos de marca e deixando os pratos sujos na mesa. – Agora se prepara para dar esse tiro certeiro e me conta quando acabar.

Eu me levantei, me obriguei a sorrir e nos despedimos com beijinhos de bochecha forçados que nos faziam parecer amigas que não queriam se encostar. Ela já estava com o celular grudado à orelha antes mesmo de passar pela porta.

Eu me afundei na cadeira. A mulher antes sentada ao meu lado se fora e eu olhei para baixo, aliviada ao ver que minha bolsa e carteira ainda estavam no chão. Limpei a bandeja de Sylvia, levando os pratos e talheres às cestas perto da lixeira. Quando voltei à mesa, um papelzinho dobrado estava preso debaixo do prato. Procurei a mulher que vira rabiscando, mas não vi nem sinal. Desdobrei o bilhete.

US$ 50.000 EM ESPÉCIE
HARRIS MICKLER
R. NORTH LIVINGSTON, 49
ARLINGTON

E um número de telefone.

Amassei o bilhete e o levei à lixeira. No entanto, o cifrão – e os zeros que se seguiam – atraiu minha curiosidade. Quem era Harris Mickler? Por que tinha tanto dinheiro? E por que a mulher da mesa ao lado deixara o papel na minha bandeja, se podia facilmente jogá-lo fora sozinha?

Enfiei o bilhete estranho no bolso e peguei a bolsa. O sol do meio-dia se refletia nos para-brisas do mar de carros lá fora, e remexi a bolsa em busca das chaves, com dificuldade de lembrar onde estacionara. Cheguei à lavanderia antes de encontrá-las, e tive que parar ao lado do carro trancado, xingando o abismo da bolsa. Fios do cabelo de Delia fizeram cócegas no meu punho quando grudei os dedos no rolo de fita adesiva que usara para consertar o penteado dela. Alguma coisa me machucou quando afastei a fita. Com um gritinho, tirei a mão da bolsa.

Uma linha fina de sangue escorreu dos meus dedos. Com cuidado, puxei o paninho manchado de sangue que usara para limpar a testa da minha filha de manhã. Embaixo dele, encontrei a faca cega de cozinha que jogara ali, junto com as chaves da minivan.

Apertei o paninho contra o corte superficial e liguei o ar-condicionado no máximo, esperando o sangramento passar. O ar lá fora estava fresco, um friozinho de outono, mas o carro estava cozinhando no sol do meio-dia e meu cabelo já estava encharcado de suor, a cabeça pinicando por baixo da peruca. Arranquei o lenço, a peruca e os óculos de sol, que larguei na bolsa. Uma mulher de maquiagem pesada e coque apertado me encarou pelo retrovisor. Limpei o batom vermelho-vinho escuro no paninho, me sentindo uma impostora. Quem eu queria enganar? Não tinha jeito de acabar o livro em um mês. Cada dia que eu passava fingindo viver de escrita me aproximava de perder a guarda dos meus filhos. Eu devia ligar imediatamente para Sylvia e falar aquilo.

Tirei o celular do bolso. O bilhetinho veio junto. Eu o desdobrei.

Cinquenta mil dólares.

Olhei do bilhete para o celular e do celular para o bilhete. Curiosa, me demorei no número no fim.

Se fosse o caso, eu podia dizer que era engano e desligar, né? O telefone tocou quando digitei o número. Uma mulher atendeu no mesmo instante.

– Alô?

A voz baixa dela hesitou.

– Alô?

Eu abri a boca, mas não saiu nada de inteligente.

– Você encontrou meu bilhete.

Eu não sabia o que dizer, então optei por ser vaga.

– Encontrei?

Ela suspirou, trêmula.

– Nunca fiz nada disso antes. Nem sei se estou fazendo do jeito certo.

– Fazendo o quê?

Ela riu, uma gargalhada aguda de pânico quase histérica que acabou em uma fungada. A ligação estava tão nítida que parecia que ela estava sentada à minha frente. Olhei pelos vidros dos carros próximos, esperando encontrá-la.

Meu dedo se aproximou do ícone vermelho na tela.

– Está tudo bem? – perguntei, indo contra qualquer sensatez. – Precisa de ajuda?

– Não, não estou bem – disse ela, e assoou o nariz, deixando a ligação mais barulhenta, como se falasse através de lenços de papel. – Meu marido... Ele... não é um bom homem. Ele anda fazendo coisas estranhas. Coisas horríveis. Se tivesse sido só uma vez, talvez eu entendesse, mas teve outras. Tantas outras.

– Outras? Quê? Não entendi o que isso tem a ver comigo.

“Eu devia desligar”, pensei. Aquilo estava ficando muito esquisito.

– Não posso contar para ele que eu sei – disse a mulher. – Seria... muito, muito ruim. Preciso da sua ajuda.

Ela respirou fundo, como se seu dedo também hesitasse perto do ícone vermelho. Depois de uma pausa pesada, ela falou:

– Quero que você faça.

– Faça o quê? – perguntei, sem acompanhar.

– O que você faz. Como você disse, simples. Quero que ele se vá. Tenho cinquenta mil em espécie. Ia usar para deixá-lo. Mas assim vai ser melhor.

– Assim como?

– Ele tem um evento de trabalho no Lush hoje à noite. Não quero saber como vai acontecer. Nem onde. Só ligue para este número quando acabar.

Desligou.

Sacudi a cabeça, ainda perdida na conversa esquisita. Olhei para o paninho ensanguentado no colo. Para a faca na bolsa aberta e a fita suja de cabelo. Pensei no rosto lívido da mulher ao ouvir nossa conversa, entre olhares discretos para a bolsa no chão.

"O cara leva a pior, a moça revela sua enorme gratidão, todo mundo vive feliz para sempre, e você recebe uma boa grana."

Ai, meu Deus.

"Só faço o próximo por cincão, nem um centavo a menos... Vamos enterrar essa e partir para a próxima."

Cinquenta mil dólares. Ela achou que eu me referia a *cinquenta* mil dólares.

Ah, não. Não, não, não!

Enfiei tudo de volta na bolsa. O papel. O que eu devia fazer com o papel? Jogar fora? Queimar? Voltar correndo para o café, rasgar em pedacinhos e jogar no vaso sanitário? Quanto mais rápido me livrasse, melhor. Amassei o bilhete e abri a janela, esticando o punho sobre o asfalto quente.

Cinquenta mil dólares.

Fechei a janela, enfiei o bilhete de volta no bolso e dei a partida. Meu coração batia desesperado enquanto eu saía do estacionamento, tomando cuidado para dar seta e não passar da velocidade. E se eu fosse parada e um policial encontrasse? Minhas buscas no Google já bastariam para que o governo se preocupasse comigo. Eu escrevia livros de suspense sobre assassinatos daquele tipo. Já tinha pesquisado todas as formas possíveis de matar alguém. Com todo tipo de arma. Todo modo de se livrar de um corpo.

Aquilo era ridículo. Eu era boba por me preocupar com um pedacinho de papel. Não podia ser considerada suspeita de um crime que ainda não acontecera. Não tinha *a menor chance* de eu *cogitar* aquilo. Se a esposa do cara queria que ele morresse, podia achar outra pessoa para matá-lo. E eu podia seguir com a...

Ai...

Apertei o volante. A mulher parecia séria. Cinquenta mil dólares era coisa séria, né? O que aconteceria se ela encontrasse *mesmo* outra pessoa? Será que eu seria suspeita? Talvez.

A não ser que...

Olhei para o retrovisor, entrando na pista. E se ninguém encontrasse o corpo? E se ninguém soubesse se esse tal de Harris Mickler tinha mesmo morrido? Não haveria suspeito, necessariamente, né?

Eu praticamente ouvia a voz de Steven, dizendo que eu era ridícula, imaginando o pior e inventando histórias. Era o argumento ao qual ele sempre recorria, que jogara contra mim quando eu suspeitei que ele estava transando com Theresa.

Só que, dessa vez, eu odiei saber que ele estava certo.

Bati no volante, soltando um palavrão e entrando na pista à direita do pedágio. Por que eu estava pensando naquilo? Tinha problemas de verdade para encarar: prazo apertado sem babá nem adiantamento, financiamento do carro atrasado, ligações de cobrança incessantes... E essa situação com o Harris Mickler era doentia. Era perturbadora.

Eram cinquenta mil dólares.

Uma buzina soou atrás de mim e eu dei um pulo, acelerando um pouco para acompanhar o ritmo dos carros. Eu devia jogar o bilhete pela janela e esquecer que aquilo acontecera.

Bati no volante. Liguei o rádio. Desliguei o rádio. Conferi a velocidade passando pela pista de cobrança automática no pedágio, incapaz de conter a conversa que se repetia em minha mente.

"Meu marido... Ele... não é um bom homem."

Ele não era bom porque esquecia aniversários de casamento? Ou porque transava com qualquer uma? Comer a corretora imobiliária não era motivo para o marido morrer. Podia ser motivo legítimo para querer que o saco dele fosse destroçado em um acidente com o cortador de grama, ou para desejar que ele contraísse uma infecção genital horrível cujos sintomas incluíssem um corrimento ardido. Mas matar um homem por trair a esposa seria errado. Não seria?

"Se tivesse sido só uma vez, talvez eu entendesse, mas teve outras. Tantas outras."

Quantas outras, exatamente? Cinco? Dez? Cinquenta mil?

E por que contar a ele que ela sabia sobre as outras seria "muito, muito ruim"?

Cheguei em casa, parando de repente ao lado da pilha de contas não pagas na porta, rezando para que Steven tivesse pago a conta de luz quando apertei o controle remoto. Suspirei aliviada quando o portão se abriu com um rangido. Entrei com o carro e fechei o portão, encarando o quadro de ferramentas vazio ao desligar o motor. A garagem estava escura e silenciosa, e fiquei ali um tempo, pensando. Nos meus filhos. Nas minhas contas. Em Steven e Theresa.

Em todos os problemas de verdade que seriam resolvidos com cinquenta mil dólares.

Peguei o bilhete amassado no bolso e o abri, me perguntando que tipo de marido ruim Harris Mickler seria.

O relógio do micro-ondas estava piscando quando abri a porta da cozinha. Sabia que precisava agradecer a Steven por aquilo; ele nunca deixaria nossos filhos morarem em uma casa sem luz. Ainda assim, era difícil sentir gratidão por água quente e luz elétrica quando era culpa de Steven nossa casa ter começado a degringolar. Eu tinha quase certeza que era tudo parte do plano do advogado dele: aceitar me dar o mínimo possível todo mês para que Steven pudesse se meter e salvar o dia, restaurando a ilusão do valor moral dele e colocando o meu em questão.

Quanto mais aquilo se estendia, mais eu me perguntava se ele estava certo. Passei as várias horas seguintes pensando em Harris Mickler. Em meus momentos mais virtuosos, o imaginava como um sósia de Hugh Jackman – charmoso e atraente demais para ser capaz de afastar as inúmeras mulheres que se jogavam nele, um pobre coitado, vítima de uma mulher ciumenta que provavelmente seria beneficiária de seu seguro de vida. Nos momentos de que me orgulhava menos, o imaginava como Joe Pesci enchendo a cara de Viagra e considerava seriamente o fato de que, com aquela altura, eu provavelmente conseguiria jogar o corpo sem vida no porta-malas da minivan.

Aqueles pensamentos normalmente eram acompanhados de fantasias de carrinhos de compras cheios no supermercado. Fantasias em que eu me permitia calcular quantos pacotes de fralda, comida congelada e lencinhos umedecidos eu conseguiria comprar no atacado com cinquenta mil dólares.

Apertei a testa contra a porta do escritório, com nojo de mim mesma. Se precisava de dinheiro, devia escrever o tal do livro pelo qual minha agente e minha editora esperavam.

Com um suspiro, apertei a cobertura plástica à prova de crianças e girei a maçaneta. A proteção provavelmente não era necessária; fazia tanto tempo que eu não entrava no escritório que as crianças nem deviam saber que o cômodo existia. O ar lá dentro estava bolorento e rançoso. Uma camada de poeira cobria a escrivaninha e tirava o brilho da moldura do diploma universitário na parede: um bacharelado em Letras da Universidade George Mason que não me qualificava para nada.

Liguei o computador e esperei, ouvindo o gemido agudo quando a tela se acendeu. Tinha sido o computador de Steven na faculdade e virara nosso computador conjunto até o divórcio. Era tão velho que precisaria de todo o tempo livre de crianças do meu dia só para ligar.

O HD zumbiu, a ampulheta girando e girando em uma tela preta desanimadora. Por onde começar? Como escrever um romance fictício de fazer o coração bater mais forte se o meu próprio fracassara? Já era quase meio-dia e Steven esperava que eu buscasse Zach em poucas horas. Provavelmente para passar o restante do dia comendo a Theresa, entre o almoço tardio chique e o happy hour. Se eu trabalhasse toda noite depois de botar as crianças para dormir pelas próximas seis semanas, talvez conseguisse acabar um primeiro rascunho horroroso. Mas para quê? Só para gastar os trocados restantes do adiantamento em contas atrasadas? Considerando o tamanho da pilha na entrada, o dinheiro iria embora em menos de uma semana.

A tela acendeu, finalmente. Apareceu uma barra de pesquisa. Digitei a palavra "como". A pergunta era: como escrever esse tal livro e consertar minha vida?

As sugestões de busca apareceram por si mesmas, alimentadas por um histórico de perguntas violentas e devassas que começavam sempre do mesmo jeito. Como cadáveres se decompõem em covas rasas no inverno da Virgínia? Como é a ferida causada por uma bala de Colt 45 em um homem adulto grande com peitorais anormalmente desenvolvidos? Como uma pessoa poderia eliminar os traços característicos de um cadáver?

Eu devia fechar a busca e abrir um documento no Word. Tinha mais de um bom motivo para andar com o livro. Também tinha cinquenta mil motivos para estar curiosa sobre Harris Mickler.

Honestamente, no fim das contas, o que era mais uma busca? Só um nome que precisava de rosto. Teria algum problema em clicar em alguns registros públicos, apenas para ter uma noção de quem era Harris Mickler?

Eu me ajeitei na cadeira, com uma sensação estranha ao sentir as curvas e fendas conhecidas. Assim que levei as mãos ao teclado, meu celular vibrou na mesa. A foto de perfil do meu ex-marido apareceu na tela, e atendi só para que a imagem sumisse.

– Oi, Steven.

– Voltou a luz?

– Voltou. Obrigada por resolver – falei, forçando um sorriso e esperando que ele o ouvisse.

Zach, ao fundo, soava como um porco furioso. Steven grunhiu.

– Não me agradeça. Quem resolveu foi a Theresa. Ela tem um cliente que trabalha no setor de cobranças da companhia de energia. Mexeu uns pauzinhos para religar sua energia. Depois ela foi com a Amy fechar o portão da sua garagem no caminho do almoço. Falando nisso, Theresa disse que a porta de serviço da cozinha estava destrancada. Você precisa tomar mais cuidado com isso, já que fica tanto tempo aí sozinha com as crianças.

Mordi a língua antes de dizer alguma coisa ingrata e amarga.

– Levarei em consideração. E quem é essa tal de Amy?

Eu não tinha recebido aquele recado.

– Sabe, a melhor amiga da Theresa. Delia ama a tia Amy. Ela cuida das crianças um pouco aos sábados para que eu e Theresa tenhamos descanso.

Descanso? Das quarenta e oito horas que ele passa com os filhos?

– Delia já tem a tia Georgia. Não precisa da tia Amy.

– Ótimo – disse Steven, sério. – Vamos ligar para a Georgia e pedir a *ela* que cuide das crianças.

Rangi os dentes.

– Ai! Não, não, Zach! Volta aqui... Jesus Cristo – resmungou Steven, um pouco ofegante. – Olha, Finn, preciso que você venha buscar o Zach. Theresa tem que mostrar uma casa depois do almoço, então eu o trouxe à fazenda comigo. Meu cliente chega em menos de uma hora para uma reunião e o Zach está fazendo muita bagunça.

– Claro que está.

Fechei os olhos com força, imaginado o caos do outro lado da ligação. A fazenda de produção de grama de Steven era só um quintal enorme sem cerca. Alguns hectares de espaço vazio para correr, cheio de tratores e retroescavadeiras para escalar. Era o paraíso para uma criancinha e, a não ser para medalhistas de atletismo, o pior pesadelo de um pai.

– Finn?

Entre os gritos de Zach, era quase possível escutar a sanidade de Steven se despedaçar. A fazenda ficava próxima à fronteira estadual da Virgínia Ocidental. Eu levaria pelo menos quarenta minutos para chegar e ainda precisaria buscar a Delia na escolinha no caminho.

– Tá – respondi.

Revirei a carteira e encontrei os vinte dólares que não gastara no almoço. Bastava para a gasolina.

– Já vou. Só preciso de uns minutos para ir ao banheiro e buscar Delia.

– Uma hora, Finn. Por favor.

Ele soava desesperado, e um pouco irritado. Passara menos de três horas com apenas um dos filhos e achava que daria conta da guarda dos dois? Considerei enrolar e me atrasar, só para ver quanto cabelo ele ainda teria quando eu chegasse, mas Zach começou a chorar no fundo, o tipo de berreiro que Steven nunca tivera paciência para aprender a acalmar. Eu me levantei, revelando uma camada de poeira onde minhas mãos tinham rapidamente tocado a superfície da mesa.

Era aquela a minha vida. Um contrato de dois mil dólares por meses de trabalho, sem dormir, e dez minutos sozinha no banheiro.

– Diz para o Zach que já vou.

Desliguei o telefone e o computador e tentei não pensar mais em Harris Mickler.

Steven tinha comprado a fazenda de produção de grama menos de um mês depois do divórcio. Eu levara as crianças para visitar um dia. Não sabia muito sobre o lugar, além de que tinha cento e vinte hectares, produzia vários tipos de grama, que ele vendia a empreiteiras e construtoras, e gerava uma pequena fortuna. Em geral, só me fazia imaginá-lo pelado e serelepe com Theresa em campos esmeralda de dinheiro e festuca, o que provavelmente explica eu nunca ter voltado.

Eu me lembrava vagamente de onde era. Meu GPS guiou o restante do caminho até um outdoor gigantesco que marcava a entrada da estrada de cascalho: FAZENDA DE GRAMA E ÁRVORES VERDEJANTES. A entrada de terra era ladeada por campos de arvorezinhas de Natal, a próxima fonte de renda milagrosa que Steven certamente usaria como Prova Número Um na disputa pela guarda. Ele não só tinha dinheiro para alimentar e vestir meus filhos, como podia oferecer o Natal perfeito, digno de uma ilustração de Norman Rockwell.

Sentada na cadeirinha alta para ver pela janela, Delia me falou para estacionar em frente a um pequeno trailer de construção nos fundos da plantação de árvores. Soltei o cinto de segurança de Delia e a segui até o escritório de vendas, batendo uma vez à porta do trailer antes de olhar para dentro. Delia deu a volta nas minhas pernas e correu até a mesa, sorrindo para a mocinha loira e bonita sentada ali. A recepcionista tinha dezenove ou vinte anos, no máximo, um sorriso doce e peitos empinados. Bem ao gosto do Steven. Coitada. Theresa provavelmente não fazia ideia, e quase senti pena dela também.

– Oi, Delia – cumprimentou a menina, com a voz alegre, fazendo carinho na cabeça da minha filha.

O gorro de Delia saiu um pouco do lugar, expondo a beira da fita adesiva que prendia seu cabelo. A garota franziu o nariz ao vê-la, sorrindo para mim com ar de conspiração, como se tivesse descoberto a história escondida pelo chapéu de Delia.

"Ah, querida, você nem imagina", pensei.

– Você deve ser Finlay? – perguntou a garota, se levantando para me cumprimentar. – Prazer, Bree. O sr. Donovan está à sua espera.

Que fofa. Ela o chamava de sr. Donovan no trabalho. Franzi o nariz e sorri de volta.

– Obrigada, Bree. Só vim buscar o Zach.

– Eles estão na Zoysia. É só seguir pelo cascalho por uns quatrocentos metros, até passar os tratores à esquerda. Ele estará logo atrás.

– Obrigada – agradeci, sinceramente triste ao pensar na dor que a esperava, nos pênis que seriam desenhados na sujeira das janelas de seu futuro. Queria dizer a ela que fugisse. Para se salvar enquanto podia. No entanto, eu tinha a mesma idade quando me apaixonara por Steven e, se alguém tivesse me dito que ele acabaria sendo um galinha nojento, eu nunca acreditaria.

Peguei a mão de Delia e voltamos para o carro.

– Posso ir na frente com você? – perguntou ela quando abri a porta de trás.

– Não, querida. Você precisa ficar na cadeirinha.

– Mas o papai deixa.

– O papai está dando mau exemplo. Não é muito responsável. E se um policial vier multá-lo?

Delia revirou os olhos.

– Não é uma estrada de *verdade*, mamãe. O papai disse que é particular.

– E se sofrermos um acidente?

– Mas ninguém dirige aqui! – resmungou ela. – Só a picape do papai. Às vezes ele até me deixa andar lá atrás – confessou, com um sorrisinho travesso.

Sorri da mesma forma, pensando em me lembrar de compartilhar aquela informação com meu advogado... se ele atendesse o telefone. Eu estava quase certa de que o boleto dele estava junto das outras contas atrasadas empilhadas em casa.

Prendi o cinto de Delia e seguimos pela estrada de cascalho, espalhando poeira no caminho pela fazenda de Steven. Eu odiava admitir que era uma linda terra. Ampla e plana, dando vistas sem obstrução para os contrafortes Apalaches ao oeste, os terrenos bem arrumados em quadrados de tons diferentes de verde. Encontrei a picape de Steven com facilidade. A pintura vermelha se destacava no fundo verde-vivo e eu enxerguei até o contorno das costas de Steven, que corria atrás de Zach perto da cabine. Zach deu a volta, surgindo do outro lado, a fralda pesada quase arrastando no chão.

"Boa jogada, Steven. Boa jogada."

Steven o pegou no colo ao ver minha minivan e o trouxe correndo, ansioso para se livrar de nós antes que o cliente chegasse. Se eu conhecia Steven, ele pediria à bela assistente que o mantivesse no escritório até nosso carro ir embora. Ele era mestre nesses joguinhos, escondendo seus interesses e usando distrações para tirá-los de cena tranquilamente, preservando sua imagem impecável. Apesar de eu achar que nem mesmo Steven seria capaz de esconder as manchas do tamanho de um bebê que Zach deixara na camisa de botão estampada com o logo.

Ele largou nosso filho no meu colo sem cerimônia, como eu fizera mais cedo. Não encontrei a chupeta de Zach, que eu prendera na roupinha dele antes de sair, enquanto ele abria o berreiro no meu ouvido.

– Obrigada por vir até aqui – disse Steven, mais alto do que os gritos de Zach. – Queria ter tempo de cumprimentar Delia, mas meu cliente já está chegando.

Ele acenou por cima do meu ombro e soltou um palavrão baixinho. Quando me virei, vi que Delia se soltara do cinto e saía da van. Ela correu na nossa direção, pulando no colo de Steven. Ele deu um beijo no gorro dela e a deixou no chão ao meu lado, olhando ansioso para a estrada.

– Deve ser um cliente e tanto – disse, tentando acalmar Zach.

– É a empreiteira daquele novo condomínio planejado em Warrenton que mencionei – disse Steven, distraído. – Duas mil e quinhentas unidades nos próximos dez anos.

Ele levantou o dedo para um dos funcionários, indicando para nós dois que ele só esperaria um minuto.

Balancei Zach, agarrado ao meu quadril. Ele apoiou a cabeça no meu ombro e seus berros diminuíram, tornando-se tristes gemidos.

– Ótimo, que bom, não vou te atrapalhar. Cadê o cobertor do Zach?

Steven fez uma careta.

– Esqueci em casa de manhã. Junto com a chupeta.

Obviamente era aquele o motivo para querer que eu saísse correndo dali. Parei de balançar e o encarei, boquiaberta. Zach se contorceu nos meus braços e voltou a chorar.

– Aqui – disse Steven, agitado, remexendo no bolso para tirar uma chave do chaveiro. – Pode passar lá em casa e buscar. É só deixar a chave debaixo do tapete e, pelo amor de Deus, não conte para Theresa que eu te deixei entrar.

Ele pegou meu braço e começou a nos conduzir de volta à minivan.

Firmei os pés e deixei Zach no chão. O choro parou abruptamente e ele saiu correndo, alegre. Steven tentou pegá-lo, mas não conseguiu, e Zach se jogou em velocidade total pelo campo. Com as mãos, protegi os olhos do sol da tarde para ver Zach andar.

– Foi uma viagem e tanto até aqui e estou ficando sem gasolina. Só tenho vinte dólares na carteira. Pode ajudar?

Estendi a mão. Se ele queria tanto que fôssemos embora, o mínimo que podia fazer era pagar pelo transporte.

Apertando o maxilar, Steven desviou a atenção de Zach com relutância.

– Vinte basta para voltar. Não é tão longe.

Ele sorriu, tenso. Provavelmente para não parecer um babaca completo na frente de Delia.

Eu pus a mão na cabeça da nossa filha, tirando o gorro. Uns tufos de cabelo solto saíram junto. O rosto de Steven murchou. Seu olhar voltou para a estrada de cascalho atrás de nós e ele puxou uma nota de vinte do dinheiro do bolso e enfiou na minha mão. Delia pegou o chapéu, tentando, sem sucesso, colocá-lo de volta na cabeça. Corri para buscar Zach antes que ele pudesse escalar o trator amarelo que chamara sua atenção.

– Obrigada por cuidar do Zach hoje – disse, quando ele finalmente estava choramingando e se remexendo nos meus braços. – Vamos indo.

Dois carros se aproximavam, espalhando poeira. A Mercedes lustrosa parou atrás do pênis no vidro traseiro da minha minivan, e tenho certeza que Steven nunca sentiu tanto alívio quanto ao me ver prender os cintos de segurança das crianças e fechar as portas de trás.

– Vai ser mais rápido pelos fundos – falou, abrindo a porta para mim em um gesto que, à distância, provavelmente parecia galante. – Siga a estrada de cascalho até o fim. Ela leva à estrada rural atrás da fazenda. Vire à direita, à direita de novo, e siga as placas até a autoestrada.

Steven se despediu com um aceno e correu para cumprimentar os clientes, cujos carros bloqueavam o caminho pelo qual tínhamos chegado.

Dei partida no carro e abri as janelas. Uma brisa fresca percorria os hectares de grama nova, ondulando como a superfície de um enorme oceano verde. Dirigindo, não pude deixar de admirar o que Steven construíra ali. Plantar, crescer, colher. Ver algo que começara e a que se dedicara até o fim. Tratores reviravam a terra escura e rica dos meus dois lados, espalhando sementes novas nos sulcos. Outros cortavam faixas longas e finas de relva densa que poderiam cobrir um campo de golfe. Outros ainda abriam pedaços grandes de grama, os rolavam em tubos e os empilhavam em plataformas.

Cento e vinte hectares. Eu nem conseguia escrever cento e vinte páginas. Não conseguia manter o cabelo de uma menininha tão bem cortado quanto Steven mantinha aqueles campos todos.

Fui embora exatamente como Steven queria, pelos fundos, onde ninguém me veria, atravessando o terreno de pousio no fim da fazenda, os últimos hectares de terra que ele ainda não tivera tempo de cobrir com algo novo.

Enfiei a chave de Steven na fechadura enquanto Zach choramingava no meu colo. Delia me seguiu, tirou os tênis e foi direto para o quarto. Na casa de Theresa, era proibido andar de sapatos. Os pisos de madeira larga e os tapetes brancos impecáveis tinham um cheiro forte de desinfetante de limão, como se Theresa tivesse encharcado tudo depois que as crianças tinham ido embora de manhã.

Fiquei de tênis, trazendo sujeira da fazenda ao subir as escadas até os quartos das crianças. O de Zach era estéril e sem graça: tapete branco, persiana branca, móveis caros e limpos, todos de ângulos pontudos e linhas retas. A manta de Zach, coberta de manchas coloridas vivas e cãezinhos desbotados, estava pendurada no trocador de fralda ao lado da chupeta mastigada, que Zach enfiou na boca. Ele abraçou a flanela esgarçada e apoiou a cabeça no meu ombro, fazendo barulhinhos contentes. Chamei Delia ao descer as escadas, mas, como de costume, ela relutou em me seguir. A casa ainda era novidade para ela, com a roupa de cama novinha de princesa e brinquedinhos brilhantes da Barbie. Ela nunca brincava de Barbie em casa. Nem ligava para princesas. No entanto, aquele era o mundo do papai, e ela ficava perfeitamente satisfeita de fingir ali.

Parei no hall de Steven, entre os inúmeros retratos posados de Steven e Theresa, que iam da escada até a porta. O quarto deles provavelmente era cheio de fotos também. Cada centímetro daquela casa era um lembrete de por que ele estava ali e a quem ele estava preso, para o caso de ele esquecer, como fizera comigo quando Theresa apareceu.

Quando Steven e eu morávamos juntos, menos de meia dúzia de fotos emolduradas decoravam as paredes: só conseguia me lembrar de uma foto espontânea da formatura da faculdade tirada por amigos com quem não falávamos desde o divórcio, o retrato de noivado com meus pais, e uma foto de nós dois enfiando bolo na cara um do outro no casamento. Talvez fosse aquele o meu erro. Talvez eu não nos tivesse registrado o suficiente na memória. Talvez eu tivesse fracassado em lembrá-lo do que tínhamos, ou do que ele perderia. Ou talvez nada disso fosse fazer diferença alguma. Ele não era exatamente fiel; só porque Bree-da-fazenda não estava na moldura das fotos de Theresa, não significava que não estivesse ali no fundo.

Minha camisa estava molhada debaixo das bochechas redondas do Zach. O nariz dele escorria, e eu resisti à tentação de passar o dedo, sujar de meleca e limpar debaixo de um dos retratos envidraçados, bem debaixo do nariz da Theresa. Seria bobo demais. Meleca não demoraria para ser percebida no mundinho perfeito de Theresa e, com sorte, Bree também não.

Chamei Delia de novo e peguei um lencinho na caixa da cozinha. O laptop de Theresa estava aberto na bancada ao lado, o logo do Windows quicando de uma ponta à outra da tela de descanso. A curiosidade me venceu e eu pressionei a barra de espaço. O laptop se acendeu sem pedir senha, revelando o que estava aberto: uma ferramenta de busca. Um cursor piscava no espaço vazio.

Olhei para o corredor. A conversa de Delia com as Barbies escapava do quarto. Zach se contorceu quando o passei para o outro ombro, mas logo voltou a fechar os olhos e chupar a chupeta tranquilamente.

Com a mão livre, digitei o nome de Harris Mickler.

A tela se encheu de fotos e contas em redes sociais. Facebook, LinkedIn, Instagram, Twitter. Abri o perfil do Facebook. Um homem atraente de quarenta e poucos anos sorriu para mim. Harris Mickler, quarenta e dois anos, casado com Patricia Mickler, vice-presidente de relações com o cliente de uma empresa financeira em ascensão.

Patricia... Era estranho dar um nome tão inócuo à mulher que me oferecera cinquenta mil dólares para matar seu marido. Passando pelos álbuns on-line, encontrei uma foto dos dois juntos: um retrato básico de aniversário de casamento, tirado cinco anos antes. A surpresa nos olhos arregalados capturada pelo flash da câmera era igual à expressão de quando eu a pegara me encarando no Panera.

A voz de princesa de faz de conta de Delia soava baixinho lá em cima. A chupeta caiu da boca de Zach quando ele adormeceu. Cliquei no perfil de Patricia.

Não sei o que esperava encontrar – uma infinidade de selfies de uma perua fazendo biquinho em busca de likes? Uma daquelas amigas irritantes que faz posts vagos e compartilha testes on-line e memes de política? –, mas Patricia não era nada daquilo. Os posts eram poucos e reflexivos, e ela raramente incluía fotos de si mesma. De acordo com o perfil, ela trabalhava em um banco de investimentos, o que eu imaginava ser um emprego exclusivo de babacas ricos e metidos. No entanto, pelo que eu via, ela parecia igualmente despretensiosa com o dinheiro. Fazia trabalho voluntário frequente no abrigo de animais, doava para vaquinhas de amigos com dificuldades e parecia confortável de jeans velho e moletom. Só ostentava a aliança de casamento, incrustada de diamantes, com uma pedra central absurdamente enorme. Parecia desproporcionalmente extravagante, pelo pouco que eu sabia de Patricia. Ainda assim, era exibida em todas as fotos dela.

Curiosa, dei zoom em uma foto. Patricia abraçava um gatinho do abrigo, com o anel em destaque. Todo o restante era simples e casual: jeans sem adornos, tênis gastos, uma camiseta do abrigo por baixo de um moletom azul... Inclinei a cabeça, tentando enxergar melhor. Uma faixa preta aparecia por baixo da manga do casaco, dando a volta na mão e na base do polegar: uma munhequeira. Voltei a sequência de fotos, parando em uma de três meses antes: um curativo na testa. Outra antes ainda: uma tala no dedo.

"Não posso contar para ele que eu sei. Seria... muito, muito ruim."

Voltei pelas fotos mais uma vez, procurando hematomas nas olheiras escuras, calombos no nariz aquilino, volumes de gesso por baixo de casacos largos, gostando menos de Harris Mickler a cada marca no corpo de Patricia que poderia ser ou não uma cicatriz. Voltei ao perfil dele, mesmo sabendo que não devia. Ele era parte de dezenas de grupos de networking, chegando a Annapolis no leste e Richmond no sul.

Como Patricia dissera, ele confirmara presença num evento à noite, em um bar da moda em Reston. O Lush ficava a poucos quilômetros de minha casa...

Tentei afastar aquele pensamento errante, mas ele se firmou. Eu podia ir. Só para ver. Podia tomar um drinque e observá-lo de um canto discreto do bar. Só por preocupação com Patricia.

Fechei o site e limpei o histórico de busca. Era ridículo. Eu nem tinha o que vestir.

Lá de cima, veio a voz suave de Delia em sua brincadeira. Deitei Zach no sofá, com o cobertor e a chupeta, e subi as escadas com cuidado, parando em frente ao quarto de Steven. Theresa estivera dentro da minha casa naquela manhã mesmo. Ela dissera a Steven que minha porta estava destrancada, fato que ela só saberia se tentasse entrar. *Eu* pelo menos tinha recebido uma chave.

A porta do quarto estava entreaberta e eu a empurrei com o dedo, surpresa pelo caos lá dentro. Esperava encontrar a roupa de cama passada, coberta de almofadinhas decorativas bem arrumadas. Tinha me preparado para flores de seda nas mesas de cabeceira e velas ao redor da banheira. Entretanto, o quarto de Theresa e Steven era um desastre. A cama era um templo de lençóis amarrotados. Havia sutiãs e meias espalhados para todo lado, e a única coisa na banheira era uma pilha de toalhas úmidas. Uma única foto emoldurada dos dois pendia, torta, da parede. Desde que eu soubera da traição, passara o tempo todo temendo que seus espaços particulares e compartilhados seriam muito mais arrumados do que os meus. Porém, ao chutar uma samba-canção de Steven no caminho do armário aberto, a vida entre quatro paredes não pareceu tão diferente da que eu tivera com Steven. De repente, entendi por que Theresa não me queria dentro da casa dela.

Fui até o lado dela do armário. Camisas, vestidos e saias pendurados sem ordem específica, com o mínimo de espaço suficiente entre os itens para impedi-los de amarrotar, para que ninguém desconfiasse que ela era secretamente bagunceira. Passando os cabides um a um, parei em um vestidinho preto. Ela tinha pelo menos cinco do mesmo estilo, pelo que verifiquei ali. Tirei do cabide e o apertei contra o corpo, em frente ao espelho. Com uns ajustes e alfinetes, vestiria bem em mim. Ela provavelmente nem notaria que sumira.

Mordi o lábio, considerando tudo que ela roubara de mim em segredo. Tudo que *ainda* tentava roubar. Antes que pudesse mudar de ideia, embolei o vestido e o enfiei debaixo do braço, deixando a porta do quarto entreaberta, exatamente como a encontrara.

Chamei Delia de novo, com insistência. O suspiro pesado dela me lembrava cada dia mais do pai, e os pezinhos se arrastaram atrás de mim na escada.

– Não podemos ficar mais um pouco, mamãe? – choramingou ela.

– É hora de ir para casa.

Enfiei os braços dela nas mangas do casaco. Ela bateu os pés enquanto eu tentava calçá-la.

– Minha casa vai ser *aqui*. O papai falou.

As palavras cortaram meu coração como uma faca. Contive uma careta ao pegar Zachary no colo, com o cobertor e a chupeta, e segurar a mão de Delia, cuidando para levar comigo cada rastro dos meus filhos. Ao trancar a casa do meu ex, não pude deixar de imaginar que tipo de advogado poderia pagar com cinquenta mil dólares.

Larguei as crianças na frente da TV com um pote de salgadinho e liguei para Vero assim que entrei em casa, com medo de perder a coragem se pensasse muito mais.

Esperei o toque da caixa postal.

– Oi, Vero? É a Finlay. Olha, sei que o Steven disse que não precisaríamos mais de você para cuidar das crianças. Não foi minha escolha, por sinal. Óbvio que ele não me perguntou antes de decidir... sabe... te demitir – falei, fazendo uma careta.

Eu não tinha moral para pedir nada a ela. Respirei fundo e pedi mesmo assim.

– Mas apareceu uma complicação hoje à noite e eu preciso muito de uma babá. Às sete seria ótimo, se você estiver livre. Não vou demorar.

No entanto, se eu ia pagar uma babá e me arrumar, era melhor aproveitar a noite de folga.

– Volto às onze, no máximo – acrescentei. – Sei que está em cima da hora, mas posso pagar o dobro do valor normal da sua hora.

Usaria a conta do Steven no PayPal. A senha ainda funcionava. Eu estava guardando o trunfo para uma emergência, mas, depois daquele dia, minha necessidade de beber contava como emergência.

– Se não puder...

"Ou quiser", pensei.

– ...entendo perfeitamente. Provavelmente eu possa deixar as crianças com minha irmã. Mas, se receber esta mensagem nos próximos minutos, me ligue para responder. Por favor?

Deixei o telefone de lado e vi a tela apagar. Até que o peguei de novo, conferindo a tela o tempo todo enquanto andava em círculos pela cozinha e roía as unhas. O vestidinho preto de Theresa estava pendurado na maçaneta da porta da despensa. Com um decote profundo, a cintura marcada e uma sedutora fenda lateral, parecia uma roupa que as heroínas das minhas histórias vestiriam. Aposto que ficava lindo em Theresa. Eu não vira um só moletom de mãe ou calcinha prática naquelas pilhas bagunçadas no chão.

Liguei para minha irmã.

– Oi, Finn.

– Oi, George. Está trabalhando hoje?

A pausa demorada respondeu. Minha irmã mente muito mal. Ela é honesta. Honesta até demais. E provavelmente por isso seja tão boa policial.

– Por quê? – perguntou, desconfiada.

– Preciso deixar as crianças na sua casa.

Minha irmã não sabia lidar com crianças. Ela sabia lidar com criminosos. Georgia vivia solteira desde que saíra do útero e garantia que preferia assim. Ela achava melhor passar a noite arrombando portas e emitindo mandados de prisão do que vendo *Vila Sésamo* e *Dora, a Aventureira*. Honestamente, quem não acharia?

– Só umas horinhas – implorei. – Dou comida para eles antes e Zach provavelmente vai apagar antes mesmo de chegarmos aí. Eles vão passar o tempo todo dormindo, prometo.

No fundo, o barulho da TV ligada no telejornal.

– Desculpa, Finn. Não posso. Não viu o jornal? O braço local da máfia russa ganhou na justiça de novo hoje de manhã. Preciso me reunir ainda hoje com uns caras do departamento de crime organizado e narcóticos para falar sobre o assunto.

Georgia trabalhava no departamento de crimes violentos.

– Você não trabalha com narcóticos.

– Não, mas faço companhia quando eles bebem até chorar.

No fundo, o som agora era de outro canal. Soou uma música de abertura, a reprise de alguma série policial dramática que Georgia só via para ficar xingando por causa de todos os detalhes da profissão sobre os quais os roteiristas não tinham pesquisado.

– Sério, Georgia. É importante.

– Não pode ligar para a Vero?

– Steven a demitiu hoje de manhã e ela nem atende o telefone. Não tem mais ninguém. E preciso mesmo fazer isso. – Fazer o quê? O que raios estava fazendo? Jesus, eu ia mesmo fazer isso? Sim, porra. Ia fazer isso, sim.. – É pesquisa para um projeto em que estou trabalhando, não posso levar as crianças comigo.

– E seus amigos? Não podem ajudar?

– Não estão próximos o suficiente.

Apertei os dedos na têmpora, pensando na meia dúzia de pessoas para quem provavelmente poderia ligar, mas não ligaria. Steven nunca gostara dos meus amigos. Talvez porque eles nunca tivessem gostado dele. Ao longo dos anos, de forma consciente ou não, eu me afastara. Escolhera Steven em vez deles. No divórcio, os amigos do Steven o escolheram.

Ela desligou o som da TV e soltou um palavrão baixinho.

– Não tem ninguém no bairro que possa cuidar deles?

Claro. Que nem a tia Amy?

– Quem cuida deles acabou de contratar um advogado para pedir a guarda dos meus filhos e demitiu minha babá! Não, Georgia, não tem mais ninguém.

Ela suspirou com tanta força que a lufada derrubaria as portas de um laboratório de metanfetamina.

– Tá. Mas só umas horas. Se você não voltar antes das dez, vou te declarar desaparecida e organizar uma busca armada.

Agradeci precipitadamente e desliguei antes que ela mudasse de ideia. Enfiei uma bandeja de nuggets no forno, dei banho nas crianças e as vesti, e troquei a fralda de Zach antes de subir correndo para me arrumar para sair. Soprei a poeira de uma bolsa preta bordada antiga e enfiei o lenço com peruca e a maquiagem ali dentro, me perguntando como Harris Mickler seria entre quatro paredes. Que segredos ele e Patricia esconderiam no armário? Seriam seus defeitos tão graves a ponto de sua morte custar cinquenta mil dólares?

Eu já tinha ido a vários bares. Botecos universitários, pés-sujos, bares chiques com Steven quando ele estava conquistando clientes, bares policiais com Georgia, bares gays (também com Georgia) e bares sórdidos de strip-tease nos cantos menos limpos da cidade como parte da pesquisa para um livro de que ninguém ouviu falar. Mesmo assim, por mais bares em que eu tivesse pisado antes, era sempre incômodo entrar em um bar sozinha. Odiava a sensação de que todos os olhares se viravam para ver quem chegava.

Ou, pior ainda, quando ninguém nem se dignava a olhar.

O Lush estava lotado de ternos e gravatas e vestidinhos pretos, e ninguém parecia reparar ou se importar quando mais um se apertava para entrar. Conferi se minha peruca presa ao lenço estava no lugar e abaixei os óculos escuros enormes para que meus olhos se ajustassem à meia-luz. O bar central, de madeira de cerejeira com detalhes em latão, era decorado com garrafas coloridas e vidro gravado iluminado por trás, e comandado por *bartenders* jovens e absurdamente atraentes que provavelmente passavam o dia espalhando books de modelo e procurando testes para atores em Washington. Eu me esgueirei pelo lugar, abrindo espaço entre mesas altas e grupinhos apertados de conversa, até finalmente arranjar o único banquinho vazio na ponta do bar. Fui puxar a alça da bolsa de fralda para pendurar na cadeira quando me lembrei de que a deixara com as crianças na casa de Georgia. Em vez disso, deixei a bolsa pequena no balcão à minha frente, me sentindo desconfortável de tão leve sem a bagagem de costume, como se tivesse esquecido algo importante em casa. Além da carteira de identidade, só levara um batom bordô, os vinte dólares de Steven, o celular e o pedacinho de papel amarrotado da esposa de Harris Mickler.

Analisei os rostos dos homens às mesas. Em seguida, das mulheres. Todos me lembravam vagamente de Steven e Theresa, mas eu tinha bastante certeza que não conhecia ninguém. Tirei os óculos e os guardei na bolsa. Pensei em pedir uma cerveja, mas o lugar não tinha pinta de Budweiser. Em vez disso, pedi uma vodca com água tônica, procurando tranquilamente Harris Mickler enquanto bebia. Altura média, peso médio, cabelo castanho grisalho, mais branco nas têmporas. Os olhos, pequenos para o rosto dele, viravam dobrinhas fundas quando ele sorria. Não vi ninguém parecido, então, quando o barman se aproximou, levantei o dedo para chamar sua atenção. Ele se inclinou sobre o bar, apoiando as duas mãos na superfície e virando a orelha para me ouvir melhor em meio ao barulho.

– Onde o pessoal mais corporativo costuma sentar? – perguntei.

Ele olhou de relance para minha mão esquerda, sem aliança. Com um sorriso de quem entendera tudo, apontou com o queixo para um grupo barulhento de homens e mulheres rindo ao redor de mesas altas.

– O pessoal imobiliário costuma se juntar ali.

Em seguida, inclinou a cabeça na direção do grupo ao lado.

– A galera de banco e hipoteca não fica longe.

Com o polegar, apontou para trás, por cima do ombro, indicando um grupo animado na ponta oposta do bar.

– Empreendedores, golpistas de esquema de pirâmide, negócios caseiros – falou, com uma sobrancelha erguida em irritação, sugerindo que escolhera esse lado do bar de propósito. – Os empresários metidos costumam reservar as cabines do fundo.

Ele pegou um copo de baixo do balcão, demorando o olhar em mim.

– Você não parece do tipo metida – disse.

Espetei o limão com o palito e bebi o restante do drinque.

– E você não parece ter idade para me servir – retruquei.

– Ai! – disse ele, rindo, antes de morder o lábio e me olhar com novo interesse. – Só quis dizer que você não parece um clichê reacionário.

Mexi o gelo no copo.

– Hum... clichê reacionário. Treinando para a redação do vestibular?

Nossos dedos se esbarraram quando ele pegou meu copo vazio.

– Prova do mestrado em direito, na verdade.

Ele fez uma pausa, observando minha reação antes de trocar o copo. Eu nem notara que ele preparara mais um drinque.

– Como você se chama? – perguntou.

Chupei uma rodela de limão, considerando como responder. Foda-se. Por que não?

– Theresa – respondi, oferecendo minha mão.

– Julian, prazer.

O aperto de mão dele era bom. Não era uma demonstração de força cheia de testosterona. Nem uma sugestão fraca de que ele subestimara meu aperto.

– O que você planeja estudar, Julian?

– Estudo direito – ele me corrigiu. Se eu o magoei, ele não o demonstrou. – Terceiro ano de especialização em direito criminal na universidade George Mason – explicou.

Ergui uma sobrancelha cética.

– E procuradores não são clichês reacionários?

Ele pendurou um pano de prato no ombro.

– Não tenho aspirações tão sofisticadas. Acho que o mundo merece mais uns defensores públicos. E você? O que você faz?

Bebi mais um pouco, deixando o gelo bater nos meus dentes enquanto pensava no que dizer. Eu fazia questão de nunca contar a desconhecidos qual era meu trabalho. As conversas sempre ficavam esquisitas. Memoráveis, também. Olhei para o vestido de Theresa e limpei uma poeirinha do tecido.

– Sou corretora imobiliária.

– Parece um saco.

Engoli uma gargalhada.

– Horrível.

– Não me leve a mal – disse ele, com certo cuidado –, mas você também não parece corretora imobiliária.

– Sério?

Ele era um pouco arrogante, mas fofo, e talvez fosse efeito do segundo copo de vodca com água tônica, mas aquele sorriso me agradava cada vez mais.

– O que eu pareço, então?

Julian me analisou, limpando um copo.

– Do tipo que bebe cerveja fria e pede pizza em casa. Anda descalça, de jeans e camiseta desbotada e larga.

Eu me senti corar, surpresa pela precisão dele, e por não me incomodar com a sinceridade. Ou com a forma como ele me olhava. Bebi o fim da vodca considerando as diferenças entre eu e Theresa, me perguntando se Steven já gostara de pedir pizza, ou se sempre tivera gostos sofisticados e eu era ignorante demais para enxergar.

– Que pena que você não se interessa por direito de família. O mundo merece mais advogados de divórcio também.

Deixei a nota de vinte no balcão e desci do banquinho. Precisava fazer xixi e o banheiro provavelmente ficava no fundo do bar, perto das cabines que Julian mencionara. Eu podia dar uma olhada durante o caminho. Só por curiosidade.

– Olha só – disse Julian, tocando minha mão antes que eu me virasse. – Meu turno acaba daqui a uma hora. Se quiser esperar, podemos sair para comer depois.

Um cachinho cor de mel caía sobre seu olho, e seu sorriso era perfeitamente assimétrico. Não vou mentir e dizer que não me permiti alguns segundos para pensar.

– Obrigada. – Empurrei a nota de vinte para mais perto dele. Precisava voltar para buscar meus filhos antes que minha irmã mandasse todos os policiais da cidade atrás de mim. A última coisa de que precisava era ser encontrada ralando e rolando na calabresa no banco de trás da minivan com um universitário que curtia panela velha. – Não estou vestida para comer pizza – concluí.

Ele mordeu o lábio, contendo um sorriso.

Eu agradeci e apontei para o fundo do bar, indicando que, por mais que fosse tentador, meus planos para a noite continuavam os mesmos. Fui, então, em busca do banheiro. E, quem sabe, de Harris Mickler.

As cabines no fundo do bar eram particulares, com assentos de couro preto, encostos altos de madeira e luz baixa e quente, fazendo-me parecer a pior das intrometidas por tentar enxergar ali dentro ao passar bambeando nos saltos que não usava havia anos. Uma bolha se formara onde a tira apertada arranhava a articulação debaixo do meu dedão direito, e as duas vodcas com água tônica que eu engolira de barriga vazia não estavam ajudando. Eu me senti cambalear de leve ao descer o corredor estreito entre as cabines, na direção das placas do banheiro. Um telefone apitou quando me aproximei da última.

– Licença – disse um homem. – Preciso atender.

O homem saiu da cabine sem desviar o olhar do telefone, quase me derrubando ao andar até o bar.

– Quem fala é o Harris – disse ele ao telefone, em voz baixa, ao passar por mim.

Harris. Apoiei a mão no encosto da cabine mais próxima para me equilibrar, me virando para olhá-lo de novo. O casal ao meu lado me olhou com curiosidade, então me abaixei e fingi ajeitar o sapato enquanto uma mulher saía da mesa de Harris Mickler. Os saltos dela fizeram barulho ao bater no chão, até sumir no banheiro feminino. Eu me demorei mais um momento, tentando escutar a conversa de Harris a poucos metros dali, mas acabou rápido e ele guardou o celular. Chamando o barman mais próximo, ele pediu duas taças de champanhe e voltou a se sentar. Corri para o banheiro, surpresa de sentir o coração a toda ao entrar na cabine vazia.

O que eu estava fazendo? Aquilo era ridículo. *Eu* era ridícula. Harris Mickler estava traindo a mulher. E daí? Vários homens faziam aquilo. Meu marido, inclusive. Por mais que o odiasse por aquele motivo, não conseguia imaginar matá-lo. Nem por cinquenta mil dólares. Mesmo assim, ali estava eu, espionando um homem que nem conhecia.

Aliviei a bexiga o mais rápido possível, lavei as mãos e abri a bolsa para retocar o batom, parando ao ver o bilhetinho amassado de Patricia Mickler no fundo da bolsa. Era melhor jogá-lo no vaso e dar descarga. Era melhor picotá-lo e jogá-lo na pia.

A tranca na cabine atrás de mim se abriu e eu fechei a bolsa correndo.

A mulher que acompanhava Harris Mickler estava de cabeça baixa, olhando o celular, o cabelo loiro e comprido caindo em seu rosto como uma cortina, sobre os ombros do terno cinza. Passei uma camada de batom, observando pelo espelho ela fazer a chamada e apertar o telefone contra a orelha. Um deslumbrante anel de diamante brilhava no quarto dedo da mão esquerda, junto de uma aliança incrustada de brilhantes.

– Oi, amor – disse a mulher ao telefone com voz doce, enquanto eu guardava o batom na bolsa.

Talvez ela fosse colega de trabalho de Harris, pensei. Talvez eles tivessem se dado bem no trabalho e vindo comemorar.

– Desculpa, querido – disse ela. – Estou em reunião com um cliente. Está demorando mais do que eu esperava. Tem comida na geladeira e o antialérgico da Katie está no balcão. Você pode botar as crianças para dormir por mim?

Tá, Harris certamente estava traindo a esposa. Com uma mulher casada.

Dane-se. Ele podia merecer um caso grave de gonorreia e, se batia na esposa, definitivamente merecia ir preso, mas nada que eu vira até ali sugeria que Harris Mickler merecia morrer. Ajustei a peruca na frente do espelho e conferi a hora no celular. Estava cedo. Eu ainda podia comprar comida chinesa no cartão do Steven, levar jantar para Georgia e esquecer que...

A amante de Harris Mickler se encostou na pia e elevou a voz.

– É um cliente importante, Marty! O que você quer que eu faça?

Saí do banheiro e deixei a porta fechar, abafando a discussão acalorada. Corri de volta até o bar bem na hora em que o garçom de Harris Mickler trazia duas taças de champanhe. Vislumbrei a camisa branca de Harris quando ele enfiou uma nota dobrada na mão do garçom. Quando o garçom se virou, algo caiu da palma de Harris em uma das taças. O comprimido branco brilhava entre as bolhas douradas, efervescendo ao descer ao fundo da taça.

Com a cabeça abaixada, apertei o passo até me afastar da cabine de Harris e entrar em um espaço vazio no bar. O ângulo não me permitia ver o rosto de Harris Mickler, mas era próximo o suficiente para eu enxergar seu braço enquanto ele remexia a taça. Quase não vi o barman entrar na minha frente para perguntar meu pedido. De qualquer modo, eu estava sem dinheiro, então estiquei o pescoço para olhar por cima do ombro dele, vendo Harris mudar a posição das taças.

O barman entrou no meu campo de visão. Julian sorriu quando nossos olhares se cruzaram. Tentei vislumbrar discretamente a porta do banheiro no fim do corredor. A mulher voltaria a qualquer segundo. O que eu deveria fazer? Contar para Julian? Pedir a ele que interviesse na mesa? Ir atrás da mulher no banheiro e contar o que eu vira Harris fazer? Tudo aquilo me tornaria uma testemunha. Eu precisaria esperar a polícia e dar um depoimento. Perguntariam quem eu era e o que estava fazendo ali. Eu precisaria explicar por que usava uma peruca e um vestido roubado e usava o nome de Theresa. Eu precisaria explicar por que eu estava sendo procurada pela polícia por demorar a buscar meus filhos na casa da minha irmã.

"Georgia", pensei.

Georgia era policial. Se Georgia estivesse ali, o que ela faria? Toda ideia que me ocorria envolvia armas, algemas, ou conhecimento de jiu-jitsu. Eu não tinha nada daquilo.

– Mudança de planos? – perguntou Julian, inclinando a cabeça, curioso.

– Talvez – saiu minha resposta antes que eu pudesse me conter.

O sorriso dele aumentou.

– Quer beber enquanto espera?

Era aquela a parte da história em que a heroína precisava pensar no ato. O que a heroína da minha história faria? Definitivamente não chamaria a polícia enquanto ainda tinha um pedido de contratação de assassinato de aluguel escondido na bolsa.

– Bloody Mary? – pedi.

Ele ergueu a sobrancelha em reação à minha escolha, mas não discutiu. Fiquei de olho na porta do banheiro enquanto ele servia tomate e vodca no gelo e largava um talo de aipo no copo.

– Obrigada – agradeci, pegando o copo da mão dele antes que batesse no balcão. – Já volto.

Abri caminho correndo de volta na direção do banheiro e escancarei a porta, aliviada ao encontrar a amante de Harris encostada na frente do espelho, retocando o blush.

Respirei fundo e rezei para ela não andar armada. Em seguida, fingi tropeçar, derramando o conteúdo do meu copo e encharcando as costas do terno dela de suco de tomate.

Ela ficou paralisada quando o líquido gelado escorreu pela saia cinza-claro.

– Ai, ai, não! Mil desculpas!

Deixei o copo vazio na pia e peguei um monte de papel-toalha na maquininha.

Ela afastou minhas tentativas desajeitadas de limpar a bagunça, se virando com um olhar de nojo para ver o estrago no espelho.

– Caiu na roupa inteira!

"Podia ser muito pior."

Ela passou a mão nas costas, sem alcançar o pior da mancha.

– Água tônica – falei, andando de costas até a porta. – Precisamos de *muita* água tônica. Fique aqui. Não se mexa. Eu sei exatamente o que fazer.

Abri a porta só o necessário para sair.

Harris levantou a cabeça rapidamente quando saí do banheiro. O sorriso dele se desmanchou quando parei em frente à mesa. Meu coração martelava. Era agora ou nunca.

– Harris? Harris Mickler? É você?

Ele empalideceu, olhando ansioso para as mesas ao nosso redor.

– Hum, não. Não sou...

Olhou de relance para a porta do banheiro.

– Perdão – disse ele, a expressão dividida entre confusão e incômodo. – Eu te conheço?

– Harris! – falei, dando um tapinha no braço dele. – A gente se conheceu naquela festa... sabe, naquele evento de Natal uns anos atrás.

Que traquejo, Finlay. Jeitosa à beça. Eu teria me chutado se não achasse que levaria um tombo.

– Poxa, levanta e me dá um abraço, seu bobão! – insisti.

Agarrei a mão dele, praticamente o puxando para fora da cabine e jogando meus braços ao redor dele como se nos conhecêssemos desde a época da escola. Ele ficou imóvel, as mãos abanando enquanto eu o abraçava de lado. Com meu braço livre, tentei alcançar a outra taça de champanhe, mas estava longe demais. Harris me empurrou de leve pelos ombros, murmurando que eu devia ter me confundido. Eu o abracei com mais força e me apertei contra ele, determinada a alcançar a taça.

Ainda estava longe.

– Ei! – exclamou quando as costas bateram na mesa. – O que você...?

Passei a mão na bunda dele. Harris se calou, os olhinhos se arregalando de surpresa quando apertei. Meu Deus. O que eu estava fazendo?

– Claro – disse ele, com curiosidade repentina, quando os dedos de minha outra mão se fecharam na taça de champanhe. – Claro, lembro, sim.

Uma coisa dura começou a pressionar minha barriga, e eu tinha bastante certeza que não era a fivela do cinto dele. Que canalha. Rápida, empurrei a taça pela mesa até inverter a posição das duas. Por fim, me larguei no lado vazio da cabine, com pressa de criar uma barreira entre nós, e peguei a taça mais próxima.

– Posso sentar aqui?

Harris se ajeitou no banco desconfortavelmente, sentando-se ainda de olho na porta do banheiro atrás de nós, ansioso.

– Hum... Não sei se...

Levei a taça à boca e tomei metade em um gole só. Não era forte o suficiente para limpar o nojo do que eu fizera, mas a expressão de choque de Harris foi um alívio.

Balancei a taça.

– Você não estava esperando ninguém, né? – perguntei, e me empertiguei, levando uma mão ao peito. – Ah, não! Espero que não seja aquela coitada no banheiro. Ela estava brigando com alguém ao telefone. Acho que era o marido. Ela estava bem chateada. Eu a vi ir embora pela porta dos fundos.

Harris se desanimou. Ele fechou a cara, pegou a própria taça e a bebeu de uma vez, encarando com o olhar vazio a saída de emergência na ponta do corredor dos banheiros.

"Ai, merda", pensei, vendo a goela dele subir e descer com o último gole. Quanto tempo aquelas coisas levavam para fazer efeito? Abaixei minha taça. Meu batom marcava um desenho distintamente vermelho na beira e minhas digitais manchavam a haste. Se ele desmaiasse ali e o hospital fizesse um exame toxicológico, eu me daria muito mal.

– Ei, Harris – falei, olhando ansiosa para as mesas mais próximas antes de me inclinar para mais perto e continuar, sussurrando. – Que tal a gente dar o fora daqui? Ir para um lugar mais... íntimo.

Apontei com o queixo para a porta que ele encarava, aliviada quando um sorriso perverso se abriu no rosto dele. Eu tinha estacionado nos fundos, atrás das latas de lixo, o mais longe possível da porta da frente e das janelas. O endereço dele estava anotado no bilhete de Patricia na minha bolsa. Se eu conseguisse levá-lo até o carro, podia deixá-lo em casa para dormir. Depois era só queimar o bilhete e esquecer que aquilo tudo tinha acontecido.

Harris chamou o garçom com um dedo.

– A conta, por favor.

Ele soltou a gravata enquanto esperávamos, suor brilhando na testa e uma careta repuxando o rosto.

– Me lembre como nos conhecemos?

– Ah, hum...

Revirei minhas lembranças do perfil dele no Facebook, mas minha mente estava paralisada de medo. Não me lembrava do nome de nenhum grupo ao qual ele pertencia.

– A gente estava... sabe... a gente fez aquele troço especial... – disse, com um gesto distraído da mão. – Aquele trabalho financeiro da... Virginia do Norte. – Abaixei a voz em um sussurro conspirador, esperando que ele preenchesse as lacunas. – O nome que não... – continuei.

– Você trabalha com o Feliks?

Ele olhou pelo bar, ansioso.

– Isso! – falei, batendo palmas. – É exatamente assim que nos conhecemos. Trabalho com o Feliks – repeti, distraída, com o olhar grudado no banheiro feminino, torcendo para a amante de Harris não aparecer.

– Ah – disse ele, acariciando o peito como se tivesse azia, com a cara um pouco enjoada. – O que exatamente você faz para o Feliks?

Sacudi o joelho debaixo da mesa.

– Ah, sabe como é. Um pouco disso, um pouco daquilo.

Harris sacudiu a cabeça, tentando se concentrar, o olhar se tornando distante e vago. Eu o chutei por debaixo da mesa.

– Fique acordado, Harris – falei, alegre.

Estiquei o pescoço em busca do garçom. Quanto tempo demorava para trazer a porra da conta?

– Esse champanhe estava bem forte – disse ele, a cabeça pesada no pescoço. – Estou me sentindo... meio esquisito.

Ele começou a falar mais devagar, as palavras se juntando em um arrastar bêbado. Ele piscou, os olhos pesando.

– Como você se chama mesmo? – perguntou.

– Theresa.

– Claro, Theresa – disse ele quando o garçom finalmente apareceu, equilibrando uma bandeja de bebidas antes de deslizar a pasta preta de couro da conta na mesa e sumir de novo.

O queixo de Harris pesou para a frente. Fiquei grata pelo garçom não ter tentado papear.

– Vamos lá, Harris.

Eu me levantei, conferindo se ninguém nos observava para puxá-lo de pé. O Lush estava lotado, corpos demais apinhados para alguém notar, e Julian estava ocupado, servindo clientes atrás do bar. Harris se apoiou em mim quando eu tirei a carteira do bolso dele, puxei uma nota de cem e larguei na mesa para cobrir a conta. Passei o braço dele pelo meu ombro e o guiei aos tropeços pelo corredor dos fundos até a placa luminosa de SAÍDA, abrindo a porta o suficiente para passarmos juntos.

Quando chegamos ao estacionamento, Harris estava consideravelmente mais pesado. Eu cambaleava no salto, a cabeça dele apoiada no meu ombro. Puxando ele para cima, nos guiei até a caçamba de lixo, caminhando lenta e sinuosamente até a sombra do meu carro ali atrás. O estacionamento dos funcionários estava escuro e silencioso, e apoiei Harris contra a porta do carro, segurando ele com o corpo para impedir que caísse enquanto eu procurava as chaves na bolsa. Ele passou a mão pelo meu corpo, desajeitado e inquieto. Uma das mãos me apalpou sob o vestido, e eu recuei quando a língua molhada se enfiou na minha orelha.

– Ah, Harris – falei, me afastando, a voz carregada de sarcasmo enquanto ele me apertava. – Você é safadinho, né?

Eu apertei desajeitadamente o comando da chave e a porta abriu, quase derrubando Harris no chão. Eu o segurei com firmeza quando ele caiu no chão na frente da cadeirinha de Zach, as costas do terno caro se sujando de suco de maçã e salgadinhos quando eu o empurrei para trás, prometendo diversão se ele entrasse e deitasse no chão como um menino obediente. Ele rosnou no meu ouvido quando o empurrei, descrevendo com a voz arrastada tudo que faria comigo se eu entrasse ali com ele; a maioria das propostas me deu nojo e talvez justificasse aceitar a oferta de Patricia. Finalmente, ele caiu em um sono pesado.

Enfiei os pés de Harris dentro da van e bati a porta. Cães latiram por perto e eu dei uma olhada para o estacionamento iluminado do outro lado das latas de lixo, rezando para ninguém ter visto o que eu fizera. Um casal entrou no bar de braços dados. Um grupo de mulheres fumando na frente, mas não me olhava. Os latidos sumiram ao longe.

Procurei o celular na bolsa e corri para a porta do motorista. Eu devia ligar para Patricia. Garantir que ela estava em casa. Depois explicaria a conversa que ela entreouvira no Panera e resolver aquele mal-entendido.

– Theresa!

Congelei quando a voz tranquila atravessou o estacionamento. Quando me virei, vi Julian andando na minha direção, sorrindo calmamente e girando a chave do carro no dedo. Os dois botões de cima da camisa dele estavam abertos, as mangas arregaçadas até os cotovelos, como se tivesse acabado de bater o ponto.

– Eu tinha esperança de que você não tivesse ido embora.

Ele se encostou na lateral do meu carro e eu agradeci a Deus silenciosamente pela escuridão. À Dodge também, pelos vidros fumê nas minivans.

– Desculpa... desculpa, mil desculpas – gaguejei, apertando a testa com os dedos e soltando uma explicação corrida e confusa. – Eu juro que não queria te dar um perdido. Nem ir embora sem pagar aquela última bebida. Eu só...

– Ei, ei, ei – disse ele, baixinho, se empertigando e dando um passo para trás, levantando as mãos. – Não precisa se desculpar. Você não me deve nada.

– Mas o Bloody Mary...

– Foi pago totalmente pela sua gorjeta – disse ele, mantendo uma distância confortável entre nós dois. – Só queria confirmar se você estava em condição de dirigir. Posso chamar um táxi para você – acrescentou, deixando claro que não era uma cantada –, se precisar de carona.

– Obrigada. Estou bem.

Fechei a boca com força para me impedir de falar o que não devia. Eu não estava nada bem. Tinha um tarado inconsciente enfiado na minha minivan e um bilhete na minha bolsa de uma mulher que queria que eu o matasse. Ainda por cima, eu ia me atrasar para buscar meus filhos na casa da minha irmã, então ela ia começar a me procurar. Olhei para o celular, surpresa por Georgia ainda não estar me ligando sem parar.

– Posso ver seu celular? – perguntou Julian.

Eu entreguei o aparelho. Algo nele me desarmava. Era a voz suave e a preocupação sincera no olhar. Ele abriu meus contatos e salvou o próprio número.

– Caso precise – falou, me devolvendo o celular e enfiando as mãos nos bolsos. – Ou... sabe... caso mude de ideia quanto a sair comigo qualquer dia desses.

Ele se afastou do carro, a cintura estreita destacada pelas luzes da rua lá atrás. Ele se desenhava bem contra o céu escuro, e parte de mim desejou ter ficado com ele no bar mais cedo, mesmo que eu fosse velha demais para aquilo.

– Eu tenho filhos – gritei para o outro lado do estacionamento. – Dois.

O sorriso dele brilhou na luz do poste.

– Não tenho nada contra minivans – respondeu.

Contive uma gargalhada de surpresa ao vê-lo se afastar. O que estava acontecendo? Como aquilo podia ser minha vida? Entrei no banco do motorista e fiquei olhando para o número dele. Se eu chegasse ao fim da noite sem ser presa pela polícia rodoviária – ou, pior, pela minha irmã –, talvez ligasse para ele um dia.

Com um suspiro profundo, tirei o bilhete amassado da bolsa e liguei para Patricia. Ouvindo o toque pelo Bluetooth, peguei a rua na direção vaga da casa dos Mickler. Finalmente, Patricia atendeu.

– Acabou?

– Você está em casa?

Pausa.

– Estou.

– Está sozinha?

– Estou.

– Graças a Deus.

Peguei um chiclete no painel. Eu estava fedendo a destilaria.

– Seu marido tentou drogar uma mulher no bar. Eu... Ele acidentalmente tomou a droga. Estou com ele, vou levá-lo para casa.

Eu me sentia estranhamente conectada àquela mulher que mal conhecia. Além de familiar demais com o marido dela. Peguei a pista da direita, me mantendo abaixo do limite de velocidade.

– Não! Você não pode trazê-lo para cá! – objetou ela, com fervor. – Você precisa se livrar dele. Só vou pagar se você se livrar dele como disse... simples!

– Nunca falei que faria nada. Você entreouviu uma conversa que não entendeu.

Um Audi me cortou, correndo para a rampa que levava ao pedágio. Apertei a buzina com força, tomada por adrenalina ao procurar luzes piscando no retrovisor, aliviada por não ver nada.

– Olha, só porque ele é um filho da puta nojento não significa que ele merece...

– Você está com o celular dele? – perguntou Patricia.

A pergunta dela me surpreendeu.

– Talvez. Não sei.

Sabia que Harris estava com a carteira. Da última vez que vira o celular, ele o guardara no bolso de dentro do paletó.

– Acho que sim – completei. – Por quê?

– Encontre. A senha é *leiteiro*. Abra as fotos. Ligue quando acabar.

– Não quero ver as...

Ela desligou. Bati no volante, soltando um palavrão. O que eu deveria fazer? Obviamente, Patricia não abriria a porta se eu aparecesse na casa dela. Considerando minha sorte, um vizinho me viria largar Harris no quintal e daria minha placa para a polícia.

"Merda." A noite só melhorava.

Saí do caminho para o pedágio e parei no estacionamento de um centro empresarial. Levantei o apoio de braço e engatinhei para a parte de trás da minivan, tentando não empalar Harris Mickler com meu salto. "O estado gostaria de apresentar a Prova A para a acusação, o pé direito do Louis Vuitton falsificado da ré, também conhecido como arma do crime, Vossa Excelência." Engoli uma gargalhada, me perguntando como Julian me defenderia daquilo, enquanto me enfiava no espaço entre as cadeirinhas dos meus filhos para remexer no bolso de Harris em busca do celular. A tela estava bloqueada. Digitei a senha com uma careta.

Hesitei a clicar no ícone das fotos. Sabendo o que eu sabia sobre Harris Mickler, o que me aguardava naquele aplicativo seria no mínimo desagradável, podendo chegar a ser traumático. Ou pelo menos me faria vomitar. Contra qualquer sensatez, cliquei mesmo assim. Umas pastas com os títulos de sempre: Facebook, Instagram, Twitter, Capturas de tela, Câmera... Particular.

Cobrindo um olho, cliquei no último, surpresa por não ser uma coleção de pornografia bem nojenta. Em vez disso, encontrei uma coleção de pastas numeradas. Treze pastas. Todas com nomes: Sarah, Lorna, Jennifer, Aimee, Mara, Jeanette...

Abri a primeira pasta e fui passando pelas fotos, começando devagar, aproximando a tela do rosto para entender as imagens, enquanto Harris roncava de leve ao meu lado. Pelo que dava para ver, era uma série de fotos espontâneas de uma mulher, captadas por ângulos esquisitos, como se tiradas secretamente. Uma mulher loira na fila do café. A mesma mulher entrando no carro. Outra foto dela empurrando um carrinho de compras no estacionamento, mostrando claramente seu rosto. Eu a reconheci. Era a mesma mulher que eu sujara de suco de tomate no bar.

Harris Mickler perseguia mulheres.

"Se fosse só uma, talvez eu entendesse, mas tem outras. Tantas outras."

Fechei a pasta e abri a próxima. Fiquei sem fôlego.

As imagens começavam iguais às outras, com dezenas de fotos tiradas secretamente. No entanto, as outras doze pastas levavam também a fotos muito mais perturbadoras: retratos posados de Harris com aquelas mulheres, parecendo estarem em um encontro, como naquela noite. Depois, aquelas mesmas mulheres em poses montadas: nuas, de olhos fechados, expressões flácidas enquanto ele as tocava, beijava e violava, as alianças brilhantes e caras sempre cuidadosamente registradas.

Engoli bile, passando por inúmeras imagens daquelas outras doze mulheres que ele perseguira e namorara pelos últimos trinta e seis meses, todas mais ou menos parecidas em rosto e corpo, enojada pela conclusão de que ele provavelmente drogara e estuprara todas elas. A última imagem na pasta de cada mulher era uma foto horrivelmente íntima com uma mensagem colada por cima:

Faça exatamente o que eu disser, e seja discreta, ou mostrarei estas fotos ao seu marido e contarei o que você fez.

Enojada, montei as peças do quebra-cabeça. Ele as chantageava. Chantageava para manter seu silêncio. Harris ia atrás de mulheres casadas com filhos. Mulheres com maridos ricos e bem-sucedidos que tinham dinheiro, status e recursos para destruir completamente a vida delas. Ele tirara fotos enganadoras de propósito, sugerindo que namorava aquelas vítimas, que o sexo era consensual. Sendo que, na verdade, Harris era um predador perturbado e doente que aparentemente preferia vítimas desmaiadas na mala do carro.

Eu me larguei contra o encosto do banco e encarei o celular de Harris. Depois o bilhete de Patricia. Ela estava certa. Eu não sabia aonde o levaria, mas de jeito nenhum devolveria aquele monstro à casa de Patricia Mickler.

Eram quase dez horas quando parei na frente de casa.

Eu ainda não tinha decidido o que fazer com Harris Mickler.

Fiquei sentada no carro, o motor ligado, os dedos pálidos apertando o volante enquanto o portão se abria. Os faróis refletiam a luz no quadro de ferramentas quando entrei, formando sombras assustadoras dentro da garagem.

Nada daquilo ia bem.

Não tinha nada de bom no kraken desmaiado no chão da minha minivan.

Eu devia ligar para Georgia e contar tudo. Ela saberia o que fazer. Provavelmente não deixaria ninguém me prender porque, se o fizesse, teria que cuidar dos meus filhos por tempo indeterminado.

Saí do carro, meu corpo bloqueando as luzes enquanto navegava pelo espaço apertado entre o para-choque e a bancada de trabalho de Steven, o motor roncando e esquentando minhas pernas quando passei. A noite esfriara e o escapamento da minivan formava nuvens brancas e densas até a casa da sra. Haggerty. As janelas da cozinha dela estavam escuras do outro lado da rua, e agradeci em uma oração silenciosa pela vizinha intrometida ter ido dormir.

Escancarei a porta da cozinha. O cômodo cheirava aos pedaços de waffle velho nos pratos empilhados na pia, e o telefone sem fio ainda estava grudento de mel, exatamente onde o deixara na mesa. Apertei o botão de rediscagem e o levei ao ouvido, contando toques e me sentando encostada na parede no escuro, com medo de acender as luzes.

– Finn?

Zach chorava ao fundo. Enruguei a testa. O choro dos meus filhos era uma língua que eu aprendera a entender por anos de tentativa e erro e noites insones.

– Não conseguiu botá-lo para dormir, né?

– O que fiz de errado? – perguntou ela, sem fôlego.

Georgia tinha sangue frio para lidar com reféns, mas um bebê chorando obviamente ia além do treinamento dela.

– Nada. Ele só está cansado demais – falei, apertando as mãos nos olhos.

Era engraçado como o som do choro dos meus filhos podia silenciar tudo o mais na minha cabeça.

– Então por que ele não dorme?

– Porque ele tem dois anos. Ouça minhas instruções atentamente – falei, na minha melhor imitação de negociador de reféns, esperando que acalmaria minha irmã e a ajudaria a se concentrar. – Você está com o cobertor dele aí?

Os barulhos dela se mexendo foram cobertos pelos uivos dele.

– Estou com o cobertor, sim.

– Enrole-o com o cobertor e o segure contra o corpo. Então ponha a chupeta na boca de Zach. Fique segurando na boca dele enquanto dá tapinhas nas costas.

– Não sou um polvo.

– Ou pode deixar ele berrar até eu chegar.

– Quanto tempo você vai levar para chegar?

– Depende.

– Do quê?

Apoiei a testa nos joelhos.

– Quanto tempo um homem adulto passa desmaiado depois de tomar um "Boa noite, Cinderela"?

A pausa de Georgia foi pontuada pelo chorinho de Zach.

– Você me pegou nessa.

– Pesquisa. Para o novo livro.

– Achei que você tinha dito que tinha um compromisso importante hoje.

– Isso é importante. – Por que ninguém achava meu trabalho importante? – Estou empacada em um pedaço da história – expliquei.

– "Boa noite, Cinderela"? – murmurou ela. – Depende do tamanho do homem e da força da droga. Talvez umas duas horas. Talvez a noite toda.

Houve um barulho do outro lado do telefone quando Georgia enrolou Zach no cobertor, o choro contido pela chupeta que ela enfiou na boca dele. Mais barulhos. Zach fungando.

– Tá, eu acho que funcionou – disse ela.

– Então, se você fosse a heroína da história e drogasse um homem muito horrível que fez coisas muito horríveis...?

– Que tipo de coisa?

– Coisas ilegais.

– Crime ou contravenção?

– Definitivamente crime. Digamos que ele tenha desmaiado no porta-malas do carro. O que faria com ele?

– Tem prova que ele cometeu esses crimes?

– Importa?

– Claro que sim – disse ela, como se a resposta fosse óbvia. – Se a heroína tiver provas, deve largá-lo na delegacia e entregar as provas ao detetive. Deixar as autoridades resolverem.

Levantei a cabeça, piscando na cozinha escura. As fotos do celular de Harris. Eu tinha provas concretas de que ele fotografara em segredo e chantageara sei lá quantas mulheres. Além disso, eu fora testemunha da tentativa de ele drogar uma delas, o que sustentava o fato provável de que ele drogara as outras também, o que seria prova de lesão corporal. Eu podia entregá-lo à polícia e dar o celular de Harris. Porra, podia levá-lo à casa de Georgia e deixar ele e o celular com ela. Não precisava falar do bilhete de Patricia. Era só dizer que eu estava no bar, notara que ele tentara drogar alguém e mexera na bebida.

– Eu... a personagem se meteria em problema por drogá-lo?

– Depende da circunstância. Foi premeditado? As drogas são ilegais? Provavelmente.

– Muito problema, ou pouco problema?

– Importa? É um romance.

– Claro que importa! Quero que esteja correto.

Georgia suspirou.

– Bom, acho que, se ela se entregar, a acusação pode fazer um acordo para ela não se dar tão mal.

Eu me endireitei. Pronto. Ia me entregar a Georgia. Entre me prender ou me soltar, ela certamente escolheria me soltar. A outra opção era ficar de olho nas crianças até eu ser solta por fiança, e ela não ficaria com eles por um minuto mais do que o necessário.

– Então você vem buscar Zach e Delia agora que resolvemos seu problema fictício?

Zach estava dormindo. Eu ouvia a respiração suave de bebê com nariz entupido pelo telefone, em meio ao ronco baixo do carro na garagem e aos latidos distantes do cachorro do vizinho na rua.

– Vou – falei. – Estou acabando agora. Já vou sair.

Georgia desligou. Deixei o telefone no chão. Ainda estava grudento e sujo de fios do cabelo de Delia. De alguma forma, o dia fora de mal a pior. Eu não tinha avançado no livro, nem no pagamento das contas. Além do mais, quando fizessem o boletim de ocorrência, o advogado de Steven e Theresa teria mais um motivo para me considerar uma mãe indigna. Não importava que um monstro como Harris estaria preso, longe das ruas. Eu estivera em um bar, de peruca e vestido roubado, bebendo com o dinheiro que meu marido me dera para a gasolina. Eu drogara um homem e o sequestrara com a minivan da família.

Ou...

Eu podia fazer Harris Mickler sumir, rezar para Patricia Mickler não estar mentindo sobre o dinheiro, e torcer para que eu tivesse a sorte de não ser pega.

Eu me levantei e limpei os pedacinhos de waffle das costas. Então levei os saltos e a peruca para o segundo andar, onde me troquei, vestindo calcinhas limpas e roupas confortáveis, para o caso de ser presa. Escovei demoradamente o gosto de bar dos meus dentes, limpei o cuspe de Harris do meu ouvido e tirei a maquiagem do rosto. Quando acabei, respirei fundo na frente do espelho do banheiro, me preparando para o que estava prestes a fazer. Eu ia entregar Harris Mickler – e prestar depoimento – para minha irmã.

Porque, sejamos sinceros, não sou a pessoa mais sortuda que conheço.

Meus pés estavam pesados descendo a escada até a cozinha. Parei na frente da porta da garagem, apertando a testa contra ela enquanto me convencia (de novo) de que era a coisa certa a fazer. Resignada, abri a porta. O ar do outro lado estava escasso e quente, e a fumaça do escapamento me atingiu como um soco na garganta. Engasguei, cobrindo a boca com a manga e sacudindo a mão. O ronco da minivan era ensurdecedor no espaço apertado, e corri para abrir a porta do quintal antes de desligar a ignição.

Fez-se silêncio na garagem. A brisa que entrava do quintal era fria e eu me encostei no porta-malas, me xingando por ter deixado o carro ligado conforme o gás se dissipava. Um pouco tonta, e talvez um pouco bêbada por causa da champanhe e das vodcas com água tônica que eu bebera de barriga vazia no bar, parecia uma boa ideia esperar alguns minutos até a cabeça se ajeitar e a garagem ventilar. No entanto, para ser sincera, eu estava evitando o inevitável. Não queria entregar Harris Mickler para minha irmã, assim como não queria matá-lo. Na verdade, não queria nada com Patricia e Harris Mickler nunca...

"Ah... Ah, não."

Eu pulei quando o resquício de névoa se esvaiu de minha mente.

Eu deixara Harris Mickler no carro.

Corri para o lado do carona e escancarei a porta, sem saber se eu devia ficar aliviada ou horrorizada ao encontrar Harris bem onde eu o deixara.

– Harris?

Eu sacudi os pés dele.

– Harris, está tudo bem?

Eu passei por cima da cadeirinha do Zach e me ajoelhei ao lado de

Harris, dando um tapa na cara dele. Quando nada aconteceu, dei um tapa mais forte. O rosto dele estava um pouco quente, mas o meu também, e eu tinha bastante certeza que *meu* coração parara de bater havia uns trinta segundos. Chamei ele pelo nome, sem saber o que faria se ele respondesse. Eu não sabia o que era pior: ficar trancada na minivan com um estuprador em série morto que eu sequestrara, ou ficar trancada na minivan com um estuprador em série vivo e furioso que eu sequestrara.

Apertei dois dedos no pescoço dele e senti... nada, o que significava que eu estava fazendo aquilo errado, ou...

"Ai, não, ai, não, ai, não..."

Apertei uma orelha no peito dele. Nada se mexia. Passei a mão pelo banco da frente em busca da minha bolsa, remexendo freneticamente até achar o espelhinho compacto e suspendê-lo perto do nariz de Harris. O vidro não ficou embaçado, e eu caí sentada nos calcanhares.

Harris Mickler definitivamente não estava nada bem.

– Merda.

Meus pensamentos se tornaram nítidos, repentinamente sóbria.

– O que Georgia faria? O que Georgia faria?

Georgia me prenderia. Ou atiraria em mim. É isso o que Georgia faria. Uma gargalhada histérica me escapou. Choque. Eu estava em choque. Era a única explicação.

– Foi um acidente. Homicídio por negligência tem pena menor. Não é grave, né? – tagarelei, respirando cada vez mais rápido. – Só que não vai parecer negligência quando descobrirem que eu te droguei, te trouxe até em casa e te larguei na garagem com o motor ligado.

Ou quando descobrirem o pedido de assassinato da esposa dele na minha bolsa.

– Não. Não, não, não! Você não pode estar morto! – gritei para o corpo inerte na minha voz materna mais firme.

Porque não era fisicamente possível meu dia piorar. Eu me enfiei no espaço entre as cadeirinhas e me curvei desajeitada sobre o corpo de Harris. Mais do que levemente enojada, apertei o nariz dele com uma mão e puxei o queixo com a outra. A boca frouxa se abriu. Cheirava a álcool, azeitonas, alho e queijo e eu contive o impulso de vomitar. Com os olhos fechados, apertei a boca contra os lábios cada vez mais frios de Harris, expirando três vezes rápidas na boca dele. Não adiantou. Não tinha espaço. Eu não encontrei o ângulo certo, o ar escapou pelo lado. Parecia que eu estava me agarrando com um cara morto, e não tentando revivê-lo, que nem as últimas vezes que Steven e eu tínhamos transado antes do divórcio. Aparentemente, eu não pudera salvar nada na época também.

Eu saí do carro, agarrei os sapatos de couro brilhantes dele, firmei meus tênis no chão e puxei. O corpo parecia de chumbo, o terno caro grudando nas fibras curtas do carpete e faiscando com eletricidade estática.

– Vamos lá, Harris, seu filho da puta sádico!

Usando meu peso, precisei puxá-lo três vezes com força para movê-lo. A bunda dele estava bem no estribo e eu forcei com o corpo todo para puxar de novo. Ele deslizou para a frente, começando pela bunda, até o crânio bater na lateral do carro com um estalido alto quando ele caiu. Fiz uma careta quando finalmente bateu no asfalto.

Soltei os pés de Harris. As solas dos sapatos sociais bateram no chão. Eu me ajoelhei ao lado dele, xingando baixinho e abaixando minha boca à dele. De repente, de trás de mim ouvi...

– Ai, merda! Desculpa, sra. Donovan, não sabia que você estava em casa. Só vim buscar minhas...

Levantei a cabeça ao ouvir o arfar de susto de Vero.

A babá dos meus filhos estava na porta da cozinha, segurando uma caixa de papelão. Limpei a boca furiosamente no meu braço. Ela arregalou os cílios falsos ao ver Harris e eu me levantei, cambaleante.

– Vero? O que você está fazendo aqui?

– O que *você* está fazendo aqui? – perguntou ela, estreitando os olhos para o homem morto atrás de mim.

– Você primeiro.

Firmei as mãos no quadril, me empertigando o máximo possível para esconder Harris.

– Por quê?

– Porque a casa é minha.

Mais ou menos. Na verdade, era de Steven, porque ele comprara meu financiamento e se tornara o proprietário da casa que eu alugava. No entanto, nada daquilo era importante no momento.

– Como você entrou?

– Pela porta da frente. Com a minha chave. Você disse que ia sair, então vim buscar minhas coisas.

Vero ajeitou a caixa de papelão apoiada no quadril, a camiseta curta expondo a barriga enquanto olhava para trás de mim.

– Quem é esse? – perguntou.

– Quem?

Ela apontou para os pés de Harris com o queixo.

– Ah, ele?

Cocei o pescoço, suor fazendo a pele pinicar, e mudei o ângulo do meu corpo para obstruir o caminho.

– Ele é só... um cara que eu conheci mais cedo... no bar.

Ela se inclinou para o lado para espreitar atrás de mim. Vero ficou boquiaberta, dando um passo à frente. A voz dela ficou mais aguda até falhar.

– Ele está morto?

– Não!

Meu sorriso nervoso fazia os músculos do meu rosto agirem estranhamente e eu levei a mão à bochecha, sentindo o sangue subir.

– Não seja ridícula – falei. – Por que pensaria uma coisa dessas?

– Porque ele parece morto!

Arrisquei olhar de relance para Harris. A boca dele estava roxa e a pele tinha um tom estranho de azul acinzentado. "Meu Deus do céu".

Ela deu um passo para o lado, se afastando de mim e voltando à entrada.

– Quer saber? Deixa para lá. Vou embora.

Ela apertou o botão para abrir o portão. O motor ligou, rangendo acima de nós, mas o portão não se mexeu.

– Espere! Posso explicar.

– Não precisa explicar – insistiu, batendo no botão de novo, com mais força, olhando de mim para o portão. – Não vi nada, não sei nada, não ligo para o cara morto – falou, por cima do barulho do motor.

– Por favor – insisti.

Ela pesou o dedo no botão, xingando o portão que não se movia.

– Vero – falei mais baixo, me esforçando para manter a voz firme. – Sei o que parece, mas não é o que você pensa. Este homem não é uma boa pessoa. Ele fez coisas muito ruins.

– Acho que não é só ele.

Vero andou de costas até a cozinha, resmungando baixinho quando o motor se calou e olhando ao redor em busca de alguma coisa, provavelmente uma arma.

– Quer saber? – falou. – Vocês dois são doidos. Você e o seu marido.

– Ex! – corrigi, irritada. – Ex-marido.

– Tá! Ex-marido. Foda-se. São dois doidos!

Ela segurou a caixa de papelão entre nós como um escudo. Um cabo de aço inox que eu conhecia bem apareceu entre as abas.

– Ei! – falei, apontando para minha panela antiaderente preferida. – Isso é meu! O que está fazendo com isso?

Estiquei o braço para pegar a panela, mas Vero agarrou o cabo e deixou o restante da caixa cair. Ela se agachou, segurando a frigideira em ameaça.

– Adicional de insalubridade – disse ela, a pose ameaçadora caso eu me aproximasse.

– Você acha que tem direito a panelas porque meu ex-marido te demitiu?

Ela me atacou e dei um pulo para trás, quase caindo em cima do corpo de Harris.

– Seu marido não me demitiu! Eu pedi demissão!

– Pediu?

Estiquei o braço para trás, tateando a bancada de trabalho em busca de uma chave de fenda ou de um martelo. Qualquer coisa que pudesse usar para me defender da minha panela preferida. Fechei a mão na pá de jardinagem cor-de-rosa e a empunhei à minha frente, andando para o lado pelo perímetro da garagem, me afastando dela.

– Achei que você gostasse dos meus filhos!

– Eu amo seus filhos!

– Se ama meus filhos, por que se demitiu?

– Porque, quando fui à casa do seu ex receber meu salário, ele disse que só continuaria pagando se eu transasse com ele!

Minha mão afrouxou. A pá caiu ao chão com um baque surdo.

Ri, a princípio em silêncio, e depois bem alto, a garganta dolorosamente apertada, só para me impedir de chorar.

– Ah... Ah, isso é a cara do Steven.

Caí sentada no degrau de madeira áspera que levava à cozinha.

– Quer saber? – falei. – Fica com a porra da panela.

Ela aguentara o suficiente. Merecia a panela. Afundei o rosto nas mãos, revoltada pelo cheiro de vodca e da boca de Harris Mickler no meu hálito.

– Você está certa – murmurei, afastando uma lágrima. – Somos dois doidos.

Vero me olhou de relance. Ela se agachou a uma distância segura, cuidadosamente guardando o que faltava na caixa de papelão, como se temesse fazer movimentos bruscos. Ela se levantou devagar, com a caixa debaixo do braço. Eu não ligava para quantas coisas minhas estavam ali. Qual era a importância? Eu ia perder tudo de qualquer jeito.

– Fui idiota de achar que podia fazer isso – falei, enquanto ela andava na ponta dos pés até o portão.

Ela o abriu à força alguns centímetros, segurando a caixa ainda sob o outro braço.

Ótimo. O portão estava quebrado. Mais uma coisa que Steven sabia consertar, e eu não. Eu precisaria pagar um faz-tudo para consertar. Sacudi a cabeça, mentalmente empilhando mais uma conta com as outras largadas na porta.

– Se Steven não tivesse insistido em ser um babaca, eu nunca teria pensado nisso – resmunguei, sozinha. – Nunca teria ido àquele bar e trazido esse filho da puta para cá. Mas dá para me culpar? Qualquer pessoa na minha situação consideraria os cinquenta mil dólares.

Vero paralisou a mão. O portão ficou aberto, na altura do joelho dela.

– O que você disse?

Engoli uma gargalhada triste e desesperada. Ela já me achava doida. Tinha um cara morto no chão da garagem e eu estava falando sozinha.

– Eu disse que você está certa. Meu ex é um escroto. Sinto muito pelo que ele fez com você.

O portão bateu, o baque reverberando pelas paredes da garagem. Ergui a cabeça, esperando que ela tivesse ido embora, mas Vero ainda estava lá, segurando a caixa contra o peito.

– Quão ruins? – Ela dirigiu o olhar, curiosa, para o corpo de Harris. O rabo de cavalo de Vero quicou quando ela apontou com o queixo. – Você disse que ele fez coisas ruins. Quão ruins?

– Horríveis.

– Nível cinquenta mil dólares?

Vero apertou os dedos ao redor do cabo da frigideira quando eu me levantei devagar. Atravessei a garagem até a van e mexi debaixo do banco em busca do celular de Harris. Inclinando a tela para que ela visse, abri o álbum de fotos e mostrei.

– O que é isso?

Ela abaixou a caixa, agarrada à panela quando pegou o celular da minha mão. Eu contei tudo: a reunião com minha agente e a conversa que Patricia

Mickler entreouvira; o bilhete que Patricia deixara; e o que eu vira no bar. A expressão dela era uma mistura de horror e nojo enquanto passava de uma foto para outra.

– Nunca quis que isso acontecesse – expliquei. – Só o segui porque estava curiosa com o motivo para a mulher querer matá-lo. Tentei dizer a ela que eu era a pessoa errada, mas eu o vi largar o comprimido no copo daquela mulher, e aí...

– Você o matou.

Fiz uma careta.

– Não foi de propósito.

Ela me passou o celular de Harris.

– O que você vai fazer? – perguntou.

– Eu ia entregá-lo à minha irmã, mas aí...

Olhei de relance para Harris. Eu decidira entregá-lo a Georgia enquanto ele ainda respirava. Antes de eu saber que ele tinha morrido.

– Se eu explicar à polícia que foi acidental, não vai ser tão grave, né? Eu não assassinei ele. Homicídio culposo dá pena menor.

– Não sei, Finlay – disse Vero, abaixando a panela. – Depois da história da massinha, isso daqui pega bem mal.

Ela estava certa. O boletim de ocorrência que Theresa registrara contra mim era oficial. Eu nunca planejara machucá-la – só estragar o carro –, mas, para a polícia, podia parecer que eu usara meu carro para envenenar Harris de propósito. Especialmente depois que eu o perseguira, drogara e levara para casa.

Funguei, expirando trêmula, considerando o que faria.

– Delia e Zach já estão na casa da Georgia. Se eu me entregar para a polícia e for presa, você pode ajudá-la com as crianças?

Vero assentiu, os lábios cheios curvando-se para baixo.

– Acho que eu devia falar para Patricia que ele...

Nós duas olhamos para o rosto cinzento de Harris. Se eu contasse tudo para a polícia, Patricia seria acusada por conspiração. Ela seria presa comigo. O mínimo que eu podia fazer era dar aviso prévio. Tremendo, peguei o celular e liguei para Patricia.

– Acabou? – perguntou ela, com um desespero que eu finalmente entendia. Harris era um homem horrível. Eu não a culpava por querer matá-lo.

– Acabou, mas houve um engano. Eu não...

– Você se livrou do corpo?

– Não. Foi por isso que liguei. Não...

– Você precisa fazer isso – insistiu.

– Vou me entregar à polícia.

– Você não pode fazer isso!

– Você não entendeu. Não era para...

– Você tem filhos, não tem?

Fiquei sem ar. Algo no tom dela mudara, endurecera. Vero franziu a testa profundamente ao ver meu rosto desanimado. Ela se aproximou para escutar.

– Por que me perguntou isso?

– Você estava carregando uma bolsa de fraldas no Panera. Tinha lencinhos umedecidos dentro. Eu vi. Se você ama seus filhos, vai se livrar do corpo do meu marido.

– Ou...?

Vero e eu nos entreolhamos.

– Ou a polícia vai ser o menor dos seus problemas – disse ela, e as palavras tremeram. – Meu marido estava metido com gente muito perigosa. Se descobrirem o que fizemos, vão vir atrás da gente. Vão nos achar e nos matar. Não importa que estejamos na cadeia. Eles têm olhos e ouvidos pela cidade toda. Têm amigos no alto escalão. Você e seus filhos nunca terão segurança. Eles não podem saber. Ninguém pode saber. Entendeu?

– Que tipo de gente?

– Acredite, é mais seguro não saber.

Eu acreditei. Acreditei na voz trêmula que dizia que ela tinha tanto medo daquela gente quanto do marido. Mais, talvez.

– Livre-se de Harris hoje – falou. – Não me importo onde. Só garanta que ninguém vá encontrá-lo. É o único jeito de termos segurança. Não entre em contato até acabar.

Ela desligou.

Atordoada, abaixei o telefone.

– Você acha que ela falou sério? Com essa história de gente vir atrás de você? – perguntou Vero, arregalando os olhos.

– Não sei – falei, baixinho.

Eu não sabia se queria arriscar. Meus filhos. Minha vida.

Ficamos as duas em silêncio por um bom tempo.

– Supondo que você não seja pega, ela ainda vai te pagar, né?

– Acho que sim.

Vero andou em círculos pela garagem. Ela batucou com as unhas nos braços cruzados, pensativa.

– E você entende dessas coisas todas? Tipo, você escreve livros sobre isso, né?

– É, mas...

– Então você sabe se livrar de um corpo.

Vero parou de andar. Ela ergueu uma sobrancelha feita e fina quando não respondi. Eu sabia me livrar de um corpo fictício, mas o corpo no chão da garagem era muito, muito verdadeiro.

– Acho que sim.

A tensão se esvaiu dos ombros dela, como se tivesse se resignado.

– Neste caso, cinquenta por cento – falou.

Fiquei boquiaberta e ela cruzou os braços de novo.

– Eu te ajudo a se livrar do corpo – explicou –, e dividimos tudo pela metade.

O que estava acontecendo? A babá dos meus filhos estava mesmo se oferecendo para me ajudar a não ser pega por assassinato? Aquilo definitivamente não era bom.

Revirando os olhos, impaciente, ela disse:

– Tá. Não vou aceitar nada menos do que quarenta por cento. Mas quero meu trabalho de volta. Além de quarenta por cento de qualquer indicação?

– Indicação? – balbuciei. – Que tipo de indicação?

– Não temos a noite toda – disse ela, firmando as mãos no quadril, batendo as unhas na cintura quando não respondi. – Vamos fazer isso juntas ou não?

Juntas.

Não estava nada bem. *Nós* não estávamos bem. Mas *juntas* parecia muito melhor do que fazer aquilo sozinha.

Ela estendeu a mão. Meus dedos tremeram quando a apertei. Os dela também. Vero se abaixou para guardar a panela de volta na caixa de papelão. Ela tirou uma garrafa de uísque pelo gargalo, abriu a tampa e tomou um gole com uma careta antes de me oferecer.

– Isso é meu, você sabe, né? – falei, pegando a garrafa da mão dela.

Nós duas nos sentamos encostadas na lateral da minivan.

– Só sessenta por cento – respondeu ela.

Apertei os olhos para ela, tomando um gole.

– Eu provavelmente devia me mudar para morar com você – disse ela.

Engasguei, cuspindo uísque na minha blusa.

– Não se preocupa – acrescentou. – Eu fico no quarto menor.

Tomei mais um gole. Ardeu até descer. Quando abri os olhos, Harris Mickler ainda estava ali, cem por cento morto, Vero ainda estava sentada no chão ao meu lado com uma caixa de apetrechos domésticos roubados que, pelas minhas contas, eram só sessenta por cento meus, e eu tinha bastante certeza que passaríamos os próximos quarenta por cento da vida na prisão se não déssemos um jeito naquela situação.

Na ficção, o truque era sempre a cortina do box de banheiro. Um policial fodão reviraria a cena do crime em busca de provas e imediatamente notaria a ausência gritante de cortina no box. Porque pessoas *usam* cortinas de box. Elas *precisam* de cortinas de box. Se estiver metido em uma investigação de homicídio e não tiver cortina no box do banheiro, é melhor ligar para a polícia e já se algemar.

Por aquele motivo, eu embrulharia o corpo de Harris Mickler na minha melhor toalha de mesa de seda.

Tinha sido presente de casamento da minha tia-avó Florence oito anos antes, quando eu me casara com Steven, e eu nunca a usara. Como eu tinha vendido os móveis da sala de jantar pela internet havia seis meses para pagar o financiamento do carro, caso um policial fodão *fosse* investigar minha casa, certamente não notaria a falta da toalha.

Eu e Vero abrimos o tecido amarronzado no chão da garagem, aos pés de Harris. Vero pegou as mãos dele e eu peguei os tornozelos. Juntas, o erguemos poucos centímetros acima do chão e o jogamos no meio da toalha.

Larguei as pernas, ajeitando o tecido no ângulo necessário para cobri-lo, como se guardasse um sanduíche em celofane. Finalmente, com esforço exaustivo e muitos gemidos de cansaço, Vero e eu enrolamos Harris Mickler como um gigantesco burrito de cadáver.

– Os pés ficaram para fora – ofeguei, quando acabamos de enrolar.

– Melhor que a cabeça.

Fios do cabelo de Vero tinham escapado do rabo de cavalo, e suor brotava em seu peito. Ela tinha quase dez anos a menos do que eu, e estava muito mais saudável. Meus músculos berraram quando dobrei os joelhos.

– Por que está fazendo isso? – perguntei, tentando respirar.

Ela era jovem, solteira e inteligente. Quando acabasse a faculdade, teria a vida toda pela frente.

– Preciso do dinheiro.

– Por quê?

– Para pagar o financiamento da faculdade.

Apoiei as mãos no quadril, o peito arfando, e olhei para ela, boquiaberta.

– Deixa eu entender. Você está me ajudando a me livrar de um *cadáver* para pagar a faculdade?

– Você obviamente é velha demais para lembrar quanto custa uma graduação por aqui – disse ela, amarga.

– Não sou *velha*. Só... nunca tive que me preocupar com isso.

– É, então, eu tenho juros a pagar até os cinquenta anos.

– Supondo que não sejamos presas antes disso.

Nós duas encaramos a enchilada imunda no chão.

Não íamos desenrolá-lo de jeito nenhum – tinha sido difícil o bastante enrolá-lo –, mas os pés pendurados iam atrapalhar demais. Revirei o que restava na bancada de Steven e encontrei um cordão elástico solto em um balde de pregos enferrujados. Faltava o gancho de uma ponta, o que provavelmente explicava Steven não ter levado embora. Enrosquei o cordão ao redor dos tornozelos de Harris e amarei, deixando o gancho pendurado na ponta.

– Preciso buscar as crianças na casa da minha irmã – falei, com medo de olhar a hora no celular.

Vero apontou para Harris.

– O que a gente faz com ele?

Eu não podia deixá-lo no carro com as crianças. No entanto, não podia deixá-lo largado no meio da garagem, onde as crianças poderiam vê-lo quando chegassem em casa.

– Vamos deixá-lo no seu carro.

– Meu carro? – perguntou Vero, arregalando os olhos e balançando o rabo de cavalo. – Por que no meu carro?

– Porque você tem porta-malas. Todo mundo sabe que se guarda cadáver no porta-malas. Não me olha assim. O que quer que eu faça? Prenda ele na cadeirinha da Delia? Olha esses sapatos pendurados!

Vero soltou um monte de palavrões em espanhol e tirou a chave do bolso. Saímos pelo portão lateral e esperei nos arbustos de azaleias, de olho nas janelas dos vizinhos, enquanto Vero se esgueirava pela rua e dava ré no Honda até grudar no portão da garagem. Desligamos as luzes da entrada e da garagem. Sob a meia-luz do poste na frente de casa, abrimos à força o portão quebrado da garagem e tentamos levantar Harris Mickler até o porta-malas do sedã.

– Acho que ele está mais pesado – disse Vero, sem fôlego depois de nossa terceira tentativa.

Minhas mãos estavam vermelhas e machucadas de esforço. Mechas suadas tinham se soltado do meu coque, e meu cabelo grudava na cabeça.

– Como você o colocou na minivan sozinha? – perguntou.

– Eu o atraí com promessas de sexo – ofeguei.

Vero ergueu uma sobrancelha, incrédula. Era óbvio que o look de assassina amadora de calça de malha não era o meu melhor. Revirei os olhos.

– Ele estava drogado, tá? – bufei.

Vero riu.

Mesmo assim, ela estava certa. Tinha que haver um jeito mais fácil de fazer aquilo.

– Pegue o skate da Delia – falei.

Provavelmente foi sob influência do uísque que apontei para o skate de plástico rosa-choque encostado na parede do outro lado. Vero o puxou até alinhá-lo com Harris.

– Você tirou essa ideia de um dos seus livros?

– Não exatamente.

Eu tinha bastante certeza que tinha tirado aquilo de um episódio de *Sid, o Cientista*. Naquela altura, eu não me importava, desde que funcionasse.

Contamos até três, levantamos Harris um pouco, o deixamos em cima do skate e empurramos até o porta-malas aberto do carro de Vero. Usando o para-choque como apoio e a cabeça de Harris como contrapeso, centímetro a centímetro, com muitos palavrões e grunhidos, conseguimos enfiá-lo lá dentro. Quando acabou, me encostei na lateral traseira do Honda, pingando de suor e me sentindo estranhamente satisfeita.

Vero pegou a pá cor-de-rosa da bancada e jogou em cima dele.

– Para que é isso? – perguntei, quando ela fechou o porta-malas com força.

– O que mais vamos usar para enterrá-lo?

Ela deu de ombros e entrou no carro.

De acordo com nossos pais, a primeira pergunta que saiu da boca de Georgia quando eu nasci foi: "Quando a gente pode devolver?". Ela nunca pedira uma irmã mais nova e, em defesa dela, Georgia só tinha quatro anos na época. Entretanto, aquela continuou sendo a pergunta que definia nosso relacionamento até Georgia sair de casa e entrar para a academia de polícia. Quando criança, eu sempre fora a malvada – a pessoa em casa para quem Georgia podia apontar sempre que algo dava errado. No entanto, assim que ela virou policial, era como se não tivesse mais dedos para apontar para mim. Os malvados estavam por todo lado e, em comparação, eu não podia ser tão ruim.

Só que não era bem assim que eu me sentia ao chegar à porta do apartamento da minha irmã mais velha, cheirando a vodca, suor e saliva de Harris Mickler, muito ciente de que o corpo dele provavelmente estivesse se decompondo devagar no porta-malas do carro de Vero. Eu esperava que Georgia sentisse tanto alívio ao me ver que não notaria nada de estranho.

Zach estava dormindo em seu ombro quando ela abriu a porta. Georgia ajeitou meu bebê adormecido nos braços e parou quando me aproximei para pegá-lo. Ela franziu o nariz.

– Achei que você tivesse dito que estava trabalhando.

Porra de atenção policial. O nariz da Georgia era igual a um bafômetro.

– Estava.

Tentei pegar Zach. Ela o manteve afastado.

– Por que você está fedendo a bebida?

"Porque talvez o uísque seja a única coisa me mantendo funcional agora."

– Estava bloqueada. Precisava dar uma relaxada no cérebro.

– Você está sóbria para dirigir?

– Não vim dirigindo.

Apontei por cima do ombro com o polegar para minha parceira.

Georgia ficou na ponta dos pés, olhando pela varanda. Lá embaixo, a bunda de Vero aparecia para fora do Accord enquanto prendia os carrinhos das crianças.

– Achei que você tinha dito que Steven a demitira.

– Pois é – falei, coçando o pescoço ainda suado, com dificuldade de encontrar o olhar dela. – Ela veio buscar as coisas dela lá em casa e acabamos...

"Destruindo minha toalha de mesa, dividindo o que restou dos meus bens e enfiando um cadáver no porta-malas do carro."

– ...dando um jeito.

Como se tivesse sido chamada, Vero apareceu atrás de mim.

– Vou me mudar para a casa da Finlay e cuidar das crianças em troca da hospedagem – disse ela, estendendo os braços para pegar Zach.

"E quarenta por cento da minha alma."

Georgia relaxou como se um peso enorme tivesse saído de seus ombros quando passou Zach para os braços de Vero, que o levou rapidamente para o carro. Georgia esfregou o ombro, inclinando a cabeça para o sofá atrás dela. Delia estava enroscada sob um cobertor, o cabelo loiro e fino formando uma auréola de energia estática ao redor da coroa prateada de fita adesiva, franzindo a testa adormecida. A televisão estava ligada baixinho, o brilho claro piscando no rosto suave de Delia. Fiquei feliz por ela não estar acordada para ouvir a âncora do jornal contar os detalhes de três homicídios horrendos a poucos quilômetros dali. Olhei para a manchete: *Homem suspeito de conexão com a máfia é inocentado de todas as acusações.*

Apontei para a TV.

– Que pena que perdeu a noite com o pessoal do departamento de crime organizado.

Georgia soltou um suspiro exausto, vendo na tela dois homens descerem os degraus do tribunal e desaparecerem em uma elegante limusine preta.

– Teremos muitas outras noites assim – falou, sacudindo a cabeça. – Nada funciona com esses caras. A máfia russa pode assassinar metade da cidade e ainda encontrar alguém para pagar propina. Aquele escroto não vai passar um dia na cadeia enquanto Zhirov estiver por aí para dar um jeito.

Fazia semanas que eu não via o noticiário e não fazia ideia do que Georgia estava falando, mas assenti com compreensão. Pendurei a bolsa de fralda em um ombro e segurei Delia com o outro braço.

– Obrigada por cuidar deles por mim – sussurrei, sentindo o peso do olhar de Georgia em mim até a porta.

O dia, a adrenalina e a ressaca estavam chegando, puxando meus pés.

– Finn.

Meu nome era um comando discreto. Lentamente, me virei, apavorada de ter deixado alguma coisa escapar.

– Eu ando preocupada com você – disse Georgia, me entregando o gorro de Delia. Ela coçou o peito, fazendo uma careta, como se algo ali dentro causasse desconforto, e olhou para os pés, para a bolsa de fralda, para qualquer lugar que não fosse eu antes de completar: – Fico feliz por você não estar sozinha.

Engoli em seco o nó doloroso na garganta, de repente sem saber o que era pior: os segredos escondidos da minha irmã ou o cadáver escondido no porta-malas de Vero. Georgia estava sempre sozinha. Por mais que ela insistisse que era exatamente o que queria, às vezes, em momentos como aquele, eu me perguntava como ela aguentava.

Dobrei o gorro de Delia, o guardei no bolso e a abracei mais forte. A fita no cabelo dela grudou no meu queixo. Por um momento, considerei contar tudo a Georgia. O que acontecera no Panera. O que acontecera na minivan, na garagem.

Georgia pegou o controle remoto da TV na mesa.

– Georgia...? – chamei, em voz baixa, agarrada a Delia.

Quando minha irmã ergueu o rosto, foi difícil sustentar seu olhar. Desviei os olhos, me concentrando na TV que repetia a mesma cena atrás dela. Só conseguia pensar no aviso de Patricia. Gente perigosa com amigos influentes. Meus filhos que não estariam seguros se alguém soubesse o que tínhamos feito. Se Georgia e seus amigos policiais não podiam tirar aquela gente perigosa das ruas, talvez Patricia tivesse motivo para sentir medo. Talvez Vero estivesse certa e eu não tivesse outra escolha além de acabar com aquilo e guardar segredo.

– Obrigada – murmurei.

Eu me virei para a porta, sentindo o olhar aguçado de policial nas minhas costas até o carro de Vero.

– Aonde vamos agora? – perguntou Vero quando fechei a porta.

Ela fez uma careta para a coroa de silver tape de Delia no retrovisor. As crianças dormiam como mortas no banco de trás, tão inertes quanto Harris Mickler estivera quando nós o trancamos no porta-malas com a pá cor-de-rosa.

– Não sei.

Eu ainda não havia parado para pensar no que faríamos com o corpo. Talvez parte de mim acreditasse que nunca chegaríamos àquele ponto. Roí a unha do polegar, meus pensamentos revirando todas as pesquisas sangrentas que eu já fizera sobre se livrar de cadáveres. Se o jogássemos no rio, considerando meu azar, ele seria levado à margem. Queimá-lo atrairia atenção demais; eu não precisava de uma investigação por incêndio, além de assassinato.

– Acho que devemos encontrar um lugar para enterrá-lo.

– Tem alguma ideia?

Ela saiu devagar do condomínio da minha irmã, tomando cuidado com a seta ao entrar na rua.

Engoli uma gargalhada. Parte de mim queria que Steven estivesse ali. Eu nunca fui boa em esconder nada. Não sabia guardar segredos como ele. Ele sempre se encarregava de esconder os presentes de Natal das crianças, os ovos de Páscoa no quintal. Em retrospecto, os mais difíceis de encontrar eram os mais óbvios, mal cobertos por folhas ou almofadas, bem debaixo do nariz das crianças. Foi o mesmo método que usou para esconder o caso com Theresa por meses. Ele não a levou em viagens extravagantes ou surrupiou dinheiro em contas bancárias estranhas. Ele transou com nossa corretora imobiliária durante o horário de almoço no escritório da casa dela, na rua da nossa casa, e disfarçou o cheiro de perfume com a própria loção. Ele cuidava de todas as contas da casa, então eu nunca via gastos para conectar a curta distância entre os pontos. Assim como o caso que provavelmente tinha agora com Bree, Steven mantinha seus segredos por perto, escondendo as indiscrições em cantos corriqueiros que ninguém tentaria...

– Ah.

Senti o fôlego escapar de mim. Senti o olhar de Vero em meu rosto quando uma ideia me atingiu.

– Vá à casa de Steven – falei.

– Por que raios iríamos à casa de Steven?

– Porque precisamos de uma pá.

Uma pá bem grande. Se alguém teria as ferramentas para enterrar um segredo do tamanho de Harris Mickler, seria meu ex-marido.

Já tinha passado muito da meia-noite quando conseguimos pegar, escondidas, uma pá do galpão de Theresa e fazer o longo caminho até a fazenda de Steven. A entrada escura e discreta da propriedade era muito menos convidativa do que à luz do dia. Vero desligou os faróis e ficamos sentadas no carro, ouvindo a respiração suave das crianças no banco de trás, esperando nossos olhares se ajustarem. O luar azul se derramava sobre a grama, que se estendia pelos hectares ao nosso redor, exceto por um único trecho quadrado no campo mais fundo, onde a terra fora recentemente revirada, esperando a semeadura.

Vero e eu saímos do carro e andamos até a beira do campo. Os pedaços lamacentos de terra revirada tinham um brilho cinzento sob o luar. A noite estava quente para outubro, silenciosa, exceto pelo farfalhar das folhas caindo da fileira de cedros altos atrás de nós. Não havia luzes de faróis ou postes em quilômetros. Eu imaginei Steven e Bree por ali, transando na caçamba da picape depois do expediente. Era o tipo de lugar onde segredos podiam ficar enterrados por anos, grama crescendo a seu redor.

Enfiei a ponta da pá de Steven no chão, aliviada ao descobri-lo fofo e maleável. Felizmente, Steven e Theresa não estavam em casa quando eu e Vero estacionamos o carro algumas vagas antes da garagem deles e eu me esgueirei pela fileira fina de árvores atrás da casa com a intenção de saquear o galpão de ferramentas no quintal. Eu fui embora com uma pá pesada de lâmina larga de aço, assim como um par de luvas de jardinagem.

– Vamos nos revezar – falei para Vero. – Eu começo cavando. Você fica de olho.

Com sorte, Steven semearia aquele campo antes que alguém notasse o desaparecimento de Harris Mickler.

Minha boca secou quando olhei para a pá. Se fosse um romance, aquele seria o ponto de virada. O momento sem volta. Se fôssemos embora logo e voltássemos à casa de Georgia, eu ainda poderia alegar homicídio culposo. Poderia contar tudo o que acontecera no bar. Que eu matara Harris Mickler por acidente quando esqueci o carro ligado na garagem. Poderia entregar todas as provas no celular dele e tentar fazer a coisa certa, mesmo que fosse presa e perdesse meus filhos por um tempo.

Olhei de relance para o carro onde eles dormiam. Quando acabasse de cavar aquele buraco, não teria mais volta. Roubar uma pá, enterrar um cadáver, pedir o dinheiro prometido por Patricia Mickler – tudo apontava para crime premeditado. Um crime grave, horrível, indizível. Com o pé hesitante na beira da pá, eu não sabia se era menos monstruosa do que Harris Mickler.

– Vamos nessa, Finlay!

A voz sibilante e dura de Vero me assustou. Eu joguei o peso na pá e arranquei o primeiro pedaço de terra enquanto ela andava em círculos, soltando o ar em nuvenzinhas quentes que pareciam fantasmas contra o céu noturno.

– Até que profundidade precisamos chegar? – perguntou ela, quicando no lugar, o olhar indo de mim para meus filhos e para a estrada rural do outro lado dos cedros.

Eu planejava uns dois metros – o suficiente para garantir que as máquinas da fazenda não pegassem o corpo sem querer –, mas já estava com as costas ardendo e uma câimbra no tronco, e não tinha cavado nem trinta centímetros. Naquele momento, pouco mais de um metro já me bastaria.

Impaciente, Vero pegou a pá cor-de-rosa e pulou comigo no campo, cavando os pedacinhos de terra que desciam pela lateral da minha pá maior.

– Da próxima vez que fizermos isso...

– Não terá próxima vez – ofeguei, olhando para Vero de relance e acelerando o ritmo da escavação, ansiosa para acabar com aquilo e voltar para casa. – Foi um acidente. Só isso.

– Talvez o mundo precise de mais acidentes – disse ela, baixinho. – Se eu tivesse o dinheiro de Patricia Mickler, provavelmente também te contrataria.

Fiz um intervalo, deixando a pá apoiada no chão. Eu supusera que Vero tinha aceitado aquilo tão rápido pelo dinheiro. Não chegara a considerar que o dinheiro não valia o risco para nenhuma de nós duas. Talvez ela tivesse seus próprios motivos para se enfiar naquela cova comigo. Ela me olhou com urgência e cavou mais rápido com a pazinha. Minhas mãos já estavam duras e suadas dentro das luvas, e a pele, em carne viva, cheia de bolhas novas e feridas. Continuei a cavar mesmo assim.

– De quem você teria se livrado? – perguntei, enquanto cavava.

Vero deu de ombros.

– Só quis dizer que não faltam babacas por aí. Nesta cidade, também não falta dinheiro. Melhor aproveitarmos o nicho de mercado enquanto está aberto.

Joguei uma pilha de terra ao lado do buraco, a beira já na altura dos meus joelhos.

– Fácil falar – comentei, ofegante. – *Você* está com a pá *pequena*.

– É exatamente por isso que precisamos de um negócio daqueles.

Ela apontou com a minúscula pazinha cor-de-rosa para a silhueta enorme da empilhadeira industrial em que Zach tentara subir poucas horas antes.

Ofereci a pá grande, trocando pela pazinha cor-de-rosa, esperando que, depois de quinze minutos cavando terra, ela mudasse de ideia quanto à possibilidade de uma "próxima vez". Ou talvez porque eu temia mudar de ideia quanto à empilhadeira se tivesse que cavar mais. Conferi o horário no celular. Já se passara uma hora. Naquele ritmo, só chegaríamos de manhã em casa.

– Nem sabemos dirigir uma empilhadeira – argumentei.

Ela enfiou a pá na terra, apoiando o tênis na lâmina, e soltou um grunhido quando cavou um pedaço.

– Dá para aprender de tudo no YouTube – disse ela, ofegante. – Meu primo Ramón aprendeu a fazer ligação direta em carros. Não deve ser tão difícil.

Parecia que o primo dela devia estar ali cavando o buraco em vez da gente.

– Não vamos acrescentar roubo de máquina agrícola à nossa lista de crimes.

– Pensa bem – disse ela, se apoiando na pá, o rosto imundo de terra. – Dá para cavar esse buraco inteiro em cinco minutos com um negócio daqueles. Aprendi na aula de economia. É o valor temporal do dinheiro. Se queremos ser profissionais, precisamos *agir* como profissionais.

– E assassinas de aluguel *profissionais* enterram cadáveres com empilhadeiras?

– Só quero dizer que deveríamos estar sendo espertas, em vez de jogar trabalho fora.

– Matar gente por dinheiro não é nada esperto!

Vero limpou a terra das luvas e saiu do buraco, que chegava à cintura. Ela trocou a pá grande pela pazinha cor-de-rosa e apontou para mim.

– Vamos ver o que você acha quando receber cinquenta mil dólares.

Ela abriu o porta-malas do carro. Saí do buraco e olhei por cima do ombro dela, suspirando ao ver o embrulho com formato humano vestindo minha toalha de mesa.

– Vem – disse ela, pegando o cordão elástico nos tornozelos dele. – Vamos enterrar esse pervertido e dar o fora daqui.

Juntas, puxamos Harris Mickler para fora do porta-malas, equilibrando o peso dele na borda antes de largá-lo no chão e desenrolá-lo. Vero embolou a toalha de mesa e a enfiou de volta no carro. Eu peguei o celular, as chaves e a carteira dos bolsos de Harris e os entreguei nas mãos estendidas dela.

– Não é melhor queimar as digitais dele ou arrancar os dentes e tal? – perguntou ela.

Olhei com irritação para Vero, mesmo que ela provavelmente tivesse razão. Se encontrassem o cadáver de Harris Mickler, mesmo sem carteira e celular, não seria difícil identificá-lo.

Fiz uma careta, pegando Harris por debaixo dos braços. As mãos dele já estavam frias, os dedos e o pescoço levemente rígidos, os braços e as pernas horrivelmente inertes.

– Remover dedos e dentes passa do meu limite – respondi, grunhindo, enquanto o arrastávamos até a beira do buraco.

– Será que podemos cobrar mais caro por isso?

– Vou fingir que você não disse nada.

Eu e Vero olhamos para Harris Mickler pela última vez.

– Estamos fazendo a coisa certa? – perguntei.

Em resposta, ela enfiou a mão no bolso e me ofereceu o celular de Harris. Eu não o aceitei, incapaz de pensar em abrir aquelas fotos de novo. Vero guardou o celular de volta no bolso. Finalmente, rolamos Harris Mickler de lado à beira da cova que cavamos e, contando até três, o jogamos lá.

Eu tinha conhecido Veronica Ruiz oito meses antes, na fila do banco com meus filhos. Era uma tarde cheia de sexta-feira, dia em que o salário caía para quem tinha emprego estável e, apesar de receber dinheiro com regularidade ser algo que promove a felicidade da maioria das pessoas, o homem atrás de mim na fila parecia ser a exceção. Ele resmungou sobre o barulho. Os dentes de Zach estavam nascendo, e seu rosto vermelho e seco se distorcia em lágrimas furiosas porque eu não o deixara correr solto pelo saguão. Ele se sacudia nos meus braços, recusando-se a se acalmar. Estávamos quase na frente da fila quando Delia decidiu que precisava fazer xixi e não ia aguentar. Sem escolha, abandonei meu lugar e levei meus filhos ao banheiro. Quando voltei, a fila tinha crescido como um rabo apertado e sinuoso, chegando até o vestíbulo.

Eu estava prestes a desistir e ir embora quando uma caixa, de trás do vidro, me chamou para a frente da fila. Ela fez sinal para o homem rabugento que estivera atrás de mim, pedindo a ele que aguardasse, enquanto eu me aproximava do balcão. Zach parou de chorar, sorrindo tímido para Vero de debaixo do meu pescoço. Nesse meio-tempo, o homem rabugento começou uma baderna, cuspindo ofensas para Vero enquanto ela passava um pirulito vermelho pela abertura no vidro para Delia. Vero descontou o cheque que Steven fizera para mim, seu olhar escuro e atento acompanhando o homem que saía furioso da fila em busca de um gerente. Ela contou minhas notas novas, estalando cada uma, e deu tchauzinho para Delia e Zach. Quando me virei para segurar a porta para Delia, vi o gerente se aproximar do caixa de Vero. A repreensão agressiva passava embolada pelo microfone através do vidro, e fiquei ali na porta, ouvindo, tomada por culpa e vendo Vero virar a plaquinha de CAIXA FECHADO, guardar suas coisas e sair pelos fundos.

Peguei a mão de Delia e puxei Zach mais alto no colo, dei a volta no prédio e encontrei Vero ajoelhada, de salto alto, rasgando um buraco no pneu do carro do chefe.

– Você parece gostar de crianças – falei, quando ela se levantou e limpou as mãos. – Eu preciso muito de uma babá.

Ofereci um maço de notas, quase metade do cheque que descontara, em parte por culpa, em parte por desespero. Vero ergueu uma sobrancelha, considerando o dinheiro e meus filhos, e foi isso.

Vero e eu nos largamos nos assentos, o portão fechado da garagem assomando à nossa frente, ambas exaustas demais para juntar as forças necessárias para abri-lo. As mãos de Vero estavam vermelhas, em carne viva, rígidas ao redor do volante. Minhas mãos estavam cobertas por uma camada de sujeira, as cutículas cercadas por terra escura. Eu me arranquei dolorosamente do carro de Vero e manquei até o painel ao lado do portão. Fazendo um enorme esforço para desdobrar os dedos da mão direita do fantasma do cabo da pá, apertei o código de quatro dígitos antes de lembrar que o mecanismo estava quebrado. Apoiei a testa no painel, ouvindo o motor ranger do outro lado do portão imóvel.

Em seguida, com as costas estalando e as bolhas nas mãos latejando de dor, puxei o portão nos trilhos para Vero entrar com o carro na vaga vazia ao lado da minivan. As janelas da cozinha da sra. Haggerty estavam escuras do outro lado da rua, mas eu sabia que não dava para garantir que a velha não estivesse de olho. Meus braços tremiam, segurando o portão acima da cabeça. Ainda assim, senti a tentação de mostrar o dedo do meio com uma mão, só para ver se acontecia algum movimento atrás das cortinas.

Fora a sra. Haggerty quem descobrira o caso de Steven e Theresa, quando Steven cometera o erro de levar Theresa à nossa casa enquanto eu visitava meus pais com as crianças. A velha me encurralou perto da caixa de correio assim que eu cheguei em casa, me perguntando se eu conhecia a loira atraente que meu marido recebia enquanto eu estava fora. Sei que mandam não atirar no mensageiro, mas garanto que quem inventou essa baboseira não morava na frente de alguém que nem a sra. Haggerty.

A fumaça do escapamento esquentou meus tornozelos quando o Honda de Vero passou por mim para entrar na garagem. Assim que o carro estava seguro lá dentro, soltei o portão.

O peso bateu com força, o baque do metal na calçada forte o suficiente para sacudir as paredes. Se a sra. Haggerty não estava espiando pela janela antes, certamente começaria a espiar agora.

Vero saiu do carro e me olhou em advertência, Zach e Delia se espreguiçando nas cadeirinhas. Nós duas nos encostamos na lateral do carro, esperando as crianças aprofundarem o sono de novo no silêncio frágil. Quando elas começaram a respirar lentamente, Vero pegou Delia no colo, com uma careta para os fiapos de cabelo cortados e grudentos espetados ao redor da cabeça de minha filha. Eu abracei Zach, fechando a porta do carro com o quadril.

Um amanhecer pálido e aguado começava a se infiltrar pelas beiras das cortinas dos quartos das crianças quando os pusemos na cama. Se tivéssemos sorte, eu e Vero teríamos tempo para banhos quentes e café antes que eles acordassem de vez, e eu gemi, me lembrando da bagunça de pó de café derramado que eu deixara na bancada da cozinha no dia anterior.

Sem dizer uma palavra, eu e Vero nos despimos, ficando só de calcinha e sutiã na frente da máquina de lavar. Enfiamos nossas roupas, a toalha de mesa, as luvas de jardinagem e os sapatos juntos, jogamos duas medidas de alvejante seguro para roupas coloridas e acrescentamos uma montanha de sabão em pó. Vero ligou a máquina e sumiu para dentro do quarto de hóspedes. Ela se trancou lá dentro com um clique baixinho.

Eu andei até a cozinha determinada a limpar pelo menos parte da bagunça que eu fizera antes de tentar dormir. Com o cuidado de não chamar a atenção indesejada da casa da sra. Haggerty, deixei as luzes apagadas, procurando o pó de café derramado sob a luz fraca da manhã que se filtrava pelas cortinas da cozinha, mas a bagunça se fora. O chão e as bancadas estavam limpos, e a louça suja que antes enchia a pia tinha sido posta na máquina. Vero provavelmente arrumara tudo na noite anterior, quando pegara minha frigideira para levar embora. Logo antes de me encontrar tentando ressuscitar um cadáver.

Talvez Vero estivesse certa.

Talvez Harris Mickler merecesse o que tinha acontecido com ele. Talvez a esposa dele aparecesse no dia seguinte com um envelope cheio de dinheiro e nos safássemos depois de um assassinato. No entanto, raspando o pó do fundo da cafeteira para jogá-lo na lixeira transbordante debaixo da pia, não me senti otimista. Eu tinha matado um homem. Não parecia importar se fora ou não intencional. Eu o enterrara, o que me tornava culpada de alguma coisa, mesmo que eu não soubesse exatamente que coisa. Ou o que seria se eu aceitasse o dinheiro da sra. Mickler.

Acordei com o tilintar de talheres em potes de cereal na cozinha. O barulho de vozes de desenho animado na televisão era quase alto o suficiente para abafar a vibração do aspirador lá embaixo. A luz forte do sol atravessava as persianas do meu quarto. Conferi o horário no celular e afundei o rosto no travesseiro. Estava úmido e frio onde meu cabelo ainda molhado o encharcara quando eu deitei depois de um banho longo e quente, menos de quatro horas antes.

Meus músculos estavam rígidos, relutantes em acordar, enquanto eu enfiava um moletom e prendia o cabelo solto em um coque, antes de descer para a cozinha. A máquina de lavar louça zunia baixinho no fundo. As contas amontoadas na entrada tinham sido trazidas para dentro, divididas em pilhas que ameaçavam se desequilibrar, e arrumadas em uma mesa de armar na sala de jantar vazia.

Delia piscou para mim da cadeira, a colher parada acima do pote de cereal. Uma gota de leite escorreu pelo queixo dela enquanto ela mastigava. Pisquei de volta, só parcialmente certa de que a garota que me encarava era minha filha. O cabelo dela tinha sido raspado rente à pele, limpo do adesivo grudento. O corte onde ela se machucara com a tesoura estava quase invisível entre as mechas que restavam, espetadas para cima com gel. Um par de óculos de aviador espelhado estava apoiado em seu nariz, cobrindo o rosto recém-lavado. As roupas dela – uma calça jeans cuidadosamente rasgada e uma camiseta rosa-choque esgarçada vestida por cima de uma blusa termal cinza de manga comprida – tinham sido salpicadas com água sanitária para completar o visual.

Ergui uma sobrancelha. Ela ergueu a sua de volta, enfiando na boca outra colher cheia de cereal pingando leite. As mãozinhas dela estavam calçadas com luvas sem dedo listradas que certamente tinham dedos quando eu as comprara na semana anterior, e eram muito menos fashion no dia anterior.

Os óculos de Vero escorregaram no nariz de Delia enquanto ela mastigava.

– É estilo – disse ela, dando de ombros com desdém, como se respondesse à pergunta em meu rosto. – Foi o que a tia Vero falou.

Fechei a boca com força para conter a resposta que viria.

O aspirador parou. Vero entrou na cozinha vestindo uma das camisetas que eu usava para dormir e uma calça de malha minha. Eu não queria pensar no que ela estava – ou não estava – usando por baixo, e torci para que minhas calcinhas estivessem catalogadas entre os sessenta por cento de posses que nunca teria que dividir com ela. O cabelo comprido estava preso em um rabo de cavalo frouxo. Ela deixou meu celular no balcão, com as mãos limpas, as unhas esfregadas, cortadas e lixadas, cobertas por uma camada de esmalte cor-de-rosa novo que combinava com a cor aparecendo para fora das luvas de Delia.

– Tia Vero, é?

Vero abriu um sorriso.

– Se Theresa tem uma tia Amy, você pode ter uma tia Vero.

Zach riu na cadeirinha alta, o cabelo dele também espetado com gel, comprido o suficiente para as pontas cachearem. Minha tesoura de cozinha não estava à vista e ninguém estava sangrando nem dando piti. Exausta demais para discutir, cambaleei sonolenta até a mesa.

– Vá se vestir – disse ela, me oferecendo uma xícara de café, da qual tomei um gole guloso, e me olhando de cima a baixo. – E ajeite o cabelo. Você tem reunião com a sra. M no Panera daqui a uma hora. Tente se apresentar à altura.

Engasguei, cuspindo café na frente da camisa.

– O que você fez?

Derramei mais café quando corri para pegar o celular. Minha expressão murchou quando li, atordoada, a mensagem de uma palavra que Vero mandara para a sra. Mickler.

Acabou.

A sra. Mickler respondera quase imediatamente: *Panera 11h.*

– Jesus, Vero – sibilei em um cochicho, torcendo para as crianças não notarem.

Quando olhei para o lado, elas estavam concentradas no desenho que Vero ligara na TV no cômodo ao lado.

– Não, eu não vou me encontrar com ela! – insisti.

Ela apoiou as mãos na mesa à minha frente.

– Você vai, *sim*, se encontrar com ela. Senão, como vai receber? Esses meus calos não foram à toa.

Agarrei a manga da camisa de Vero e a puxei para a sala de jantar, abaixando a voz.

– Não vou aceitar o dinheiro daquela mulher. Se aceitar, seremos culpadas por assassinato por aluguel.

– Em comparação com o quê? – sibilou ela, em resposta. – Assassinato sem aluguel? A única diferença são cinquenta mil dólares. Cinquenta. Mil. Eu voto para aceitarmos o dinheiro.

– Ah, você vota? Bom, até onde eu sei, ainda sou sócia majoritária. O que significa que meu voto vale mais!

– Pensa nisso, Finlay. Precisamos do dinheiro.

Ela apontou para trás com um dedo em riste. Pilhas de contas se acumulavam na mesa de armar, divididas em ordem de importância. Primeiro o financiamento da casa, depois da van, depois da associação de moradores, do seguro, da luz, seguidas de uma mistura de boletos vencidos de multas de cartão de crédito porque eu passara do limite meses antes.

– Fizemos o trabalho completo, melhor ganharmos por isso – continuou ela. – É só entregar a carteira e o celular do Harris e pegar o dinheiro. Pronto.

Olhei para a montanha de envelopes na mesa. Talvez Vero estivesse certa. Não pagar as contas não me tornaria uma pessoa melhor, nem me absolveria do que eu já fizera.

Vero relaxou os ombros, sentindo que eu ia ceder.

– Guardei a pá do Steven na van. Melhor nos livrarmos dela o mais rápido possível. Você pode deixar no quintal da Theresa no caminho para a reunião. Depois, leve a minivan ao lava-rápido e limpe tudo com aspirador na volta para casa. Eu vi todos os episódios de *Bones*. Se Brennan e Booth conseguem mandados de prisão por causa de partículas de pólen, aqueles cabeças-ocas que trabalham com a sua irmã devem poder te prender por causa de um fiozinho das calças do Mickler.

Fiz uma careta quando ela me ofereceu as chaves do carro.

– Vou limpar o carro e devolver a pá, mas *não* vou encontrar Patricia. Como vou conseguir olhá-la nos olhos?

Vero pegou um envelope da mesa de jantar e me mostrou. A Balança da Justiça estava gravada no canto superior esquerdo em tinta vermelha escura: outra carta que eu ainda não abrira do advogado de Steven.

– Você pode olhar nos olhos da Patricia e aceitar o dinheiro. Ou pode olhar nos olhos do advogado do seu marido enquanto ele tira seus filhos de você.

Ela segurou as chaves da minivan e a carta fechada lado a lado. Uma das coisas parecia decididamente pior do que a outra. Peguei as chaves. Finalmente, bebi o restante do café, beijei a cabeça dos meus filhos e subi correndo para me arrumar para receber o dinheiro de Patricia Mickler.

A peruca coçava horrores. Eu obviamente estava sendo castigada. Deus, carma ou o fantasma de Harris Mickler estava decidido a me fazer sofrer. Enfiei o dedo por baixo do lenço e me cocei, torcendo para nenhuma mecha castanha se soltar enquanto eu olhava ao redor do salão lotado do Panera através dos óculos escuros. Meu olhar parou nas mesas em que eu e Patricia estávamos quando nos vimos pela primeira vez. Soltei um suspiro aliviado quando não a vi ali. Eu podia honestamente dizer a Vero que tinha ido e tentado, mas Patricia Mickler não tinha aparecido. Poderia voltar para casa, comer um balde de sorvete e chorar. Só queria deixar esse pesadelo para trás e fingir que nunca acontecera. Harris Mickler podia ser nojento e ter feito coisas horríveis, mas eu o matara. Eu o matara e enterrara onde esperava que ninguém o encontrasse. Não parecia certo aceitar uma recompensa por aquilo.

Ajeitei os óculos escuros no rosto, pronta para ir embora, quando um movimento brusco no canto do meu olhar chamou minha atenção. A sra. Mickler estava encolhida em uma mesinha de canto, uma mão agarrada com força à bolsa, a outra ainda erguida, como se acenasse para mim. Quando nos entreolhamos, a mão dela perdeu o ânimo. Ela olhou ao redor do salão, ansiosa, e eu ajeitei uma mecha loira atrás da orelha e andei a passos rápidos até lá.

O rosto dela era pálido como eu lembrava, com o mesmo olhar arregalado de quando eu a vira encarar o pano ensanguentado e a fita adesiva na minha bolsa, a expressão vacilando entre horror e fascínio quando me sentei à mesa dela.

Segurei minha própria bolsa com força debaixo do cotovelo. A carteira, as chaves e o celular de Harris estavam ali, a Prova Número Um, caso a sra. Mickler exigisse comprovação. Na verdade, eu só queria me livrar daquilo.

Só queria sair dali e gastar cinquenta mil dólares em moedas no aspirador industrial do lava-rápido, para arrancar da minha vida toda célula e fibra que já pertencera a Harris Mickler.

– Acabou mesmo? – perguntou ela, com um olhar furtivo para as mesas próximas.

Assenti.

As mãos de Patricia tremiam quando ela tirou um envelope da bolsa e o empurrou por sobre a mesa. Seus olhos estavam arroxeados, como se não tivesse dormido. Imaginei que ela quisesse o fim dessa história tanto quanto eu. Ainda assim, hesitei em pegar o envelope.

– Pode contar. Está tudo aí – insistiu, empurrando mais um pouco.

– Eu acredito.

O envelope estava grosso, tão cheio que mal fechava. Eu o puxei da mesa para o meu colo e peguei na bolsa a carteira, as chaves e o celular de Harris. Patricia pegou o chaveiro, seus dedos trêmulos com dificuldade de separar uma chavinha das outras.

– Vou esperar até amanhã para declarar o desaparecimento – disse ela, guardando a chave. – Assim você terá tempo de amarrar as pontas soltas.

Patricia empurrou o resto das chaves de volta para mim, junto com a carteira e o celular. Ela engoliu em seco, incapaz de olhar para a mesa, como se também quisesse se livrar de tudo que era dele.

– Você quer que *eu* me livre disso? – perguntei.

– Não é para isso que te paguei?

Que ultraje. Se Delia abrisse a boca para mim daquele jeito eu a deixaria de castigo por rebeldia e confiscaria os brinquedos. Patricia hesitou, obviamente confundindo minha cara de mãe por outra coisa... alguma expressão fria de assassinos de aluguel e mercenários. Talvez sejam parecidas. Não tinha como saber. O sorriso nervoso dela fez a boca tremer como se ela estivesse prestes a chorar.

Mordi a língua e guardei as coisas do marido dela na minha bolsa, junto com o dinheiro.

– Espero que não se importe – disse ela, pigarreando. – Uma amiga minha... uma conhecida, na verdade. Fazemos pilates juntas na academia às terças e aos sábados – admitiu com uma careta culpada, como se o crime fosse o alongamento. – Ela anda tendo... *problemas*... com o marido. Eu disse que conhecia alguém que talvez pudesse ajudar.

O papelzinho dobrado que ela empurrou pela mesa me causou um *déjà-vu* incômodo. Abri a boca, me enrolando nos argumentos que tentavam sair. Até que li os números ao lado do cifrão.

Os setenta e cinco mil.

Olhei para o nome: Andrei Borovkov. O endereço era de um condomínio chique num arranha-céu em McLean. Dobrei o bilhete e o empurrei de volta.

– Olha – comecei –, você entendeu errado. Eu não...

O restante do argumento se perdeu. O lugar de Patricia estava vazio.

Eu me virei na cadeira, procurando a mulher perto das lixeiras. No corredor do banheiro. Na bancada de sobremesa. Mas ela se fora. Pela janela, a vi entrando no carro. A perua Subaru marrom com adesivos cobrindo o vidro traseiro arrancou do estacionamento como se pegasse fogo, costurando trânsito adentro.

Olhei para o papel. O nome ali me era conhecido por motivos que nem conseguia imaginar. Ou talvez fosse o momento, a sensação de pavor muito conhecida por ter atravessado um limite que não podia voltar só por segurar aquele papel. Guardei o bilhete na bolsa com o dinheiro e o conteúdo dos bolsos de Harris Mickler, me perguntando o que fazer depois.

Saí do Panera e fui direto ao Lush. O bar só abriria uma hora mais tarde e só havia meia dúzia de carros no estacionamento, o que facilitava encontrar o de Harris Mickler. O logo da Mercedes estava estampado no chaveiro chique, e só havia três chaves ali: uma provavelmente do escritório e outra provavelmente de casa. A chavinha menor que antes ficava ali – provavelmente de um armário na academia ou de um gaveteiro particular e secreto – tinha sido pega por Patricia. Eu não ligava. Queria que todas se fossem. A última coisa de que precisava era de um detetive que me encontrasse e as descobrisse na minha casa.

Parei a minivan entre as duas únicas Mercedes no estacionamento. Apertei um botão no chaveiro eletrônico e vi o farol piscar pelo retrovisor. Entrei de ré na vaga ao lado do carro de Harris, alinhando as portas do lado do motoristta. Em seguida, usei um dos paninhos de Zach para limpar tudo: o celular, as chaves, a carteira... Curiosa, abri a carteira, arregalando os olhos ao ver as notas lisinhas guardadas ali. Eu podia pegá-las, pensei. Fingir que era um assalto. Mas por que um ladrãozinho qualquer deixaria a carteira cheia de cartões de crédito e um celular caro no carro de Harris?

Não, melhor deixar como estava.

Se não houvesse sinal de roubo, talvez a polícia não investigasse tão profundamente o desaparecimento. Talvez supusessem que ele tinha saído do bar, largado a esposa e fugido para o Taiti ou para Milão com alguma mulher misteriosa que acabara de conhecer.

Ainda de peruca e de óculos, saí do carro, as mechas loiras soltas para disfarçar o rosto enquanto eu remexia na chave de Harris. O alarme do carro soou. As lanternas piscaram e a buzina ecoou no ritmo do meu coração. Apertei botões freneticamente até a confusão acabar.

Olhando ao redor do estacionamento, protegi a mão com a manga da camisa para abrir a porta do carro de Harris. Em seguida, limpei o chaveiro e larguei as coisas dele no banco do motorista. Eu nunca fora detida, então sabia que não poderiam usar digitais para me encontrar. No entanto, definitivamente poderiam usá-las para me condenar caso eu me tornasse suspeita.

Tranquei o carro por dentro, com o coração ainda batendo em ritmo dobrado quando voltei para o meu carro e virei a chave.

– Ah, não – sussurrei, abaixando o freio e virando a chave de novo, ouvindo o motor fazer um clique teimoso. – Não, não, não!

Eu precisaria chamar um guincho. O que levaria ao registro do meu carro ter sido guinchado naquele estacionamento, na vaga bem ao lado do carro de Harris Mickler.

Não podia ser.

Apertei o botão para liberar o capô, tropeçando da minivan na pressa de ir abri-lo. Não sei por quê. Eu não fazia ideia do que procurava em meio ao emaranhado de metal, tubos e fios sob o capô. Eu sabia cuidar de assadura de fralda, joelhos ralados e jantares congelados. Manutenção de carro – qualquer manutenção, na verdade – sempre fora departamento do Steven.

– Theresa?

Eu me virei em resposta à voz atrás de mim, apertando as costas contra o calor da frente do carro, o coração batendo tão rápido que podia sair voando. Levei a mão ao peito, obrigando-me a me acalmar, relaxando contra o para-choque. Era só Julian.

Julian, o barman que me vira ali na noite anterior.

Julian, o estudante de direito que provavelmente podia farejar minha culpa do outro lado do estacionamento.

"Merda."

– Desculpa – disse ele, o olhar no rubor de pânico que eu sentia se espalhando em meu pescoço. – Não queria te assustar. Está tudo bem?

Ele franziu a testa, olhando para o capô aberto por sobe meu ombro.

– Tudo! Tudo certo – soltei.

Minha cabeça estava a mil. Será que ele tinha ouvido o alarme? Tinha me visto deixar a carteira e o celular de Harris?

– A bateria só deve ter morrido. O que você está fazendo aqui?

Fiz uma careta pela estupidez da minha pergunta.

– Primeiro turno – respondeu.

Ele pendurou uma camisa de botão limpa no ombro, por cima da camiseta de algodão justa. Perfume de sabonete e xampu emanava dele quando ele afastou os cachos úmidos do rosto.

– Quer que eu dê uma olhada? – perguntou, apontando para o motor.

"Meu Deus, sim, por favor."

"Jesus, não, de jeito nenhum."

– Claro – respondi, pigarreando e apontando com o polegar. – As chaves estão lá dentro.

Ele sorriu, formando ruguinhas nos cantos dos olhos. Eu não tinha notado a cor deles no bar de noite. À luz do dia, as íris pareciam divididas entre tons sutis de verde e dourado, e eu ficaria bem feliz em contemplá-las até que se decidissem. Ele entrou com o tronco na minivan e girou a chave. Apertei as mãos contra os olhos quando o motor soltou aquele clique horrível.

– Definitivamente é a bateria – disse Julian, afastando-se da porta do motorista. – Tenho cabos para chupeta no meu carro. Espere aí. Vou trazer.

Os passos dele tinham uma certa leveza conforme ele se apressava na direção de um Jeep cor de vinho com capota de lona. Ele cruzou o estacionamento com o carro e parou em frente ao meu capô, até os para-choques ficarem próximos. Julian saiu com um cabo preto e um vermelho, e tentei não olhar para o traseiro dele quando abriu o capô do próprio carro e se esticou por cima do motor para conectá-los.

Tentei com o mesmo esforço que fizera para não matar Harris Mickler nem aceitar o dinheiro da esposa dele.

– Você já estava tendo problema com a bateria? – perguntou ele.

– Hum, não. Estava tudo bem – respondi, quando ele prendeu a outra ponta dos cabos na bateria da minivan.

Não era exatamente verdade. O carro andava pifando havia semanas e eu ignorara os barulhos esquisitos e as luzes fracas de vez em quando, torcendo para sumirem, que nem o dinheiro na minha conta. Acho que poderia ter sido pior. Poderia ter acontecido na noite anterior, quando Harris estava desmaiado no banco de trás.

– Provavelmente foi o alternador. Vamos deixar carregando por uns minutos para você voltar à estrada, mas é melhor passar em uma oficina no caminho para uma revisão.

Julian tinha se aproximado. Ou talvez fosse eu. Estávamos próximos o suficiente para eu notar que o rosto dele era lisinho e cheirava de leve a espuma de barbear. Além de um perfume fresco e embriagador por baixo.

– O que você está fazendo aqui, afinal? – perguntou ele, erguendo uma sobrancelha. – O bar só abre mais tarde.

Era o gás do escapamento, pensei. Ou talvez o calor do motor que deixava o ar rareado. Certamente não era o perfume dele. Ou o jeito que o cabelo caía no rosto quando ele virava a cabeça. Ou como os olhos brilhavam sob o sol.

– Eu... perdi uma coisa aqui no estacionamento ontem.

Meu bom senso. Ou pelo menos minha noção.

– Mas já encontrei – menti.

– Ah – disse ele, com um sorriso ferido. – Eu tinha esperança de que você tivesse mudado de ideia.

Pisquei para afastar a imagem de Julian no banco de trás da minha minivan. Homens demais já tinham estado em meu carro naquela semana, e não dera em nada bom. Meu único plano com aquela minivan era passar aspirador. Ou talvez incendiá-la.

– Fica para a próxima? – perguntei.

– Eu vou gostar.

O silêncio se estendeu, implacável e incômodo. Ele abaixou o rosto, escondendo um sorriso tímido. Ajeitei uma mecha de cabelo falso atrás da orelha e ele olhou para o relógio, assentindo com a cabeça.

– Pode ligar. Já deve ter dado tempo.

Estiquei a mão pela porta e testei a chave. O motor ligou e suspirei de puro alívio quando Julian desconectou os cabos. Ele fechou o capô e bateu as mãos para limpá-las, os dedos pintados de graxa e sujeira. Pensando na camisa branca e limpa que ele levara para trabalhar, peguei um pacote de lencinhos umedecidos e um paninho seco do carro, conferindo para garantir que não cheirava a leite azedo nem estava sujo de sangue e cabelo antes de oferecê-lo.

– Obrigado – disse ele, limpando as pontas dos dedos.

– Baker!

Julian se virou para o bar. Um homem careca e barrigudo segurava a porta aberta, batendo no relógio. Abaixei a cabeça, as mechas loiras soltas caindo ao redor do meu rosto quando me posicionei atrás de Julian, deixando o corpo dele me esconder do homem. Julian o cumprimentou com um aceno de cabeça.

– É meu chefe. Tenho que ir. Tem certeza que não quer ficar aqui mais um tempo?

– Não posso – falei, rápido, com um gesto para o motor que zumbia atrás de mim. – Preciso ir para casa. Por causa dos meus filhos. E... sabe... coisas imobiliárias.

– Claro.

A boca dele se curvou em um canto. Era um ótimo sorriso, sincero e carinhoso. O tipo de sorriso que dificultava minha mentira.

– Mas obrigada pela chupetinha.

As sobrancelhas iluminadas dele se ergueram tanto que sumiram sob os cachos, e meu rosto ardeu.

– Isso... Uau, isso não soou muito bem. Desculpa. É que foi um dia muito, *muito* estranho.

– Tudo bem. Eu entendi.

Ele mordeu a boca para conter uma gargalhada. Eu queria me enfiar debaixo do asfalto quando ele me devolveu o paninho do Zach.

– Ainda tem meu número? – perguntou.

Confirmei com a cabeça.

– Então espero te ver por aí, Theresa.

Ele andou para trás, na direção do Jeep, seu olhar me percorrendo de forma totalmente inocente, mas ainda capaz de derreter a pele sobre meus ossos. Entrei na minivan e mexi no celular, conferindo que o número ainda estava lá quando ele voltou com o carro dele para a própria vaga.

Meus dedos hesitaram enquanto ele entrava no Lush com a camisa de botão pendurada no ombro. Se eu mandasse mensagem, ele teria meu número. Aquilo com certeza seria uma ideia muito, *muito* ruim. Harris estava enterrado e eu acabara de aceitar cinquenta mil dólares por matá-lo. Eu deveria manter o máximo de distância do lugar onde eu e Harris tínhamos sido vistos juntos.

Ainda assim...

"Ainda tranquilo com a minivan?", digitei rapidamente e enviei antes de mudar de ideia. Eu obviamente não encontrara meu bom senso naquele estacionamento.

Bati a testa no volante, os segundos se estendendo de forma dolorosa enquanto eu esperava a resposta. E se eu tivesse me enganado? E se ele só fosse educado? E se o paninho tivesse cortado o clima?

O celular vibrou no meu colo. Eu me endireitei e cobri os olhos, quase sem coragem de ler a mensagem entre os dedos.

"Pode me buscar a qualquer hora. Você sabe onde me encontrar."

Olhei para as janelas escuras do Lush. Dava para vislumbrar a camisa branca de Julian do outro lado, o aceno sutil da mão dele através do vidro. Levantei os dedos do volante, me perguntando se ele me enxergaria acenar de volta. Me perguntando se ele me via – por inteiro – como me vira na noite anterior.

A exaustão me dominou quando eu parei na garagem meia hora depois, olhando para o lugar onde tínhamos embrulhado o corpo de Harris Mickler na noite anterior. O chão de concreto estava úmido e cheirava um pouco a água sanitária, o portão entreaberto no sol da tarde para secá-lo. Vero provavelmente lavara enquanto eu estava na rua. A pazinha cor-de-rosa tinha sido lavada e secada, devolvida ao lugar de costume. Os pertences de Harris Mickler tinham sido limpos e trancados no carro dele no Lush. A pá de Steven estava de volta ao galpão do quintal. Eu acabara de gastar vinte dólares em moedas para aspirar qualquer rastro de Harris Mickler da minha minivan. Eu havia feito tudo em que pensara para nos proteger, mas não conseguia conter a sensação de que esquecera alguma coisa.

Culpa. A sensação incômoda e persistente que me puxava de volta para a garagem sem cessar tinha de ser culpa. Provavelmente me seguiria a vida toda.

Um movimento trêmulo do outro lado da rua chamou minha atenção: o gesto sutil da sra. Haggerty fechando a cortina da cozinha. Andei até o portão da garagem, ficando na ponta do pé para puxá-lo com as duas mãos, e o bati, fazendo as paredes tremerem.

Idiota. Eu era completamente idiota. Caí sentada no degrauzinho de madeira que levava à cozinha, meus olhos se ajustando ao escuro e todos os "e se?" da noite anterior desmoronando ao meu redor, pesados e fortes como a porra do portão da garagem.

"E se eu nunca tivesse ligado para Patricia Mickler? E se eu nunca tivesse pegado o vestido de Theresa para ir àquele bar idiota? E se eu nunca tivesse enfiado Harris no carro? E se eu nunca tivesse trazido ele até aqui, minha própria casa? E se eu não tivesse deixado o motor ligado depois de fechar a..."

Minhas costas se retesaram, um músculo tenso por vez. Levantei o rosto e meu foco foi da minivan para o portão. Os detalhes da noite anterior ainda estavam um pouco confusos, distorcidos por champanhe e pânico, como se alguém tivesse apagado as beiradas, mas eu lembrava... Eu me lembrava de ter chegado em casa. De ter clicado no botão do controle e esperado o portão abrir com um rangido. Os faróis da minivan tinham iluminado a bancada e a pazinha cor-de-rosa, e eu me lembro distintamente de ter saído do carro e me espremido entre a bancada e o para-choque, estreitando os olhos contra a luz, e de ter corrido para dentro de casa. A cozinha estava escura. Silenciosa exceto pelo zumbido do motor através da parede quando me sentei e liguei para minha irmã... Aqueles detalhes estavam nítidos e vívidos.

O que me fez engasgar foi o que eu *não* lembrava.

Eu não me lembrava de ter batido no botão da parede ao estar na cozinha. Nem do ranger mecânico do portão descendo ao chão...

Eu não tinha fechado a garagem.

Eu tinha deixado o carro ligado, mas não tinha fechado a garagem.

Eu me levantei rápido, acendendo o interruptor da parede. A única lâmpada no meio do teto derramou luz fraca amarelada no chão de concreto. Parei ali embaixo, olhando para o motor do portão. Elevei o olhar pela corda de emergência vermelha, parando na polia que o levantava e abaixava. A polia estava desconectada da correia. Aquilo explicava por que o motor ligara quando Vero apertara o botão na parede, mas o portão não se movera – ele não estava conectado.

Não fazia sentido.

O controle estava funcionando quando eu voltei do bar. Eu tinha apertado o controle remoto do painel, o portão tinha se aberto e eu tinha entrado na garagem. Ainda assim, meros vinte minutos depois, quando eu saíra de casa, Harris estava morto e o portão estava desconectado do motor. Estava fechado – mas eu tinha certeza que eu não o fechara.

Como?

Olhei para o fio vermelho pendurado acima da minha cabeça.

Puxar a corda de emergência era o único jeito de soltar a correia e desconectar o portão do motor – o único jeito de abrir e fechar a garagem *manualmente*. Aquilo significava que alguém tinha puxado a corda e fechado o portão enquanto eu estava em casa. Enquanto a minivan estava ligada. O que significava que...

Não tinha sido eu.

Eu não tinha matado Harris Mickler.

Vero se encostou na parede, uma perna dobrada com o pé apoiado, e me observou pelo canto do olho como se eu tivesse perdido a noção.

– Você acha mesmo que alguém puxou o cordão vermelho e fechou o portão da garagem enquanto você estava *dentro* de casa?

– Isso.

– Por quê?

Só havia uma explicação possível.

– Devia haver mais alguém querendo ver Harris Mickler morto. Quem quer que seja deve ter visto a gente sair do bar e me seguido até aqui. Quando entrei e deixei o carro ligado, foi a oportunidade perfeita para matá-lo.

Vero pegou o envelope da minha mão. Eu o segurava com tanta força que até esquecera que estava ali.

– Tem certeza que não é só a sua culpa falando?

– Posso ter culpa de muita coisa, Vero, mas não fechei aquele portão.

Ela tirou um maço de notas e as aproximou do rosto, fechando os olhos ao folhear as beiradas e inspirar profundamente.

– A gente ainda pode ficar com o dinheiro? – perguntou.

Peguei o rolo de fita adesiva na bancada e joguei nela.

– Tá, tá bom – disse ela, usando o envelope de Patricia Mickler de escudo, para o caso de eu decidir jogar outra coisa. – Vamos supor por um minuto que você não tenha fechado o portão, mas outra pessoa o fez. Por que puxar a corda? Por que não apertar o botão e sair correndo?

Roí a unha, recapitulando os acontecimentos da noite. Levaria um tempo para o monóxido de carbono encher a garagem, então o assassino devia ter fechado o portão logo que eu entrei. Eu fiquei no chão da cozinha, com as costas contra a parede que dava para a garagem, falando com Georgia no telefone. Falei tanto tempo que esqueci que deixei o carro ligado. Em seguida, subi para me limpar e trocar. Meu quarto ficava bem acima da garagem.

– Não – falei, sacudindo a cabeça. – Não, a pessoa não podia ter usado o botão da parede, nem um controle remoto. O motor é barulhento demais. Eu teria ouvido. Quem puxou a corda queria silêncio.

Ergui o olhar para o puxador vermelho. A conta ainda não fechava. O cordão de emergência não era nada silencioso. Eu o usara uma vez durante um apagão, quando o portão ficou travado no meio de uma nevasca. Assim que eu puxara a corda, o portão caíra com tudo, quicando no concreto com um baque de sacudir os ossos, que nem quando eu fechara poucos minutos antes para assustar a sra. Haggerty. Steven ouvira o barulho do quarto e viera correndo para ver o que era. Ele passara uma semana reclamando que eu podia ter destruído o portão. Que eu podia ter me machucado, ou machucado as crianças. Que eu nunca deveria puxar a corda de emergência com a garagem aberta. A não ser que...

– Que cara é essa? Eu conheço essa cara – disse Vero, quando eu peguei a escadinha do canto. – É a mesma cara que você fez pouco antes de enfiar massinha no escapamento do carro da Theresa.

– Abra o portão – falei, posicionando a escadinha debaixo do cordão de emergência.

– É pesado! Abre você!

– Não posso. Vou subir na escadinha.

Vero resmungou onde eu podia enfiar a escadinha e forçou o portão a abrir usando as duas mãos. Ela estremeceu quando o vento frio de outono entrou pela abertura e bagunçou seu cabelo. Xingando baixinho, ela levantou o portão acima da cabeça, até estar inteiramente aberto, paralelo ao teto. Eu subi na escadinha e conectei a correia à polia, como Steven me ensinara. Em seguida, puxei a corda.

Vero gritou quando o portão se soltou, caindo com velocidade crescente. Ela pulou para segurá-lo antes de bater no chão.

– Você ficou doida? – sibilou. – A gente não precisa que a sra. Haggerty escute e enfie aquele nariz intrometido na nossa vida!

Vero abaixou o portão com um baque leve, um som tão baixo que eu não escutaria de dentro de casa.

– Foram duas pessoas – falei, descendo a escadinha, e Vero franziu o nariz. – É o único jeito de fechar a garagem sem fazer barulho. Uma pessoa puxou a corda. A outra segurou o portão e controlou a descida.

– Então deixa eu entender. Quer dizer que outra pessoa... não, outras *duas* pessoas... mataram Harris enquanto você estava no telefone com sua irmã?

– Fingindo que foi acidente.

– Ou armando para você levar a culpa.

Vero pegou o envelope e o enfiou na cintura da calça de malha – da *minha* calça de malha –, como se temesse que eu fosse devolvê-lo de repente. Ela gritou quando eu o puxei, mas não tinha nada a ser feito. Eu já aceitara o dinheiro. Não importava quem tinha trancado Harris na garagem, porque eu aceitara o pagamento por um assassinato. Se alguém encontrasse o cadáver de Harris, seríamos nós as culpadas.

Quando as crianças foram cochilar à tarde, entrei no escritório e fechei a porta. O envelope de Patricia estava em cima da mesa. Estava nitidamente mais leve desde que Vero pegara seus quarenta por cento, mas não era nada fácil de ver, então o guardei na gaveta.

O dinheiro de Patricia não era diferente do meu adiantamento do livro: outro pagamento que eu não merecia, por um trabalho que não fizera. Outra coisa que me causava culpa. Por mais problemas que o dinheiro pudesse resolver, vinha com outros maiores. Mais assustadores. O tipo de problema que me faria perder meus filhos. O tipo de problema que me faria passar a vida atrás das grades. A única forma de me defender um pouco, caso o desaparecimento de Harris levasse a mim, seria saber exatamente o que tinha acontecido na minha garagem. Seria conseguir provar, sem dúvida, que eu não o matara.

Liguei o velho computador, esperando a máquina estalar e engasgar. Abri um arquivo novo no Word e escrevi um título, as primeiras palavras que me ocorreram, o que Sylvia e a editora esperavam de mim: TIRO CERTEIRO, por Finlay Donovan. A tela me cegava de tão clara. O cursor me olhava com indiferença, piscando devagar, enquanto meus dedos calejados pairavam sobre as teclas. Fazia meses que eu não conseguia sair do meu poço de pensamentos derrotistas. Desde que Steven fora embora, eu não conseguia juntar palavras na página. Todo enredo parecia sem solução, todo romance, sem graça, e toda história que eu criava, sem valor.

Quando eu perdi meu primeiro prazo depois da separação de Steven, Sylvia me ligou para passar sermão. Eu disse que estava bloqueada, mas ela insistiu que eu conseguiria atravessar. Às vezes, dissera ela, a gente não enxerga a história inteira até estar na página, e o único jeito de descobrir o que vem depois é ir escrevendo, uma cena atrás da outra, até acabar. Sylvia gostava de mandar a real e descobrir respostas. Sylvia também gostava de ganhar dinheiro. Talvez eu devesse ter a mesma abordagem.

Encostei no teclado, tentando decidir por onde exatamente começar o livro, mas não conseguia parar de pensar na história de Harris. Provavelmente porque, graças à minha própria estupidez, eu conseguira me meter bem no meio dos fatos. Se a polícia conseguisse acompanhar Harris do Lush à minha garagem, eu me tornaria a principal suspeita. Vero e eu seríamos presas, a não ser que conseguíssemos provar que o assassinato fora cometido por outra pessoa.

Eu sabia qual era a cena de abertura. Harris Mickler fora assassinado bem debaixo do meu nariz. Eu só precisava descobrir o contexto para desvendar o restante do enredo. Só precisava me colocar no lugar dos personagens – entender quem eram, o que queriam e o que perderiam. Tudo se resumia a recurso, motivo e oportunidade. Qual seria a dificuldade de solucionar meu próprio crime?

Comecei a digitar, partindo do bilhete que Patricia deixara na minha bandeja durante o almoço, relembrando todos os detalhes de que era capaz: o telefonema que fizera dentro da minivan, a ida ao Lush, levar Harris ao estacionamento, encontrá-lo morto na garagem. Conforme escrevia, me perdi na história, deixando a memória preencher as lacunas. Os nomes – Harris, Patricia, Julian, meu nome, até o nome do bar – eu mudei, deixando o restante dos acontecimentos da noite se desenrolarem sem filtro na tela.

Bati nas teclas com velocidade crescente. Parágrafos se transformaram em páginas, e digitei até o sol afastar os dedos rosados e exaustos das brechas da persiana. Até o tilintar de pratos parar na cozinha, até as crianças se remexerem na cama e finalmente pegarem no sono. Escrevi nas longas horas de silêncio que se seguiram, até a luz da tela ser a única luz acesa em casa.

A casa estava em silêncio, as crianças já cochilando, quando acordei na tarde seguinte. Vero tinha pegado no sono no sofá, as mãos cheias de bolhas abraçando a almofadinha debaixo da cabeça, o rosto frouxo de exaustão. Não vi sentido em acordá-la antes de sair. A TV estava ligada no noticiário local, com volume baixo. Ela provavelmente tinha passado a noite acordada de olho nas manchetes, atenta à polícia, esperando que aparecessem na nossa porta. Só dormiríamos em paz quando soubéssemos quem tinha matado Harris Mickler.

Eu passara a noite escrevendo, mas não estava mais perto de entender a sequência de acontecimentos que levara ao momento em que eu encontrara Harris morto na garagem. Quem, além de mim e de Patricia, tinha motivos para matá-lo? Tudo que eu sabia sobre Harris vinha das redes sociais e do celular dele. Certamente todas as mulheres naquelas fotos horríveis tinham motivos para querer matá-lo, mas eu trancara o celular no carro dele no estacionamento do Lush, e não podia arriscar voltar. Patricia era a única pessoa que podia me ajudar a solucionar o assassinato de Harris. Ou seria, se atendesse às minhas ligações.

Desesperada, pesquisei o número da empresa onde Patricia trabalhava. A recepcionista se desculpou e explicou que Patricia ligara de manhã para avisar que estava doente e passaria a semana em casa. Eu não sabia muito mais sobre Patricia do que sabia sobre Harris, mas, graças ao bilhete que ela deixara na minha bandeja no Panera, sabia seu endereço.

A rua North Livingstone já estava decorada para o halloween, com teias de aranha de algodão penduradas nos galhos de árvores e abóboras coloridas espalhadas pelas varandas. Eu parei no meio-fio uma quadra antes do número quarenta e nove. A casa dos Micklers era modesta, uma construção de dois andares da década de 1960, com o quintal arrumado para combinar com os arredores discretos. Assim como a maioria das casas daquela área, a fachada simples de tijolo provavelmente fora redecorada por dentro, com bancadas de granito, cornijas elaboradas e banheiras de hidromassagem para se adequar aos preços altos e gostos de luxo daquele canto de North Arlington.

As persianas das janelas que eu enxergava estavam todas fechadas, e não havia carros na entrada. Pelo que via, nenhum policial estava a postos para atacar.

Liguei para Patricia pela terceira vez desde que saíra de casa, e larguei o celular no porta-copos, soltando um palavrão quando a voz automática disse que a caixa postal estava cheia. Saí do carro, tentando parecer casual ao seguir pela calçada até a casa dos Micklers. A maioria dos vizinhos provavelmente estava trabalhando, exatamente como Patricia Mickler deveria estar.

Ela tinha sido boba de dizer que estava doente um dia depois de ter pagado alguém para matar o marido. Ou talvez só estivesse fazendo o papel de esposa preocupada. Eu esperava que, onde quer que estivesse, ela não tivesse fugido da cidade. Se fugisse, a polícia a encontraria com certeza; e, se a interrogassem sobre o desaparecimento do marido... Bom, não queria nem pensar no que ela confessaria em troca de uma pena mais branda.

Satisfeita de que não estava sendo observada, atravessei a rua até a casa de Patricia. A entrada estava limpa: nada de contas empilhadas, de tralhas ou decorações de halloween. Toquei a campainha. O som fraco era quase inaudível através da janela do hall. Nenhum passo se aproximou. Nenhum cachorro latiu. Esperei um minuto antes de bater à porta. A casa continuou em silêncio. Olhei pela janela. As luzes estavam apagadas.

Aonde ela teria ido?

Dei meia-volta, parando perto da caixa de correio instalada ao lado da porta dos Micklers. Minha mão hesitou sobre a tampa. Eu tinha quase certeza que mexer na correspondência alheia era um crime federal, mas, se a caixa de correio de Harris fosse parecida com a minha, continha várias coisas que eu não queria que soubessem sobre mim.

Olhei para trás e para os dois lados da rua antes de abri-la. A pilha lá dentro era fina. Leve o suficiente para guardar no meu casaco sem chamar a atenção. Antes que pudesse me convencer do contrário, peguei a correspondência, enfiei dentro da jaqueta e corri até o carro. Tranquei a porta e folheei rapidamente os envelopes.

Algumas contas, alguns cupons, algumas propagandas... Toda a correspondência era endereçada para o casal, sr. & sra. Harris Mickler. Exceto por um extrato mensal do banco, endereçado a uma empresa: Leiteiros Associados. *Leiteiro*, que nem a senha do celular.

Enfiei a chave do carro debaixo da aba para rasgar o envelope e ler o extrato. Visivelmente não era uma conta compartilhada com Patricia. Não havia débitos em mercados, contas da casa, nem lojas do shopping. Nada de salão de beleza, consulta médica ou gastos de manutenção. Fiquei enjoada ao ler as despesas. Pagamentos a bares caros e restaurantes chiques, uma floricultura na Vila Vienna, e o joalheiro luxuoso Charleston-Alexander do centro. Havia vários pagamentos recorrentes ao hotel Ritz-Carlton, que ficava entre a casa de Harris e o Lush. Devia ser a conta de operações de Harris, que ele usava para seduzir as vítimas antes de drogá-las e chantageá-las.

Virei a página e encontrei uma lista de doze depósitos, todos para a mesma conta – dois mil dólares –, todos transferências bancárias feitas no primeiro dia do mês. Harris devia estar trabalhando como consultor em paralelo e, aparentemente, o negócio de consultoria ia bem. Ele parecia ter doze clientes regulares que pagavam todo mês. Na última semana de setembro, o saldo de Harris na conta passava um pouco de um milhão de dólares. No entanto, o total da conta no fim do mês, quando o extrato acabava, era... zero?

Voltei para os saques. Harris tinha sacado todo o dinheiro da conta na semana antes de ser morto. Uma semana antes de Patricia ter tentado me contratar.

Ou...?

"Ia usar para deixá-lo. Mas assim vai ser melhor."

De repente, fez sentido que Patricia tinha arranjado cinquenta mil dólares em dinheiro vivo com tanta facilidade. Ela devia ter sacado da conta do marido, planejando usá-lo para fugir, esperando que ele não fosse atrás dela. No entanto, me encontrara e notara que tinha dinheiro o suficiente para garantir que ele nunca iria. O dinheiro sumido encaixaria na narrativa que ela provavelmente planejava contar para a polícia: que ele tinha sacado tudo e fugido com outra mulher. Enquanto isso, Patricia tinha todo o dinheiro de que precisava para recomeçar a vida em outro lugar.

Só restavam duas perguntas: quem matara Harris? E aonde fora Patricia Mickler?

Guardei o extrato de Harris no bolso, me preparando para devolver o restante dos envelopes à caixa de correio dos Micklers, quando um Lincoln Town Car preto e lustroso passou devagar pela minivan. Eu me abaixei quando o carro parou na frente da casa dos Micklers.

Um homem abriu a porta do carona. As pernas compridas do terno sob medida deram passos firmes e precisos até a porta de Patricia. Ele tocou a campainha, passando a mão pelo cabelo escuro e minuciosamente penteado enquanto esperava resposta. O motorista ficou no carro, escondido atrás do vidro escuro.

O homem tocou a campainha de novo, seguida de duas batidas ríspidas à porta, que eu escutei de onde estava. Quando ninguém respondeu, ele passou para a garagem, cumprido o suficiente para espiar com facilidade pelas janelas altas e estreitas. Ele voltou ao carro, sacudindo a cabeça bruscamente.

O motorista abriu a porta. Ombros largos e pernas grossas e fortes saíram. Com passos pesados e arrastados, o motorista deu a volta pela lateral, uma lâmina prateada escapando da manga da camisa para as mãos gordas quando ele sumiu por trás da casa.

O homem de terno levou os braços para trás, nas costas, segurando o punho com a outra mão, e ficou andando casualmente pela frente da casa, observando a rua enquanto esperava perto do carro. Eu me afundei mais no banco, olhando por cima do volante, esperando que ele não me visse, por causa do sol da tarde às minhas costas.

Um momento depois, o motorista voltou. Ele limpou as mãos vazias uma na outra e, com um aceno breve de cabeça para o passageiro, os dois voltaram ao carro chique e preto. Com o coração acelerado, eu me joguei no chão da minivan quando o Lincoln saiu de ré e veio na minha direção. Esperei o ronronar do motor passar antes de me levantar, com cuidado.

Seriam aquelas as pessoas sobre as quais Patricia me advertira? Com olhos e ouvidos pela cidade toda?

"Meu marido estava metido com gente muito perigosa."

Conferi o espelho para garantir que eles tinham ido embora, abri a porta e fui até a frente da casa devolver a correspondência. Todas as vozes na minha cabeça gritavam para eu ir embora. Correr. Por outro lado, e se Patricia estivesse em casa aquele tempo todo? Se estivesse escondida, não de mim, mas daqueles homens? O motorista estava carregando uma faca enorme, que não estava em sua mão quando ele voltou. Eu não podia ir embora sem verificar se Patricia estava bem.

Eu me esgueirei até a garagem, me apoiando na beirada de um canteiro de planta elevado para olhar pela janela. Uma perua marrom Subaru estava estacionada lá dentro, a mesma em que ela sumira quando me deixara no Panera, o vidro de trás coberto de adesivos: JMU; Animais São Amigos, Não Comida; Quem Ama Adota; e Abrigue um Animal. Bonequinhos palito de um homem, uma mulher e dois cachorrinhos estendiam-se pelo vidro.

Patricia estava em casa.

Corri pela lateral do quintal e dei a volta na casa dos Micklers, parando de repente no meio da varanda dos fundos. A luz do sol refletia na lâmina comprida da faca enfiada ao lado da porta. Um papelzinho esvoaçava, preso pela serra.

VOCÊ PEGOU ALGO QUE ME PERTENCE.
MINHA PACIÊNCIA ACABA EM 24 HORAS.
– Z

Encostei no extrato no meu bolso. Será que aquelas pequenas transferências mensais eram pagamentos de clientes? Ou Harris estava roubando dinheiro da conta dos clientes?

"Se descobrirem o que fizemos, vão vir atrás da gente."

Eu tinha suposto que Patricia queria dizer que a tal gente perigosa nos encontraria se soubesse o que fizemos com Harris. No entanto, e se não fosse aquilo que ela sugeria? E se ela se referisse ao que ela e *Harris* tinham feito? E se o dinheiro na conta dele pertencesse àqueles homens e ela o tivesse roubado – não do marido, mas deles? Será que foram eles que mataram Harris?

Suspirei, trêmula. Pelo menos os homens não tinham entrado.

Bati à porta dos fundos, olhando pela janela. A cozinha estava escura, a pia, vazia e a bancada, limpa. Cobri a mão com a manga da camisa e testei a maçaneta, mas estava trancada. A janela também. Procurei uma portinhola para animais que eu pudesse abrir para chamar Patricia, surpresa por não encontrar nenhuma. Bati de novo, mas ela, se estivesse em casa, obviamente não tinha intenção de atender. Depois do que eu vira, não podia culpá-la. Se eu fosse Patricia, teria me escondido debaixo da cama e ligado para a...

"Ah, não."

Soltei a maçaneta, ouvido atento para o som de sirenes, quase tropeçando nos degraus da varanda na pressa de voltar para a minivan. Patricia se sairia bem, pensei ao me trancar dentro do carro. No fim da noite, teriam se passado quarenta e oito horas do desaparecimento de Harris, e a polícia apareceria com tudo por ali. O homem assustador de terno e seu motorista mais assustador ainda não seriam trouxas a ponto de voltar. E, se eu fosse esperta, também não voltaria.

Eu estava sendo cutucada por instrumentos de tortura. Rezei para todos os deuses, de todos os cantos do mundo, orações compostas principalmente por palavrões, para, por favor, por favor, em nome de tudo que é mais sagrado, parar.

Abrindo um olho, esperei o quarto entrar em foco. Delia estava sentada na beirada da cama, o cabelo espetado destacado contra a luz que entrava do corredor. Ela me sacudia de um lado para outro, a mãozinha pressionando meu rim direito até minha bexiga ameaçar explodir. Zach estava inclinado sobre mim, o bafo de leite, um dedo gorducho cutucando minha bochecha.

Cobri o rosto com um travesseiro.

Delia o puxou de volta.

– Acorda, mamãe. Vero falou que é hora de jantar.

– Jantar?

Eu me levantei um pouco, me apoiando no cotovelo. Que dia era? Que horas eram? Minha última lembrança era de ter largado o computador, fechado a porta do escritório e me arrastado para a cama como um zumbi.

Zach riu quando a chupeta molhada encontrou minha orelha. Estremeci ao me lembrar da língua de Harris e me sentei, os acontecimentos dos três dias anteriores voltando lentamente à memória.

– Faz quanto tempo que estou dormindo? – perguntei.

– O. Dia. Todo.

Delia revirou tanto os olhos que dava para ver a esclera no quarto escuro.

– Eu sei. Entendi. É estilo.

Eu me espreguicei, os músculos nas costas e nos ombros reclamando. Certamente era carma. A dor que eu sofria por ter enterrado Harris Mickler era diretamente proporcional à minha estupidez.

Talvez Vero estivesse certa quanto à empilhadeira.

Acendi a luminária da mesinha de cabeceira, fazendo uma careta quando a luz acendeu minha vida com destaque. Meus raptores pegaram minhas mãos e me arrastaram para fora do quarto. O corredor cheirava a manteiga, alho, orégano e tomate no fogo, e meu estômago roncou quando peguei Zach no colo e o carreguei escada abaixo.

Alguma coisa estava diferente. Ou talvez estivesse tudo diferente. Olhei ao redor da cozinha, prendendo Zach na cadeirinha. Olhei as superfícies limpas do balcão, onde antes se empilhavam tralhas aleatórias. As marcas do aspirador no carpete da sala e os cestos de roupa lavada e dobrada. Os cadernos abertos, a calculadora e os manuais de contabilidade onde no dia anterior estiveram as pilhas de contas a pagar.

Senti algo em mim afundar.

– Cadê as contas? – perguntei para Vero.

– Cuidei delas – respondeu ela, servindo tigelas de espaguete e pão de alho.

– Como assim, cuidou?

– Paguei.

– Como?

Ela ergueu uma sobrancelha, deixando o prato de Delia na mesa. Subi correndo para o escritório e abri a gaveta da escrivaninha. O envelope de Patricia Mickler se fora.

Desci correndo de volta e quase escorreguei no chão encerado.

– Cadê o dinheiro? – cochichei, olhando ansiosa para as crianças.

Delia chupou um macarrão comprido. Zach pegou um punhado de massa e molho, que largou na bandeja com um gritinho.

Vero se sentou na cadeira vazia ao lado deles.

– Abri uma empresa em seu nome e uma conta no banco, que usei para pagar suas contas – explicou, dando uma dentada no pão de alho. – De nada – acrescentou, mastigando.

Sem apetite, me larguei na cadeira.

– Todas?

Vero espetou o garfo no espaguete, como se a resposta fosse óbvia.

– Não acha que vai parecer suspeito? Como vou explicar para o Steven quando ele me perguntar de onde veio o dinheiro?

O olhar de Delia se ergueu do prato em resposta ao nome do pai dela, e interrompi meu argumento.

– É uma conta nova. A empresa é sua. O nome dele não está envolvido.

Vero deu de ombros, se servindo de vinho.

– Quando ele reparar que as contas estão pagas – continuou –, você vai ter acabado o livro.

– Que livro?

– O que você passou a noite escrevendo – falou, tomando um gole longo. – É bom, por sinal.

– Como assim? Como você sabe que é bom?

– E quem é Julian Baker? – perguntou ela, remexendo as sobrancelhas.

– Você xeretou meu computador?

– Você deixou o navegador aberto no Instagram dele – disse ela, com um sorrisinho por cima da beira da taça. – Ele é gato.

– Quem é gato? – perguntou Delia.

– Ninguém – respondi.

Olhei feio para Vero, salpicando uma montanha de parmesão no meu prato, e bati a lata na mesa com força. A televisão na sala estava ligada no mudo, piscando as notícias locais. Vero olhou de relance para as manchetes, comendo.

– É só um amigo – murmurei, virada para meu prato.

– Meio jovem, né? – perguntou Vero.

Enfiei o garfo no macarrão.

– Eu tenho trinta e um anos. Não é como se estivesse com o pé na cova.

– Na verdade, te vi com os dois.

Chutei ela por baixo da mesa.

– E o Andrei Borovkov? Que história é essa?

Parei de mastigar. Eu não mencionara para Vero o amigo rico de Patricia, nem a nota promissória de setenta e cinco mil dólares que guardara na gaveta.

– Como você sabe disso?

Vero largou o pão de alho, concentrada na televisão atrás de mim. Ela se esticou para pegar o controle remoto no balcão, fazendo a cadeira ranger, e aumentou o volume. Senti o estômago dar um pulo quando me virei e vi os rostos conhecidos na tela.

De acordo com a polícia, um casal de Arlington desapareceu em incidentes diferentes, levando investigadores a considerarem a probabilidade de má fé. Patricia Mickler entrou em contato com a delegacia local aproximadamente às sete da noite de quarta-feira para registrar a ocorrência do desaparecimento de seu marido, Harris Mickler, e disse que não tinha notícias desde que ele saíra do trabalho na noite anterior. Entretanto, quando a polícia chegou à casa dela para ouvir seu depoimento, a sra. Mickler não abriu a porta. A polícia diz ter se preocupado depois de várias tentativas de comunicação por telefone e mais de uma visita sem resposta ao lar. Hoje, a polícia inicia uma investigação sobre o paradeiro do casal.

A câmera cortou para a rua dos Micklers, onde todos os vizinhos pareciam dizer a mesma coisa. Não, não tinham notado nada de estranho. Não, os Micklers eram perfeitamente comuns, um casal tranquilo, sem filhos nem bichos de estimação. Os dois trabalhavam muito em empregos respeitáveis e nunca tinham causado problema.

Vero ainda estava segurando meu braço quando o âncora cortou para o intervalo comercial.

– Mamãe, me dá licença? – pergunto Delia, empurrando a tigela ainda meio cheia com o nariz franzido.

– Claro, meu amor – falei, com a voz vazia. – Lave as mãos. Pode brincar no quarto.

Assim que Delia subiu, Vero se voltou para mim.

– O que a gente faz?

Esta era uma reviravolta que eu não esperava.

– Não vamos entrar em pânico – insisti.

Quem eu queria enganar? Já estávamos em pânico.

– Onde será que ela está?

– Patricia? Provavelmente ficou com medo e fugiu.

– Ela parece culpada!

Zach levantou o rosto coberto de molho em resposta à exclamação de Vero. Seu olhar quicou entre nós duas e Vero abaixou a voz.

– Se a polícia a encontrar, ela pode confessar tudo – falou, pegando meu celular no balcão e me entregando. – Ligue para ela e diga que ela está cometendo um erro. Ela precisa voltar.

– Já liguei mais de dez vezes. Ela não atendeu, então fui à casa dela...

– Você ficou doida?

– Ninguém me viu.

Pelo menos, era o que eu esperava. Engoli em seco, me lembrando da faca enfiada na porta dos fundos de Patricia.

– Mas... quando eu estava lá, apareceram dois homens.

– Que homens?

– Não sei. Mas talvez sejam os homens sobre quem Patricia me advertiu. Eles deixaram um bilhete. Acho que eram clientes de Harris. Acho que ele roubava deles. Quando abri a correspondência deles, achei um extrato...

– Você abriu a correspondência? Deve ter deixado digitais no envelope todo!

Enfiei a mão no bolso e tirei o extrato.

– Tá tudo bem. Eu trouxe comigo.

Vero engasgou. Ela pegou o envelope na mesa e o abriu, estreitando os olhos ao ler o extrato.

– Doze depósitos, sempre no primeiro dia do mês, com a mesma quantia. Acha que ele estava roubando dos clientes?

Assenti.

– E piora – falei. – Vire a página.

Vero virou para o resumo, arregalando os olhos ao ver o zero redondo e enorme no fim.

– O bilhete dizia que Patricia tinha vinte e quatro horas para devolver o que pegara.

– Você acha que esses homens mataram Harris?

– Eles definitivamente tinham motivo. Querem o dinheiro de volta. E cinquenta mil está com a gente.

Vero apertou meu telefone contra o peito, andando em círculos na cozinha.

– Patricia nos pagou em espécie. Se esses homens te seguiram ao sair do bar, podem só ter suposto que vocês estavam em um encontro e ele bebeu demais. Não teriam como saber que Patricia te contratou. Com meio milhão de dólares, ela pode fugir para qualquer lugar. Se não encontrarem Patricia, não vão nos encontrar, certo?

– Certo.

Zach se remexeu na cadeirinha. Limpei molho de tomate do rosto dele, o tirei da cadeira e o deixei no chão, para ir atrás da irmã.

Vero caiu sentada de novo. Ela empurrou o prato para o meio da mesa, parecendo enjoada.

– E se a polícia achar Patricia antes da gente?

– Tudo o que ela sabe sobre mim é meu telefone. Não sabe meu nome, nem onde moro. Duvido que ela conseguisse me identificar se me visse.

Eu tinha usado peruca, salto e muita maquiagem quando fui encontrá-la. Esperava que fosse o bastante.

– Além disso, tenho *você* como álibi – falei, me largando na cadeira ao lado dela.

– Achei que eu fosse cúmplice.

– Não se não puderem provar. Até onde se sabe, eu estava com você em casa na noite em que Harris Mickler desapareceu. Liguei para minha irmã do telefone da cozinha. E Georgia nos viu juntas quando buscamos as crianças. Só precisamos nos livrar de qualquer prova que atraia a polícia na nossa direção.

Vero olhou para o meu celular. Ela o largou na mesa como se estivesse coberto de piolhos rastejantes.

– Relaxa. É pré-pago. A operadora cancelou minha conta mês passado porque não paguei. Comprei este aqui na farmácia.

– A polícia não pode encontrar registro do pagamento?

– Meus cartões de crédito estavam todos estourados. Paguei em espécie.

Apoiei os cotovelos na mesa, apertando os olhos com as mãos.

– Não tem nada que me conecte ao telefone.

– Você não vê *Lei e Ordem*? Dá para rastrear essas coisas!

– Só a torre mais próxima.

– Qual a distância?

– Não sei... alguns quilômetros?

– É o suficiente para mim.

Vero se levantou. Ergui a cabeça quando ela jogou meu celular na tábua. Ela pegou um martelo de carne da gaveta e o levantou acima da cabeça.

– Espera! – gritei, pegando o celular antes que ela pudesse esmagá-lo.

Virei-me de costas para ela e passei pelos contatos. Vero ficou na ponta dos pés, espiando por cima do meu ombro enquanto eu copiava o número do Julian em um post-it.

– Só amigos, né?

– Ele é advogado – falei, guardando o post-it no bolso. – O número dele pode vir a calhar.

– Ele é jovem demais para ser advogado.

– Ele é defensor público – contei, animada. – Pelo menos vai ser. Um dia. Quando se formar.

– Nananinanão – retrucou Vero, cortando a ideia com gestos exagerados com a cabeça. – Se formos pegas, não vamos contratar um modelo de cueca para nos manter em liberdade. Quero um velho grisalho de abotoaduras e Rolex. Que nem o advogado do seu ex.

– O advogado do meu ex não é *velho*. Ele é só três anos mais velho do que eu. E cobra duzentos dólares a hora.

– Se matarmos Andrei Borovkov, podemos pagar.

Olhei para ela com raiva.

– Onde vocês se conheceram, afinal?

– Eu e Borovkov?

– Não – disse ela, puxando meu celular. – Julian Baker.

Ela bateu com as unhas no balcão, esperando resposta.

– Ele trabalha no bar – confessei. – No Lush, de onde sequestrei Harris.

– É *ele* o barman? Da sua história? Você está doida! – sibilou ela, gesticulando, furiosa. – Você não pode guardar o celular dele. E se ele te entregar?

– Ele nem sabe quem eu sou! Estava usando peruca loira e dei a ele um nome falso. Ele acha que sou uma corretora imobiliária chamada Theresa.

Fez-se silêncio na cozinha. Vero piscou, boquiaberta. Uma gargalhada começou no fundo da garganta dela, crescendo até explodir. Comecei a rir também.

– Não acredito.

– Pois acredite.

Ela sacudiu a cabeça, atravessando a cozinha para encher nossas taças. Ela me passou meu vinho, me observando com um grau de humor que costumava reservar para minhas crianças, e tomou um gole.

– Você gosta dele, né?

Eu me encostei no balcão ao lado dela, principalmente para não ter que encará-la de frente. Tomei um longo gole, certa de que a resposta era óbvia.

Vero virou o restante da taça. Ela a deixou na bancada e me abraçou de lado.

– Você sabe que não pode ligar para ele, né? Se ele descobrir quem você é, pode destroçar seu álibi. Você mesma disse. Precisamos nos livrar de tudo que nos conecte aos Micklers. – Eu sabia que ela estava certa. Ainda assim, não conseguia me convencer a me livrar do número dele. – Acha que a gente devia matar ele, por garantia? – perguntou Vero.

– Não! – respondi, e me virei para ela, boquiaberta. – A gente não matou *ninguém*! A gente não *vai* matar ninguém! Nem Andrei Borovkov, muito menos Julian. De jeito nenhum. Ponto final.

Vero riu, o rosto corado do vinho.

– Relaxa, era brincadeira!

Abri o celular e joguei o chip no triturador de lixo. Água escorreu da torneira e a gargalhada de Vero sumiu quando apertei o botão. Nós duas demos um pulo com o ranger repentino de metal no metal. O som percorreu meu corpo, me causando um calafrio enquanto minha última ligação com Patricia Mickler descia pelo ralo.

Eu tinha aprendido duas coisas muito importantes por ser irmã de policial. Primeiro: dá para achar quase todo mundo na internet. Segundo: é mais provável ser pego por cometer crimes em casa do que em público.

Era por isso que eu cometia o meu crime na biblioteca pública local.

As crianças estavam passando o fim de semana na casa de Steven, e Vero estava em casa estudando para as provas da faculdade de ciências contábeis. Eu não tinha mentido, exatamente, ao dizer que ia à biblioteca pesquisar coisas para o livro. Como podia saber o que aconteceria no capítulo seguinte do mistério dos Micklers se não descobrisse aonde Patricia fora?

Peguei um lugar na última bancada de computadores do fundo da sala e abri o navegador. Digitei o nome de Patricia, revirando páginas de redes sociais e diretórios em busca de qualquer informação sobre ela: bairros onde morara, pessoas próximas, lugares que frequentava... Menos de uma hora depois, eu estava bocejando, e ainda longe de encontrá-la. Até a minha vida era glamurosa quando comparada à de Patricia Mickler. Com exceção do escritório, do abrigo de animais onde era voluntária e da aula de pilates que mencionara, parecia que ela raramente saía de casa. Aparentemente, tinha menos amigos do que eu.

O perfil de Patricia tinha mais animais do que pessoas, com exceção de uma foto de voluntários do abrigo em uma feira de adoção do mês anterior. Patricia, obviamente a mais velha do grupo, abraçava um vira-lata de cara branca com uma mancha de pelo preto cobrindo um olho. A legenda dizia que o nome do cachorro era Pirata, e que Aaron – o voluntário jovem, de cabelo cacheado, ao lado dela – segurava a irmãzinha do cão, Molly.

Cliquei na lista de amigos, em busca dos voluntários da foto, mas não encontrei nenhum. Patricia não parecia manter contato com eles fora do abrigo. Não que me surpreendesse; todos os outros voluntários eram jovens, provavelmente universitários, e Patricia, traída pelas rugas nos cantos da boca e olheiras debaixo dos olhos, se destacava do grupo jovial. Talvez fosse o motivo para ela escolher manter aquela parte da vida separada. Ainda assim, parecia mais jovem na foto do que a mulher derrotada e cansada que eu conhecera no Panera. Mais feliz, mais confortável. Como se aquele lugar fosse seu lar, e aqueles animais, sua família.

De acordo com os registros públicos, Patricia era filha única e seus pais tinham morrido. Nas redes sociais, vira que ela e Harris tinham se conhecido na faculdade, no curso de administração da McDonough em Georgetown, o que significava que ela sempre morara ao redor de Washington. Eu não a imaginava capaz de pegar todo o dinheiro e ir embora para recomeçar a vida sozinha. Ela parecia tímida demais para uma decisão ousada daquelas. Talvez só estivesse confusa e assustada, enfiada em um quarto de hotel, apavorada demais para encarar o que fizera. Ou com medo dos homens com quem Harris estivera metido.

Onde quer que estivesse, se não aparecesse logo, a polícia a encontraria. Quando a encontrassem, fariam perguntas. Perguntas que inevitavelmente levariam a mim. Ela me pagara pelo trabalho. Eu dissera que o fizera. Pelo que a polícia saberia, seria um caso simples. Minha única esperança era encontrá-la antes e explicar o que havia acontecido. Que eu não matara o marido dela. Talvez, juntas, pudéssemos dar um jeito de provar a culpa daqueles dois homens.

Afastei a cadeira e estendi as pernas doloridas. Quase quatro dias tinham se passado desde que eu enterrara Harris, mas todos os músculos que eu usara para cavar ainda me puniam. Minhas costas rangeram quando me espreguicei. Devia existir alguém em quem Patricia confiava o suficiente para se abrir. Alguém que saberia onde encontrá-la.

Meus braços se paralisaram no meio do gesto.

Pilates.

O bilhete que Patricia pusera na mesa viera de uma mulher que ela conhecia da aula semanal de pilates – a esposa de Andrei Borovkov. Patricia dissera que elas eram só conhecidas, mas obviamente era mentira. Se Patricia era próxima o suficiente da mulher para indicar uma assassina de aluguel, provavelmente confiava na sra. Borovkov para contar outras informações particulares... como aonde planejava ir depois de me pagar para matar o marido.

Puxei a cadeira de volta para perto do computador, me preparando para a enxurrada costumeira de redes sociais quando pesquisei pela esposa de Andrei Borovkov. No entanto, o primeiro resultado – e quase todo resultado seguinte – era a manchete de uma notícia sobre um homicídio triplo recente.

Eu me lembrava de Georgia falar daquela cena do crime semanas antes; três empresários da área tinham sido encontrados com o pescoço cortado em um galpão de Herndon. De acordo com as manchetes na tela, o caso resultara em um julgamento anulado.

Todo artigo usava a mesma foto: dois homens entrando em uma limusine na frente do tribunal. Um tinha a aparência impressionante, a cabeça careca e os olhos pesados. O outro era polido e bem-vestido, provavelmente o advogado. Fora tirada do mesmo clipe de vídeo que eu vira na televisão no apartamento de Georgia.

Dei zoom na imagem, me aproximando para enxergar melhor.

Meu estômago deu uma volta.

Eram os mesmos homens que eu vira no Lincoln Town Car. Os homens que enfiaram uma faca na porta de Patricia.

Era por isso que o nome de Andrei me soara conhecido quando o vira no bilhete da esposa. Porque eu já o ouvira. No jornal. Estava passando na casa de Georgia quando eu tinha ido buscar meus filhos na noite em que enterrara Harris.

Andrei Borovkov não era um marido problemático qualquer. Era o suspeito de assassinato que o departamento de crime organizado não conseguiu condenar. O motivo da tristeza dos amigos de Georgia. Ele foi inocentado naquela manhã, no mesmo dia em que Harris Mickler morreu.

De acordo com o artigo, o marido de Irina Borovkov trabalhava como guarda-costas de um empresário rico chamado Feliks Zhirov – um homem com conexões conhecidas com a máfia russa.

Bati a mão na boca para conter minha reação.

"Você trabalha com o Feliks?"

Era aquilo que Harris me perguntara no bar, quando eu sugerira casualmente que éramos parte do mesmo obscuro grupo financeiro. Ele parecera enjoado ao perguntar, mas eu supusera que era por causa das drogas. Patricia não conhecia Irina Borovkov da aula de pilates. Os maridos delas estavam no mesmo negócio: no negócio da *máfia*.

Harris vinha roubando da máfia.

Fechei a pesquisa com as mãos tremendo, com medo de que alguém visse. Limpei o histórico de pesquisa e me levantei, cambaleando. Andrei Borovkov não era um mero guarda-costas. Guarda-costas protegem pessoas. Não são presos por degolar empresários em galpões. Não deixam ameaças de morte na porta dos fundos quando acham que alguém roubou o dinheiro do chefe.

Eu tinha sido contratada para matar um executor da máfia russa.

De repente, não sabia o que era mais assustador: a possibilidade de ser pega pela polícia por um assassinato que não cometera, ou a probabilidade de ser morta por Andrei Borovkov quando ele soubesse o que sua mulher fizera.

Bati a porta da cozinha e me joguei contra ela, sem fôlego. As luzes de casa estavam desligadas e o carro de Vero não estava na garagem. Tranquei a porta e tirei os sapatos, subindo dois degraus por vez até o escritório. Eu me fechei lá dentro, meus dedos desajeitados tremendo ao trancar a porta.

As crianças estavam protegidas na casa de Steven, lembrei. A esposa de Andrei Borovkov não fazia ideia de quem eu era. Desde que eu não ligasse para o número no bilhete de Irina, o marido aterrorizante da sra. Borovkov nunca saberia quem sua mulher contratara, nem como me encontrar.

Um lampejo cor-de-rosa chamou minha atenção. Um dos post-its de Vero tremulava, grudado à tela do meu computador:

TÔ NA PISTA. NÃO ME ESPERE.
CHEGO A TEMPO PARA A FESTA DA DELIA.

Merda. A festa de aniversário de Delia era às onze da manhã seguinte. No meio do caos, eu quase esquecera. Uma folha solta de caderno estava em cima do meu teclado, com o título “Minha lista de desejos de aniversário” nas letras enormes e cuidadosas de Delia. Só havia um desejo na lista: um cachorrinho. Por baixo, encontrei outra carta registrada do advogado de Steven. Não precisava abrir para saber o que continha.

Soltei o post-it do monitor. Na hora do almoço do dia seguinte a casa estaria lotada de crianças gritando por pizza e bolo. Eu não estava nada pronta para a festa de Delia. Nem tinha comprado presente.

Talvez Steven estivesse certo. Talvez eu não fosse capaz de cuidar dos meus próprios filhos. Steven nunca havia sido um pai modelo, mas minha vida tinha desandado desde que ele se fora, e eu não estava nada próxima de descobrir como resolver. Só sabia com certeza que não ia dormir até garantir que ninguém estava atrás de mim. Eu precisava dar um jeito de evitar a polícia e me manter longe de Andrei Borovkov.

Eu me esgueirei até a janela, com o olhar atento a carros desconhecidos lá fora. Vi as cortinas da cozinha da sra. Haggerty se fecharem e fechei as minhas também. Quando me virei, levei um susto ao ver que minhas meias deixaram marcas no carpete recém-aspirado. Toquei meus dedos um no outro, mas estavam limpos; as persianas estavam estranhamente sem pó. Farejei o quarto, inspirando o cheiro azedo que eu supusera ser causado pelo meu pânico suado, mas era o vinagre branco que Vero usava parar desmanchar sujeira pesada na faxina.

Alguma coisa em mim se soltou quando passei o dedo pela superfície limpíssima da mesa. Era um alívio ter alguém por perto para equilibrar o peso. Um conforto ter alguém para cuidar das contas e me ajudar a limpar a bagunça, em vez de esfregar minha cara naquilo. A casa era silenciosa demais sem Vero nem as crianças. Vazia demais sem eles à noite.

Abri a primeira gaveta da escrivaninha, pronta para queimar o bilhete de Irina Borovkov, mas se fora. Vero provavelmente o jogara no triturador no pânico da noite anterior. O único papel solto na gaveta era o que continha o número de Julian. Eu o peguei, me lembrando da advertência de Vero. Ela me disse que seria idiota ligar para ele, mas, por outro lado, não jogou o número na pia.

Julian saberia se a polícia tinha ido xeretar no bar, em busca do carro de Harris. Ele talvez tivesse notado se um Lincoln Town Car estivesse me seguindo na saída do estacionamento.

Antes de poder mudar de ideia, liguei para ele do novo celular pré-pago que eu comprara na farmácia de manhã. A ligação completou no quarto toque e meu coração deu um pulo ansioso.

– Alô?

A voz que atendeu era grave, rouca de sono. Considerei desligar.

– Quem quer que seja, já acordei. É melhor falar.

Definitivamente era Julian. Definitivamente não estava feliz. O relógio no computador mostrava que já tinha passado do meio-dia, mas, se ele tivesse trabalhado na noite anterior, provavelmente não tinha ido dormir antes das três.

– Se não disser nada, vou desligar.

– É a Theresa.

O nome saiu de mim em um suspiro.

– Oi – disse ele, depois de um momento de silêncio.

No fundo, ouvi um farfalhar. A imagem dele usando uma calça de pijama justa e nada mais surgiu em primeiro plano na minha mente, sem aviso.

– Você mudou de número? – perguntou ele. – Apareceu como "indisponível" no meu celular.

"Não, estou definitivamente disponível. É ridículo o quanto eu estou disponível."

– É – falei, sacudindo a cabeça para me livrar daquele pensamento. – Foi um acidente com o triturador de lixo.

– Que pena – disse ele, as palavras parecendo se enroscar em um sorriso sonolento. – Fico feliz por você ter conseguido salvar meu número.

Meu Deus, eu provavelmente soava desesperada.

– Desculpa. Esqueci completamente que você trabalha à noite. Não devia ter ligado cedo assim, mas...

Mas o quê? Não considerara o que diria se ele atendesse. Eu não podia simplesmente perguntar se alguém tinha aparecido para fazer perguntas sobre Harris, ou se alguém me seguira quando eu saíra do estacionamento naquela noite. Não sem atrair curiosidade. Além disso, para ser sincera, nem sabia se era mesmo aquele meu motivo para ligar.

Fechei os olhos e encostei a cabeça na parede.

– A verdade é que eu tive uma semana muito, muito ruim, e precisava conversar. Já te disseram que você é muito acessível?

A gargalhada dele aliviou um pouco da tensão nos meus ombros. Relaxei as costas, me sentindo ridícula por atrapalhá-lo.

– Quer saber – continuei –, isso provavelmente soou coisa de maluco e eu devia desligar...

– Não, não é coisa de maluco – respondeu, e a suavidade preguiçosa da manhã de sábado voltou à voz dele. – Eu estava torcendo para você ligar.

No silêncio que se seguiu, eu o imaginei deitado de costas, com um braço cruzado atrás da cabeça, os cachos cor de mel caindo sobre os olhos.

– Eu estava preocupado com você.

– Estava?

Eu me endireitei, determinada a ignorar o frio na barriga.

– É, queria saber se você tinha chegado bem em casa. Levou o carro na oficina?

Suspirei, me lembrando da bateria.

– Ainda não – confessei. – Mas vou levar. Obrigada pela ajuda naquele dia.

– Só fiquei feliz pela oportunidade de te ver de novo.

Um sorriso relutante repuxou meu rosto.

– Desculpa por não ter podido me demorar.

– Eu estava na esperança de você passar no bar ontem, mas foi melhor mesmo não ter ido. O lugar estava uma zona. Não teríamos tido tempo para conversar.

– Ah, é? – perguntei, sentindo um calafrio ao ouvir a mudança de tom. – Que tipo de zona?

– Tem uma investigação policial rolando. Um detetive passou lá ontem. Ficou tirando os garçons de serviço para fazer perguntas. Passei a noite toda enrolado.

– O que aconteceu?

– A mulher de um cara disse que ele sumiu. Ele estava no evento de networking de terça e ninguém mais teve notícias.

– Sério? – perguntei, engolindo em seco. – O detetive... falou com você?

– Ele estava mais interessado em conversar com os garçons, mas o garçom que serviu o cara estava de folga ontem e o restante de nós estava ocupado demais para lembrar.

Soltei um suspiro aliviado. No entanto, me interrompi quando ele falou:

– Um funcionário lembrou que o viu sair do bar com uma loira de vestido preto.

Puxei os joelhos contra o peito, os abraçando.

– Ah, é?

– Falei para o policial que eu podia contar pelo menos vinte loiras de vestido preto no Lush toda noite, mas a única que me chamou a atenção foi você.

– Eu? – perguntei, com um nó na garganta. – Por que eu?

– Além do fato de você ser linda e fácil de conversar?

Uma gargalhada nervosa escapou de mim.

– Você... O que você falou sobre mim?

– Só que eu esbarrei com você no estacionamento quando estava indo embora. E que, por mais que eu tentasse persuadi-la, te vi entrar no carro sozinha.

Bati a cabeça contra o joelho. Que bom. Que ótimo. Julian não era uma testemunha. Ele era um álibi.

Um álibi que me achou linda. Que me achou fácil de conversar. Que talvez quisesse sair comigo.

Vero certamente concordaria que era esperto manter essa comunicação aberta, né?

– Então... eu chamei sua atenção? – perguntei, puxando um fio solto da meia.

– Sem dúvida.

– Mais alguém no bar... sabe... chamou sua atenção?

– Ninguém mais pediu um Bloody Mary às nove da noite, se quer saber.

A risada dele, suave, me desarmou, soltando algo em mim até eu também rir.

– Você... por acaso... não viu ninguém me seguir quando eu saí... né?

– Não.

O silêncio de Julian tinha um toque de preocupação.

– Por quê? – perguntou. – Aconteceu alguma coisa?

– Não, não, tudo bem – precipitei-me em responder.

Claro que ele não vira nada. Provavelmente já tinha ido embora, enquanto eu demorava aqueles momentos a mais no estacionamento para telefonar para Patricia. Com aquela pergunta, ele provavelmente passara a achar que eu era paranoica e grudenta. Afastei o cabelo do rosto, surpresa por ele não ouvir, através do telefone, o sangue corando meu rosto.

– Sério, Theresa.

Eu amava o jeito que ele falava meu nome, próximo e baixo, como se estivéssemos no mesmo quarto. Odiava que o nome que ele sussurrava não era o meu.

– Além do Bloody Mary, eu tenho pensado em você sem parar. Então, para voltar ao assunto original, é, fiquei feliz por você ligar. Se quiser saber a verdade, ainda estou um pouco preocupado.

Mordi o lábio, querendo poder mudar tantas coisas. Querendo poder recomeçar a semana.

– Quer me contar sobre sua semana ruim? – perguntou ele. – Sou barman, então sou um ouvinte profissional.

– Não – falei, com um sorriso fraco, querendo poder contar. – Já estou melhor. Obrigada.

Fiquei surpresa com a verdade naquilo. Só precisava planejar um aniversário e não matar mais ninguém. Simples, né?

– Estou aqui se mudar de ideia. E ainda gostaria de sair com você um dia.

Um dia... quando eu não estiver me escondendo da polícia e da máfia. Quando eu não estiver fingindo ser outra pessoa.

– Talvez eu possa te ligar de novo – falei –, quando a situação estiver menos complicada.

– Quando quiser.

Algo na voz dele me fez acreditar que era sincero. Eu me perguntei se ainda davam um telefonema grátis da cadeia.

Meu celular tocou enquanto eu enchia as últimas sacolinhas com as lembrancinhas de aniversário. O nome da minha mãe piscou na tela e eu considerei não atender. Zach estava correndo em círculos pela cozinha, a fralda caída, uma fita de serpentina laranja pendurada no alto da bunda que nem um rabo. Delia e as amigas corriam atrás dele, gritando "senta!" e "fica!".

– Oi, mãe. Estou meio ocupada.

Apertei o celular entre a orelha e o ombro enquanto enchia potes de salgadinhos. Minha casa já estava repleta de crianças. Só esperava que Vero chegasse logo com as pizzas.

– Não vou demorar. Eu e seu pai vamos tomar um drinque no convés às cinco. Sempre quis dizer isso.

Ela riu. Meus pais estavam comemorando o aniversário de quarenta anos de casados em um cruzeiro no Mediterrâneo.

– Deixe-me falar com a aniversariante – pediu ela.

Peguei Delia pela gola da camisa quando ela passou correndo por mim. A campainha tocou. Apertei o celular contra o peito e contei as cabeças. Todas as meninas que Delia convidara já estavam ali. Eu esperava Steven havia pelo menos uma hora, mas ele nunca anunciava sua chegada, só ia entrando.

A campainha tocou de novo. Fiquei com os pés presos no lugar. E se fosse a polícia? E se fossem me prender durante o aniversário da minha filha? Pior: e se fossem Andrei e Feliks?

– Não vai abrir a porta, mamãe? – perguntou Delia.

Dei o celular nas mãos dela.

– Aqui, fala com a vovó. Ela ligou para te dar parabéns.

Limpei farelo de salgadinho na calça jeans, me esgueirei até a porta e olhei pela fresta da cortina bem na hora em que o menino do outro lado subiu na ponta dos pés e tentou alcançar a campainha pela terceira vez. Fui tomada de alívio. Escancarei a porta e cobri a campainha com a mão, exausta.

– Oi, Toby. O que você está fazendo aqui?

O pai de Toby era amigo de Steven, mas Toby e Delia não eram amigos. Ele não havia sido convidado, até porque a festa era só para garotas.

Toby deu de ombros. Com uma mão, segurava uma sacola de presente, e, com a outra, limpou o nariz. Ele apontou para a casa do pai, do outro lado da rua.

– Meu pai soube que a Delia ia dar uma festa. Ele me deixou aqui. Ele tinha compromisso.

Toby entrou em casa, passando por baixo do meu braço.

– Ele disse que eu podia almoçar aqui.

Toby passava os fins de semana na casa do pai. O pai passava os fins de semana com a nova namorada, largando Toby com vizinhos e amigos. Eu não tinha coragem de expulsá-lo.

– A pizza e o bolo já vão chegar, mas tem salgadinhos na cozinha, se estiver com fome.

– Eu tenho intolerância a glúten – disse ele, largando o presente de Delia no chão e pegando uma sacolinha de lembrancinhas.

– Claro que tem.

Senti uma pontada de dor de cabeça. Quando me virei para fechar a porta, dei de cara com uma caixa colorida. Dei um passo para trás, abrindo espaço, e Steven a carregou para dentro de casa, o rosto escondido pelo laço cor-de-rosa gigante. Theresa o seguiu, os saltos batendo no chão de madeira, a roupa muito arrumada para um aniversário de cinco anos.

– O que é isso? – perguntei para Steven.

– É o presente da Delia – respondeu ele, alto o suficiente para chamar a atenção dela, e deixou a caixa no chão, ao lado da sacola de Toby.

Delia deu uma volta, jogou o celular de volta para mim e correu pela cozinha até o colo do pai. Eu me despedi rápido da minha mãe antes de desligar. Steven alisou o cabelo espetado de Delia, deu um beijo na testa dela e a deixou no chão. Minha dor de cabeça piorou quando Delia abraçou Theresa em seguida.

– Obrigada por virem – falei, determinada a manter a compostura, mesmo que ele tivesse se atrasado quase uma hora.

Poderia ser pior. Ele poderia ter decidido nem ir.

– Não perderia por nada – disse ele.

Theresa deu o braço para Steven. Ela abriu um sorrisinho tenso ao ver os balões e as serpentinas, seu olhar de desprezo dirigido a tudo, menos ao meu rosto.

– Obrigada por nos deixar fazer a festa aqui – falei, com uma gratidão que não descia. Fazer a festa na minha casa tinha sido ideia de Theresa. As crianças tecnicamente passavam os fins de semana com Steven, mas ela não arriscaria que uma horda de crianças de cinco anos ferozes destruíssem a casa arrumadinha, e Steven tinha se chocado com o preço de alugar uma casa de festas. Forcei um sorriso agradável. – A tia Amy vem? – perguntei. – Delia queria vê-la.

– Não – disse Theresa, sem olhar para mim. – Amy está ocupada.

– Não podemos ficar – disse Steven. – Vamos almoçar com um empreiteiro em Leesburg. Passamos aqui na volta para buscar Delia e Zach. Só queria trazer o presente. Achei que talvez ela quisesse abri-lo agora, antes de irmos.

Antes que eu abrisse a boca para discutir, Steven tinha chamado Delia e as amigas, juntando público na frente da caixa espalhafatosa que ocupava metade do hall. Eu e Theresa ficamos no cantinho que sobrara, constrangidas, uma do lado da outra. Ela fez um teatro de ler mensagens no celular, exibindo o anel de noivado com um diamante gigantesco. Mal tínhamos nos falado desde o incidente no Panera. A não ser que contasse o depoimento que ela prestara no tribunal quanto ao caso da massinha, alguns meses antes.

– Delia não cai na sua – falei. – Ela tem cinco anos, não é burra.

Theresa ergueu uma sobrancelha.

– Parece que os poderes de observação dela não vieram da mãe.

– Uau.

– Se a carapuça serviu...

Ela olhou para os meus tênis, como se nem morta usaria um desses.

– Você não pode comprar a lealdade da Delia.

– Talvez não possa – respondeu, examinando as próprias unhas –, mas posso comprar um corte de cabelo decente.

Theresa não me olhara desde que entrara em casa. Talvez fosse culpa, mas eu duvidava. Ela me olhou bem nos olhos no dia em que Steven me contou que ia se mudar, ávida para registrar o momento exato da minha decaída emocional. Ela praticamente se gabou no dia em que ganhou a aliança de noivado. Vergonha não estava no vocabulário de Theresa. O que ela estaria escondendo, então?

– Por que você está fazendo isso? Você nem gosta de crianças.

– Porque ficar com as crianças deixará Steven feliz.

Ela apertou a boca vermelha em uma linha reta e fina. Era aquilo. Steven não estava feliz, o que a incomodava o suficiente para sacrificar os tapetes brancos impecáveis e a vida social agitada. Era a bagunça imunda no armário, o segredo que escondia da família e dos amigos.

– Tirar meus filhos de mim não vai consertar seu relacionamento. Mas por que parar com meu marido, né?

Theresa mexeu os pés, calçados em sapatos de salto de grife. Ela olhou para a hora no celular, fingindo não me ouvir.

– Quer saber? Eu estava disposta a deixar Steven ir sem brigar, mas meus filhos, não – acrescentei.

– Por que seu advogado não liga para o meu? Ah, é – disse ela, batendo com uma unha no queixo, pensativa. – Esqueci. Você não tem advogado.

O golpe foi baixo. Vero estava certa. Eu precisava de um advogado que pudesse competir com Guy. Um advogado experiente. Um advogado rico. Um advogado de cinquenta mil dólares.

– Não vou facilitar as coisas para você.

– Você já facilitou.

Ela se virou para mim de repente, o olhar verde flamejante concentrado no meu.

– Não gosto desse esquema tanto quanto você, Finlay – disse ela. – Quem você acha que vai acabar cuidando dos seus filhos quando você não for mais capaz? Se você ama seus filhos tanto quanto diz, talvez devesse me tratar melhor.

Fiquei boquiaberta. Delia soltou um gritinho quando conseguiu desembolar o laço da caixa e rasgar o papel de presente. Ela suspirou, praticamente esquecendo o cachorrinho na lista de presentes. A Casa dos Sonhos da Barbie tinha três andares, que nem a casa de Theresa.

– Vamos levar para o seu quarto na casa da Theresa – disse Steven, levantando a caixa. – Você pode brincar hoje à noite quando chegar.

Delia correu atrás dele até a porta, desesperada para mais um vislumbre da casa. O cachorrinho de pelúcia que eu comprara e embrulhara para ela de repente me pareceu patético, um símbolo de algo que ela queria e que eu não podia pagar. Theresa estava certa. Eu facilitara aquilo para eles. Se eu fosse presa, Steven e Theresa seriam os únicos pais dos meus filhos.

Dei um pulo quando uma porta de carro bateu na garagem. Delia correu até a cozinha para receber Vero, que logo entraria com as pizzas. Steven saiu correndo pela porta da frente, empurrando Theresa com ele, ansioso para ir embora.

– Deixe as crianças arrumadas às cinco. Vou passar para buscá-las depois da festa – disse ele, por cima do ombro.

Ele bateu a porta assim que Vero entrou pela cozinha, com uma montanha de pizzas empilhada nos braços.

À noite, depois de Steven buscar as crianças, eu me sentei no degrau da frente de casa, o frio do concreto atravessando minhas meias, e observei os faróis da picape dele se afastando. As crianças só passariam aquela noite fora. Voltariam para casa no dia seguinte, e estavam a poucas quadras dali, mas eu odiava a facilidade com que ele aparecia, pegava o que queria e ia embora. Odiava a injustiça daquilo e o fato de ninguém mais parecer notar ou se importar.

Aquele sempre fora o método de Steven. Ele sempre fora malandro, sempre soubera disfarçar seus rastros. Como naquele mesmo dia, quando ele chegara à festa de Delia com uma hora de atraso, conseguira exatamente o que queria e saíra antes mesmo de Vero dar de cara com ele, sem que nem mesmo Delia notasse que ele se fora. O tempo dele era impecável, e ele brincava de esconde-esconde como ninguém. Ele passara semanas transando com Theresa pelas minhas costas. Se a sra. Haggerty não o tivesse visto e contado tudo, eu talvez nunca soubesse que...

Levantei o rosto. Do outro lado da rua, a cortina da sra. Haggerty se fechou. Eu me levantei e atravessei a rua, indo direto para a porta dela. Se alguém tivesse visto dois homens desconhecidos se esgueirando pela minha garagem na noite que Harris Mickler morreu – se alguém pudesse servir de testemunha e provar que eu falava a verdade –, seria a vizinha enxerida. Bati no vidro dela, bem no adesivo de VIGÍLIA DA VIZINHANÇA.

– Sra. Haggerty? – chamei. – Preciso falar com a senhora!

Apertei a orelha contra a porta, certa de que ela estava ouvindo do outro lado. Bati de novo, com mais força.

– Sra. Haggerty! Abre a porta, por favor? É importante.

Ela estava com a televisão ligada. Soou a claque baixinha de uma comédia no fundo.

– Tá – resmunguei, desistindo finalmente.

Era tudo culpa de Steven. Depois que ela dera com a língua nos dentes sobre o caso de Steven com Theresa, ele a chamara de velha caquética e a mandara não meter o bedelho onde não era chamada. Eu não tinha sido muito mais simpática quando soube a distância que a fofoca percorrera. Ela se recusava a falar com nós dois desde então.

Atravessei a rua de volta, só de meias, meus pés dormentes quando cheguei à porta. Entrei em casa e me encostei na porta, esperando os dedos dos pés se aquecerem e pensando na sra. Haggerty.

Entre a hora em que eu chegara com Harris e a hora em que Vero entrara em casa, alguém entrara na garagem sem notarmos. A sra. Haggerty era presidente da vigília da vizinhança. Se ela tivesse visto qualquer coisa suspeita, teria chamado a polícia antes de termos tido tempo de enfiar Harris no porta-malas. Como a polícia não aparecera, ela certamente não vira muita coisa.

Como os assassinos tinham passado pela sra. Haggerty sem que ela notasse?

Naquela noite, Vero e eu nos surpreendemos porque ela entrara por outra porta. Hoje, mais cedo, Steven não viu Vero pelo mesmo motivo. E se os assassinos tivessem estacionado mais longe e se esgueirado pelos quintais dos vizinhos, se aproximando da garagem pelos fundos?

Quanto mais pensava, menos fazia sentido. Andrei e Feliks não pareciam do tipo que se esgueiravam. Andrei Borovkov tinha degolado três homens e os largado sangrando no chão de um galpão. Ele não limpara nada, nem se preocupara com esconder o crime. Por que ter aquele trabalho? Georgia disse que eles se safavam de tudo. Eles obviamente não tiveram dificuldade de pagar propina para anular o julgamento. Por que então armariam para cima de uma mãe dos subúrbios com um crime discreto, sem sangue? Se quisessem matar Harris, por que não degolá-lo e largá-lo no chão da garagem?

Não, aquele método era covarde. Os assassinos nem precisaram encostar no corpo. Não precisaram derramar sangue. Não precisaram estar presentes no momento em que a vida de Harris se esvaíra. Não parecia o trabalho de dois criminosos violentos e sem vergonha. Eu podia apostar que os assassinos nunca tinham feito nada daquilo antes. Parecia oportunista. Ou impulsivo.

No entanto, *alguma coisa* havia sido planejada. Tinham ficado de olho nele no bar, nos seguido até minha casa. Tinham esperado ele estar desacordado e vulnerável para atacar, que nem...

Que nem Harris fizera com suas vítimas.

Senti as costas endurecerem contra a porta. Talvez o método não fosse impulsivo.

E se fosse profundamente pessoal?

Subi correndo para o escritório, passando pela porta de Vero, onde ela estava estudando para as provas da faculdade. Abri a gaveta da escrivaninha e desdobrei o extrato de Harris.

Eram doze os depósitos no começo do mês.

Eram treze as pastas numeradas no celular de Harris – doze de fotos das vítimas anteriores, além da mulher na qual eu jogara suco de tomate no banheiro.

"Faça exatamente o que eu disser, e seja discreta, ou mostrarei essas fotos ao seu marido e contarei o que você fez."

Doze depósitos, dois mil dólares cada, no primeiro dia de todo mês.

E se os depósitos não fossem dinheiro que ele roubava de Feliks Zhirov? E se fossem propina? E se ele estivesse fazendo chantagem para pedir dinheiro?

Reli o extrato, ganhando certeza. Dois mil dólares era um valor pequeno para quem ganhava bem naqueles subúrbios ricos de Washington, um valor que poderia facilmente passar despercebido se a esposa de alguém o transferisse discretamente da conta pessoal. Harris ganhava uma pequena fortuna das vítimas – um valor que provavelmente crescia todo mês, com cada nova mulher que explorava –, as ameaçando com as fotos, as convencendo de que ele diria aos maridos que elas tinham sido infiéis se não cumprissem suas exigências. Por que não cumpririam? As fotos eram um retrato muito diferente da realidade do que tinha sido feito com elas. Essas mulheres provavelmente não tinham lembrança da noite com Harris para sustentar a própria versão do que acontecera depois de as drogas fazerem efeito.

Todas tinham motivos profundamente pessoais para querer que Harris morresse. O método parecia se encaixar perfeitamente. Qual delas o fizera de verdade?

O celular de Harris provavelmente já estava nas mãos de um detetive. Sem ele, eu não teria como rastrear as transferências de volta às contas individuais, mas talvez tivesse como descobrir quem eram aquelas mulheres e limitar a lista.

Peguei uma folha de papel da impressora e anotei os nomes de que me lembrava. Em seguida, abri o navegador e procurei o grupo de networking de Harris. Cliquei na página de membros e abri a lista. Mais de setecentas imagens encheram a tela.

Seria uma noite longa.

Quando eu me casei com Steven, minha mãe me garantiu que alguns pratos eram impossíveis de errar. Em teoria, ninguém precisava de receita para preparar uma canja decente ou um bolo de carne simples, mas alguns aspectos da maternidade sempre me escaparam, e cozinhar estava entre eles. Aparentemente, casamento também.

A panela no forno estava borbulhando, com as bordas ficando marrons. Entreabri a porta do forno e cheirei com desconfiança. Eu encontrara a receita de escondidinho na internet – o que era mais do que podia dizer sobre a busca pelas vítimas de Harris – e o fato de já ter os ingredientes na cozinha fora uma pequena vitória.

Minha busca da noite anterior fora pior do que eu esperava. Só com os primeiros nomes e as descrições físicas como base, eu passara horas percorrendo perfis individuais, limitando as possibilidades. Algumas eu identificara com confiança. Depois de xeretar outras redes sociais, eu conseguira eliminá-las da lista de suspeitos. Algumas tinham se mudado. Outra estava no hospital. Outras tinham postado fotos de atividades familiares ou eventos daquela noite. Alguns nomes, no entanto, ainda me escapavam. Várias tinham deletado os perfis do grupo do Facebook, o que as tornava impossíveis de encontrar.

Pus a mesa, botei roupas para lavar, fiz as camas e catei uma pilha de brinquedos do chão da sala. Eu tinha dado folga para Vero por causa das provas dela na faculdade e passara o dia esfregando manchas de glacê do carpete, pesquisando os nomes das possíveis vítimas de Harris e cumprindo tarefas atrasadas.

Ouvi uma porta de carro bater na garagem. Desviei o olhar da máquina de lavar louça quando Vero entrou correndo na cozinha, largou a bolsa na bancada e tirou um par de sapatos de salto pretos. Empilhei pratos limpos nos braços e os pus na mesa, observando o terno elegante dela, a camisa branca de gola engomada, o coque arrumado e o batom vermelho-sangue. Não eram roupas para ir à faculdade numa tarde de segunda-feira. Não eram nem roupas de ir almoçar com alguém na segunda-feira. Eram roupas de entrevista de emprego em empresas de contabilidade chiques. Parte de mim se preocupou com onde Vero tinha passado a tarde.

Não tínhamos conversado direito desde o dia anterior à festa de Delia. Eu nem tivera tempo de perguntar sobre o encontro ao qual ela fora na noite antes do aniversário. Eu tinha resumido a conversa com Theresa enquanto arrumávamos a casa depois da festa. Depois tínhamos jantado pizza fria, Vero tinha estudado para a prova e eu me trancara no escritório para escrever.

– Como foi a prova? – perguntei, esperando que ela não estivesse prestes a me dar aviso prévio de demissão porque encontrara um emprego melhor.

Um emprego com seguro-saúde, folgas pagas, sem fraldas. Nem cadáveres.

Ela deu de ombros, tirando os óculos de sol e franzindo o nariz.

– Que cheiro é esse?

Ela entreabriu o forno e olhou lá dentro.

– Escondidinho de atum.

Ela abanou a mão, afastando a fumaça que saiu do forno.

– Era para ficar preto?

Vero deu um pulo para o lado quando escancarei a porta do forno e corri para abrir as janelas antes que o alarme de incêndio fosse ativado. Eu estava de pé na cadeira da cozinha, abanando um pano de prato na frente do detector de fumaça no teto, quando Vero enfiou a mão na bolsa e tirou uma pilha de dinheiro.

– Não vou comer nada disso. Vamos pedir comida.

Larguei o pano de prato e quase caí da cadeira, olhando boquiaberta para o maço grosso de notas de cem. Desci para fechar as janelas e as cortinas.

– O que é isso? – perguntei, apontando para o dinheiro.

– Isso são trinta e sete mil e quinhentos dólares, menos quarenta por cento – disse Vero. – Você pode comprar jantar em agradecimento.

– Por quê?

– Por encontrar Irina Borovkov e receber metade do dinheiro adiantado.

Perdi todo o fôlego. Meus joelhos cederam e caí sentada na cadeira onde antes estava em pé.

– Finn? Finlay, o que foi? – perguntou Vero, dando um chute no pé da cadeira. Levantei o olhar para o dela.

– Você faz *alguma* ideia de quem é o marido dessa mulher?

Minha voz estava assustadoramente baixa, desproporcionalmente quieta se comparada à profundidade do meu pânico.

Vero me deu as costas, sem se importar. Ela abriu a geladeira.

– Sei. Irina me contou tudo. O cara é um escroto. Acho que dá para a gente fazer isso com a consciência limpa.

Irina, Vero dizia, como se já fossem melhores amigas.

– Vero – falei, com a voz controlada. – Andrei Borovkov é executor da máfia russa. Ele é um assassino profissional. Ele degola gente. Que nem aqueles três homens que encontraram no galpão em Herndon no verão.

– Foi o que eu disse. Escroto. Tenho certeza que muita gente...

Vero fechou a geladeira. Ela se virou para mim, apertando a lata de Coca-Cola com força.

– Espera aí – falou. – Repete. Acho que não entendi a última parte.

Escondi o rosto nas mãos.

– A gente devia cortar vínculos, se livrar de qualquer rastro! Você faz ideia do que isso significa?

Dei um pulo quando Vero abriu o refrigerante. Ela bateu a lata na mesa com força, pegou o dinheiro e o abanou na minha frente.

– Significa que você pode pagar um advogado de divórcio decente e ficar com seus filhos. É isso que significa!

Eu a encarei, atordoada. Na noite anterior, eu contara a Vero tudo que Theresa dissera, que eles estavam comprando o afeto de Delia e que eu não tinha mais dinheiro para pagar o advogado. Que Theresa ia roubar meus filhos de mim, mesmo que não os quisesse. O tempo todo, eu reclamara de Steven e da merda da Casa da Barbie, quando devia estar contando a Vero o que descobrira sobre Andrei Borovkov.

– Não vamos aceitar esse dinheiro! – falei, empurrando de volta para ela.

Tínhamos pagado todas as minhas dívidas. Eu finalmente estava bem direcionada. Desde que não fizesse nenhuma burrice, tinha mais chances de ficar com Delia e Zach.

– Você vai ligar para aquela mulher agora mesmo e dizer que foi tudo um mal-entendido. Aí vai devolver o dinheiro.

– Não posso.

– Por quê?

– Porque gastei parte do dinheiro.

– Quanto?

– Quarenta por cento.

Grudei a língua no céu da boca, fazendo a conta de cabeça.

– Você gastou quinze *mil* dólares em uma tarde?

Ela assentiu, parecendo arrependida, curvada sobre o refrigerante.

– No quê? – perguntei.

Vero se empertigou, levantando a voz e apontando para mim.

– Foi *você* quem disse que a gente devia se livrar de qualquer rastro! Foi o que fiz.

– Como assim?

– Tinha um cadáver no porta-malas do meu Honda! Eu vi todos os episódios de *CSI*, sei que não tem jeito de esconder isso.

Vero me olhou, culpada, por baixo da camada espessa de rímel nos cílios.

– Então eu vendi o carro para meu primo Ramón desmontar – falou.

– E...?

– Comprei um novo.

Eu me levantei e abri a porta da garagem, meu olhar ofuscado pelas curvas brilhantes de grafite e pelos canos prateados polidos no instante em que acendi as luzes. O Charger parecia obsceno estacionado ao lado da minha minivan. Ainda tinha um adesivo da concessionária grudado no vidro traseiro, escondendo as cadeirinhas de criança ali atrás.

– O que é isso? – perguntei.

Vero torceu as mãos.

– Um V8 de 6,2 litros... com um porta-malas grandão?

Bati a porta.

Vero se dirigiu ao armário de bebidas.

– Acho que vamos precisar de alguma coisa mais forte.

Abri a boca para xingá-la em pelo menos cinco línguas que nem sabia quando o telefone de casa tocou. Eu e Vero ficamos paralisadas. Encaramos o aparelho, que tocou de novo. Ninguém nunca ligava para aquele número, exceto por telemarketing e grupos pedindo doações. Grupos como a delegacia local.

Vero deu um passo lento para trás.

– Quem deve ser?

Parte de mim esperava que fosse Andrei Borovkov, só para eu dizer a Vero que a avisara. Eu me preparei e atendi o telefone.

– Alô?

– Finlay, por onde você anda? Faz três dias que tento te encontrar! Por que não atendeu o celular?

Meus ombros relaxaram ao som da voz de Sylvia.

– Eu sei, desculpa – falei, caindo em uma cadeira e massageando a têmpora.

Eu não ia aguentar uma bronca da minha agente naquele momento. Ela me mandara um e-mail na sexta-feira pedindo notícias do manuscrito, mas eu o fechara sem responder.

– Meu celular morreu. Comprei um novo. Desculpa, Syl, tive uns dias doidos. Vou te mandar o número por e-mail.

– A editora quer saber como está o livro. Eu tentei enrolá-la para te dar mais tempo, mas ela está exigindo ver o que você já escreveu.

– Quê? Não! – gaguejei. – Não posso mandar nada.

Eu só tinha a história de Harris. Mesmo mudando os nomes, era perto demais da verdade. Seria muito arriscado mandar.

– Está uma bagunça. Nem revisei. Não está nada pronto.

– Vou te dizer o que é uma bagunça! Você está quebrando seu contrato. Sabe o que significa? Podem cancelar seu próximo livro e pedir o adiantamento de volta. Você precisa me mandar alguma coisa. Qualquer coisa. Quanto tem escrito?

– Não é o suficiente.

– Finlay.

Jesus, ela parecia minha mãe.

– Tá, tá, tenho uns capítulos para te mandar.

Ela ia odiar de qualquer jeito, mas pelo menos podia contar à editora que eu me esforçara.

– Não é o projeto sobre o qual falamos – expliquei –, mas é o que tenho.

– Quanto?

– Não sei. Umas vinte mil palavras?

– Me manda agora.

– Vou te mandar à noite.

– Não, Finlay. *Agora*. Só vou desligar quando receber o material por e-mail.

Encaixei o telefone sem fio debaixo do queixo e subi com ele. Só queria que Sylvia desligasse para descobrir o que fazer com Andrei Borovkov, o dinheiro na cozinha e os quinze mil dólares de dinheiro da máfia estacionados na minha garagem.

Sem nem preencher o assunto do e-mail, mandei o arquivo para Sylvia.

– Pronto, está feliz?

Sylvia bateu as unhas no teclado, resmungando.

– Eu ficaria *feliz* se você não estivesse com três meses de atraso. Eu ficaria *feliz* se não tivesse passado os últimos dois dias deixando recados sem resposta na sua caixa postal. Eu ficaria *feliz* se Gordon Ramsay aparecesse no meu apartamento e insistisse em preparar meu jantar hoje – disse ela, com um suspiro decepcionado. – Mas isso vai servir. Me passa seu número novo.

Peguei o celular pré-pago no bolso e li o número.

– Vou dar uma lida e ver se serve para ganhar um tempo. Enquanto isso, senta a bunda na cadeira e começa a digitar, senão é hora de se despedir do adiantamento.

– Obrigada, Sy...

Ela desligou com um clique abrupto.

Eu me apoiei na mesa, uma mão de cada lado do teclado, a cabeça pendendo por cima. Eu ia ser largada pela minha agente. Pela minha editora também. O que eu mandara para Sylvia era praticamente ininteligível. Eu nem sabia se era uma história coerente. Felizmente os desaparecimentos de Harris e Patricia não tinham sido noticiados nacionalmente. Minha agente e minha editora moravam em Nova York. Ainda assim, rezei para ter me lembrado de mudar os nomes antes de mandar.

Quem eu queria enganar? Minha escrita estava horrível. Sylvia provavelmente nem chegaria ao segundo capítulo antes de devolver e me mandar começar do zero.

Respirei fundo. A casa inteira fedia a queijo e atum queimados e meu estômago roncou. Sentindo-me vazia, me arrastei escada abaixo e encontrei Vero sentada à mesa da cozinha, apoiando a cabeça nas mãos, um copo de dose ao lado da garrafa aberta de uísque que tínhamos começado a beber na noite em que enterráramos Harris. Eu não sabia quanto sobraria até o dia seguinte.

Ela encheu o copo e me ofereceu. Desceu queimando. Meus olhos arderam e encarei a pilha de dinheiro. Pelo menos, se minha editora me largasse, eu teria dinheiro para pagar de volta o adiantamento.

Três semanas... Eu tinha três semanas para acabar o livro e sair daquela sinuca.

Peguei uma nota de cinquenta.

– Sanduíche ou comida chinesa? – perguntei para Vero. – Até assassinos têm que comer, né?

O estacionamento do abrigo de animais estava lotado na terça-feira depois da escola, então peguei a última vaga disponível na rua, deixando bastante espaço entre minha minivan e o carro estacionado à minha frente, caso ela pifasse e eu precisasse chamar o reboque. Julian estava certo: eu deveria levá-la para a oficina. No entanto, se o fizesse, o mecânico ia encontrar um sem-fim de problemas: estava desalinhada, precisava de uns (ou muitos) ajustes básicos de manutenção, as pastilhas de freio estavam destruídas, a transmissão estava mais ou menos, eu estava devendo uma vistoria estadual das emissões, e pneus novos cairiam bem. Por enquanto, eu soltava uma oração e um palavrão sempre que virava a chave. Era mais barato.

– A gente podia ter vindo no seu carro – resmunguei para Vero.

– Nananinanão. Animais são proibidos no meu carro.

Vero tirou Zach da cadeirinha, eu peguei Delia pela mão, e cruzamos a rua até o abrigo.

– Só vamos dar uma olhada. Não vamos levar um bicho para casa.

– Por que não? – bufou Delia. – O papai falou que a gente pode ter um cachorro quando for morar com ele.

– Falou? – murmurei.

Considerando a cor dos tapetes impecáveis de Theresa, acho que ela não estava por perto quando Steven jogou essa isca para nossa filha.

– Então por que não fazemos uma lista dos seus preferidos para o papai?

Uma sinfonia de latidos e uivos nos atingiu quando nos aproximamos da cerca alta. Zach cobriu as orelhas e se escondeu no ombro de Vero. Soltei Delia para abrir a porta pesada. A recepção não era muito mais silenciosa. A vitrine de acrílico mal continha a torrente de latidos atrás do balcão. Uma mulher estava jogando paciência no computador, e eu olhei para além dela, para o canil atrás da vitrine, em busca de rostos conhecidos das fotos de Patricia.

– Olá? – disse a recepcionista, desviando a atenção da tela.

– Eu e meus filhos estamos pensando em adotar um cachorro – falei. – Será que podemos dar uma olhada?

– Claro. Mas não deixe as crianças botarem as mãos dentro das cercas. As dobradiças fecham sozinhas e podem beliscar. Se gostar de algum cachorro, é só me dizer, e pedirei a um funcionário que monte uma sala de visitas para vocês.

Ela apertou um botão debaixo da mesa. O zumbido da campainha me fez estremecer. Tantas grades e tanto acrílico me lembravam um pouco demais de onde Georgia trabalhava. Eu só queria uma pista do paradeiro de Patricia – encontrá-la antes da polícia ou da máfia – para descobrir quem matara Harris, achar prova de minha inocência e voltar para casa.

Os cachorros pulavam só nas patas de trás, encostados nas paredes dos canis, latindo conforme passávamos com as crianças pela sala ensurdecedora. Eu mal escutava os gritinhos alegres de Delia, que saltitava de porta em porta, inspecionando cada cachorro. Ela parou e se ajoelhou em frente a um dos cercados.

O cachorro encolhido no fundo da gaiola era pequeno, com os pelos emaranhados, e olhinhos tão tristes e desesperados quanto os da minha filha.

– Quer fazer carinho nele? – perguntou uma voz atrás da gente.

– Posso, mamãe? – perguntou Delia, com um olhar de súplica.

O jovem voluntário se ajoelhou ao lado dela e pegou um molho de chaves do bolso. Ele era alto e magrelo, com cachos bagunçados e olhos azuis aguados. Eu o reconheci imediatamente da foto da equipe no Facebook de Patricia. OLÁ, ME CHAMO AARON, dizia seu crachá.

– Claro – respondi. – Se o Aaron deixou...

Encontrei o olhar de Vero por cima da cabeça dele. Ela também provavelmente o reconhecera das fotos de Patricia.

Delia bateu palmas quando ele passou pelas chaves e abriu o cercado. O cachorro choramingou, se enroscando ainda mais quando Aaron tirou o cinto de couro que usava na calça. Com cuidado para não assustar o cachorro, ele prendeu o cinto na dobradiça, mantendo a porta aberta. Em seguida, enfiou a mão no bolso e entregou um petisco de cachorro na mão de Delia. Ele se sentou no chão e deu um tapinha ao lado dele. Delia se sentou também, em silêncio, seguindo a deixa de Aaron, e segurando o petisco.

– Este aqui é especial – disse ele, sua voz pouco acima de um sussurro em meio aos uivos e gritos dos outros cães. – Ele se chama Sam e é um pouco tímido, então vamos ter que ser cuidadosos com ele e ajudá-lo a se sentir seguro. Pode ser?

Delia assentiu.

O cachorro mexeu o focinho na sombra do canil. Ele abaixou a cabeça, se aproximando devagar, as orelhas para trás e o rabo entre as pernas. Aaron cochichou para Delia, a encorajando a ser paciente. Disse que o cachorro viria quando soubesse que estava em segurança.

Delia suspirou de susto quando o cachorro finalmente passou a cabeça para fora da gaiola, o focinho estendido na direção do petisco. Devagar, ele se aproximou dela, e pegou a comida delicadamente com a boca. Distraído pela delícia mastigável, não reclamou quando Aaron o levantou e o pôs no colo de Delia.

Zach começou a se remexer, querendo se aproximar das gaiolas. Vero balançou ele contra o quadril e me olhou firme ao levá-lo embora, apontando para Aaron com o queixo antes de sumir de vista.

– O que aconteceu com o Sam? – perguntei, notando o gesso na pata traseira do animal.

– Sam foi resgatado – disse Aaron, sorrindo ao ver Delia acariciar as costas do bichinho. – Eu o encontrei umas semanas atrás, enroscado nas próprias correntes. Ele é fofo, só um pouco ansioso. Nada que um lar carinhoso não resolva. Animais resgatados são excelente companhia.

Ele pegou uma prancheta pendurada na parede e me passou, com uma caneta.

– Falando nisso, todas as famílias de tutores devem preencher uma inscrição.

Enquanto Delia brincava com Sam, encarei o questionário, sem jeito. A última coisa que queria era um registro da minha visita, mas poderia levantar suspeitas se me recusasse. Aaron sorriu, educado, tentando olhar a hora no celular sem ser muito óbvio.

Comecei a preencher o formulário, com os nomes e endereço de Theresa e Steven. Parecia adequado, já que adotar um cachorro fora ideia de Steven e ele prometera a Delia que o animal poderia morar com eles.

Delia riu aos meus pés quando Sam a cobriu de beijos, querendo mais um petisco. Ela falava mansinho com o cachorro, tomando cuidado com os machucados. Dava para entender por que Patricia passava tanto tempo ali. Provavelmente gostava de cuidar daqueles animais que foram abandonados, desprezados e salvos de donos horríveis. Ela devia se sentir segura com gente como Aaron, gentil e bondosa, depois de metade da vida acorrentada a um homem como Harris. Se aquele abrigo era seu espaço seguro, e aquelas pessoas com quem trabalhavam, o mais próximo que tinha de família, não teria se aberto para ninguém ali?

Devolvi o formulário para Aaron.

– Na nossa outra visita, falei com uma mulher chamada Patricia sobre um cachorro em especial... tinha uma mancha preta no olho e pelo manchado, mais ou menos desse tamanho – falei, mostrando com os braços enquanto descrevia o cachorro que a vira segurar na foto.

– Está falando do Pirata?

– Isso! Era esse o nome. Eu não o vejo aqui. Você tem o número dela? Queria perguntar sobre ele.

– Não... – disse ele, desanimado. – Todos já tentamos ligar. Patricia não veio semana passada e ninguém tem notícias dela desde então. Quanto a Pirata, ele e a irmã, Molly, foram adotados juntos algumas semanas atrás. Sinto muito.

– Ah, que pena – falei, em busca de um novo ângulo. – Eu queria muito entrar em contato com ela. Patricia disse que fazia aula de pilates com um ótimo professor, mas perdi o nome da academia que ela frequentava.

Aaron deu de ombros, o rosto corado enquanto lia o formulário.

– Desculpa, eu não sei mesmo. Pilates não é minha praia. Ela também nunca mencionou uma academia.

– Ela era amiga de alguém aqui que possa saber onde encontrá-la?

Ele me olhou de esguelha.

– Acho que não. A polícia já perguntou para todo mundo.

– Polícia? – perguntei, fingindo surpresa. – Por que a polícia a está procurando?

Ele franziu a testa.

– Saiu no jornal. Patricia e o marido desapareceram. Ninguém sabe onde ela está.

– Ah, que pena, sinto muito.

Não era difícil fingir tristeza com a notícia. Se ela não tinha falado com ninguém ali, era outro beco sem saída.

– A polícia tem alguma suspeita? – perguntei.

– Não disseram nada. Um detetive vasculhou o armário dela. Ele fez muitas perguntas. Eu falei que ela estava ansiosa e um pouco assustada nos últimos dias, mas ela nunca mencionou que iria a lugar nenhum. Eles queriam mesmo era saber do marido dela. Alguns de nós...

Ele apertou o maxilar fraco, olhou ao nosso redor e abaixou a voz.

– Alguns de nós acham que eles não tinham o melhor dos relacionamentos – disse ele. – Ele parecia um babaca de marca maior.

Alguém chamou o nome de Aaron. Ele ficou na ponta dos pés para olhar por cima da minha cabeça, e levantou um dedo, indicando que já ia.

– É melhor eu guardar o Sam – disse Aaron, ainda com aparência triste ao se abaixar para pegar o cachorro do colo de Delia e devolvê-lo ao cercadinho. – Vocês querem ver mais cachorros, já que estão aqui?

– Quero – falei, encontrando o olhar de Vero do outro lado do cômodo. – Vamos dar mais uma olhada, se não for incômodo.

Vero apertou o passo na nossa direção, acidentalmente esbarrando em Aaron enquanto ele passava o cinto de volta ao redor da cintura. Eles se desculparam rapidamente. Assim que ele se afastou e virou o corredor, perguntei:

– O que você encontrou?

– Tem uma sala de funcionários nos fundos – respondeu ela, baixinho. – A porta está destrancada. Dei uma olhada, mas tem alguns voluntários por lá.

– O que você viu?

– Todo funcionário tem um armário com seu nome.

– Patricia também?

Vero assentiu.

– Vale a pena tentar – falou.

Talvez alguma coisa no armário de Patricia nos daria indícios de onde ela estava, mas como o abriríamos sem sermos vistas?

– Não podemos simplesmente entrar e fuçar.

– Deixe comigo.

Vero sacudiu o molho de chaves de Aaron na minha frente.

– Onde você arranjou isso?

– Tirei do cinto dele agora mesmo. Ele nem notou.

Ela largou Zach no meu colo.

– Me encontre na frente da sala – falou.

– Quando?

– Você vai saber.

Ela se afastou entre as fileiras de gaiolas. Eu segui Delia de canil em canil, de olho no sinal de Vero, sem saber exatamente o que esperava.

Um uivo agudo e repentino irrompeu, seguido pelo baque de uma porta de gaiola. Uma cacofonia de latidos desesperados se espalhou pelo abrigo quando dois gatos saíram em disparada pelo corredor central, rabos para cima e costas arqueadas. Outro baque. Quatro cachorros seguiram atrás deles, mostrando os dentes e tentando morder. Crianças choravam e pais gritavam quando os animais passavam. Zach se escondeu no meu ombro. Delia não reclamou quando peguei a mão dela e corri na direção da sala de funcionários enquanto os últimos voluntários saíam correndo para agrupar os animais soltos.

Vero me apressou, pegando Zach do meu colo.

– Corre! A sala está vazia, mas não sei por quanto tempo.

Ela conferiu que ninguém nos seguia e me empurrou pra dentro, abafando os sons de gatos gritando e cães uivando ao fechar a porta. Corri para a fileira de armários, lendo os nomes até encontrar o de Patricia. Se um dia estivera trancado, já não estava mais. O que significava que Aaron estava certo: a polícia já o revistara.

Abri a porta de metal, amassando a fita amarela da polícia esticada sobre a abertura. Por dentro, o armário era revestido de fotos de animais: principalmente Pirata e Molly. Um cartão de visitas estava preso no canto: Detetive Nicholas Anthony, DP de Fairfax County. Ele provavelmente era o detetive do caso.

Com cuidado para não estragar a fita da polícia, revirei o conteúdo do armário, tirando um moletom do cabide. O tecido azul-marinho estava coberto de pelo de cachorro preto e branco, escondendo o logo da academia Tysons Fitness Club na frente. A prateleira de cima continha um rolinho de limpar pelos, uma nota fiscal de comida de cachorro e outra de café do Starbucks. A não ser que a polícia tivesse descoberto algo que eu não via, nada ali sugeria aonde Patricia fora.

Fechei o armário, olhando ao redor da sala em busca de qualquer coisa que eu e Vero pudéssemos não ter notado. Tachinhas coloridas salpicavam o quadro de avisos perto da porta. Fotos de equipe e escalas de trabalho. Patricia estava na equipe de terça e quinta, com Aaron e alguns outros.

Ela estava sentada ao lado dele na foto, usando o moletom de academia que estava no armário, com Pirata e Molly no colo deles. Eu me aproximei da foto, concentrando o olhar em sua mão. O dedo anelar estava nu, a aliança incrustada de diamantes notavelmente ausente.

Uma comoção se ouviu dos canis. Entreabri a porta e olhei para fora. A poucos metros, Vero distraía dois voluntários uniformizados. Ela ergueu as sobrancelhas, com a expressão urgente, e eu saí da sala.

– Sra. Hall? Sra. Hall? – chamou uma voz em meio aos latidos. – Theresa! – gritou mais alto.

Eu me virei. Aaron vinha correndo na minha direção, corado e exaurido, e eu me assustei ao notar que ele falava comigo.

– Você por acaso viu um molho de chaves? – perguntou. – Devo ter derrubado no meio dessa confusão.

Sacudi a cabeça, levando a mão instintivamente para coçar um incômodo fantasma no cabelo. Eu não deveria ter escrito o nome e o endereço de Theresa no formulário. A polícia já estivera ali, tentei me tranquilizar. Já tinham revistado o armário de Patricia e interrogado todo mundo. Ainda assim, não consegui me livrar da impressão de que cometera um erro horrível ao ter vindo ali.

– Desculpa, não vi chave nenhuma.

Minha pele coçou de arrependimento quando um gatinho laranja passou correndo entre nós e Aaron foi atrás.

Eu me levantei de um pulo, piscando com olhos arregalados, acordada por um zumbido alto e repentino. Pronto. Estavam vindo me prender. Assustada, abracei os lençóis, meu celular vibrando na mesinha de cabeceira. O número de Sylvia brilhava no escuro. Caí contra o travesseiro, esperando o coração desacelerar. Nada de polícia. Só minha agente.

Tateei em busca do celular e olhei a hora, sem saber se eram quinze para as seis da manhã ou da tarde. Eu tinha passado as três noites anteriores acordada, pesquisando a lista de vítimas de Harris, determinada a encontrar quem o matara, mas só conseguira limitar a lista, originalmente de dezessete suspeitos possíveis para nove. Exausta e ainda longe de desvendar o crime, eu desistira e caíra na cama uma hora antes do amanhecer.

– Alô – resmunguei.

– Espero que você esteja com essa voz cansada porque passou o dia escrevendo.

Tarde, então. Esfreguei os olhos.

– Você está sentada? – perguntou Sylvia.

– Não exatamente.

– Eu li seu manuscrito.

Cobri o rosto com um braço, me preparando para o pior.

– Mandei para a editora ontem à noite – continuou. – Ela está preparada para te fazer uma oferta.

Eu me sentei devagar, tentando encontrar algum sentido ali.

– Uma oferta? Mas meu livro já está contratado.

– Não está mais.

Bati com uma mão nos olhos. Era pior do que eu pensara. A oferta provavelmente era de um plano para devolução. Não só tinha perdido o contrato, como precisaria devolver o adiantamento. Além da comissão de Sylvia. Ela provavelmente me largaria como cliente. Eu nem queria pensar no que Steven diria quando descobrisse.

– Sylvia, desculpa, não tem nada que a gente...

– Eu disse para ela que ia pagar sua rescisão de contrato.

Sacudi a cabeça, com certeza de ter ouvido errado.

– O quê?

– Eu disse que sabia que esse livro ia ser um enorme sucesso e que eles não estavam pagando o suficiente. Falei que ia devolver seu adiantamento pessoalmente e queria a reversão dos direitos.

Acendi a luminária, para o caso de ainda estar dormindo. Meus olhos sonolentos se estreitaram contra a luz.

– O que ela disse? – perguntei.

– Ela leu seu rascunho e concorda comigo. Ela acha que você está num caminho incrível.

– Acha?

– É uma premissa maravilhosa: a esposa tímida contratando alguém para matar o marido, a heroína destemida e o jovem advogado gato... Eles têm excelente química na página, por sinal. Quer dizer, é de arrasar, Finn. Seu melhor trabalho até agora. Estou morta de vontade de saber quem é o assassino.

Uma gargalhada triste me escapou.

– Eu também.

– A editora ofereceu uma proposta caso você prometa não mostrar para mais ninguém. Ela aumentará a oferta para dois livros, com um adiantamento mais alto, e dará um prazo maior para o primeiro rascunho.

– Adiantamento mais alto? Quanto?

– Setenta e cinco mil por livro.

Eu estava tão boquiaberta que meu queixo ia bater no chão. A editora ia me pagar cento e cinquenta mil dólares. Pela história do assassinato de Harris Mickler. Na qual eu descrevera todos os detalhes do crime. Que estava sendo investigado e no qual eu estava secretamente envolvida.

– Finn? – perguntou Sylvia. – Você está me ouvindo?

– Estou – falei, rouca. – Posso pensar um pouco?

– Acredite, Finn – disse Sylvia, com uma voz suave como manteiga e mel. – Eu sei exatamente como você se sente. Pensei na mesma coisa.

Engasguei em uma gargalhada histérica.

– Duvido muito.

– Eu sei. Sério. Você está certa. Talvez seja bom o suficiente para pedir rescisão do contrato, levar o manuscrito para outras editoras maiores, quem sabe até entrar em leilão. Mas é melhor um pássaro na mão, Finlay. E, com seu histórico de vendas fraquinho, é melhor não ficarmos convencidas demais. Digo para pegarmos o dinheiro e entregarmos o que eles querem.

– Não sei, Syl...

– Excelente, que bom que concordamos.

– Não é tão simples! Não posso só...

Pelo telefone, ouvi o barulho que o computador fazia ao mandar um e-mail. No momento seguinte, uma notificação apareceu no meu celular.

– Te mandei os termos revisados e negociei alguns extras para você. A editora acha que você deve usar um novo pseudônimo. Pensamos em Fiona Donahue, soa bem. Falei que você estava animadíssima. Ela já mandou o material para a equipe e daqui a poucas semanas devemos receber o contrato atualizado e o recibo do seu adiantamento. Você tem trinta dias para entregar o rascunho, então vá trabalhar. Ligo daqui a alguns dias para pedir notícias.

Sylvia desligou. Atordoada, caí de costas nos travesseiros.

De repente, eu estava nadando em dinheiro. Mais dinheiro do que era capaz de imaginar. O bastante para pagar uma babá em tempo integral e um advogado caro. O bastante para consertar meu carro e, o mais importante, salvar meus filhos. O bastante para Steven e Theresa pararem de me encher o saco.

Eu não sabia o que era pior. Que eu estava orgulhosa de mim mesma pela primeira vez na vida, ou que cada centavo que eu ganhara pudesse me levar à prisão perpétua.

Eu ainda estava de ressaca no dia seguinte, quando Steven foi buscar as crianças. Vero tinha insistido em comemorar a venda do livro com uma garrafa de champanhe depois que Delia e Zach foram dormir, e no fim não restara uma gota. Ela estava tão animada (e bêbada) que nem se incomodara quando eu dissera que ia entrar em contato com Irina Borovkov para combinar de devolver o dinheiro. Champanhe era o único motivo para eu não ter ouvido Steven enfiar a chave na fechadura e entrar. Quando cheguei no térreo, ele já estava botando casacos em Delia e Zach. Eu os interceptei para abraços rápidos que me causaram dor.

– A campainha funciona, sabia? – perguntei, olhando feio para Steven por cima da cabeça de nossos filhos.

– Está frio lá fora e eu não queria esperar – disse ele, abrindo a porta para Delia e Zach e os empurrando para fora. – Vão lá esperar no carro do papai com a Theresa e a tia Amy. Já vou.

Nós dois seguramos a briga enquanto eles saíam andando, de casaquinhos de inverno.

– É minha casa, Steven – falei, assim que fechamos a porta. – Você não pode entrar sempre que quiser.

– Claro que posso. Sou o proprietário.

Vero apareceu na porta da cozinha atrás dele. Ela esticou o braço, roubou as chaves da mão dele e imediatamente começou a soltar a chave de casa do chaveiro. Steven ficou boquiaberto quando ela tirou a chave, com um floreio. Ela a carregou até o banheiro, abriu a porta e a jogou na lixeira de fraldas com um sorriso satisfeito. O rosto dele tomou um tom horroroso de vermelho quando ela girou a manivela, transformando a única cópia da chave que ele tinha em uma salsicha de cocô.

– O que raios ela está fazendo aqui? – sibilou ele, quando ela limpou as mãos e fechou a tampa. – Eu já falei que não vou pagar pela sua babá.

– Eu sou a contadora e gerente de negócios da sra. Donovan – interrompeu Vero, requebrando o quadril. – Seu pagamento pelo aluguel já está no correio.

– Nem todo – disse Steven, convencido.

– Todo – disparou Vero. – E vamos deixar uma coisa bem clara, Proprietariozinho de Tal. Seu nome estar na escritura não te dá direito de entrar aqui sempre que der na telha. Talvez deva ler o contrato de locação, especialmente o parágrafo quatro, cláusula bê, que declara explicitamente que você deve notificar o locatário da intenção de entrar na prioridade. Da próxima vez que aparecer aqui sem avisar, pode acidentalmente ver alguma coisa que não queria.

– Tipo o quê?

"Por favor, não fale em cadáver. Por favor, não fale em cadáver."

– Tipo o novo namorado da Finlay, que é modelo de cuecas.

Steven arregalou os olhos. Belisquei o cotovelo da Vero.

– Ele não é modelo – falei.

– Ele só parece...

– E ele não é meu...

– Na verdade ele é advogado – concluiu ela, e eu senti um princípio de dor de cabeça. Ou talvez fosse a ressaca. – Sugiro que da próxima vez você se atenha aos termos do contrato – continuou Vero –, ou eu precisarei contratá-lo para oferecer os serviços completos à sra. Donovan. – Vero olhou para Steven de cima a baixo, com desprezo. – E se isso for problema para você – disse Vero –, seu vagabundo arrogante, você pode enfiar no...

Apertei a têmpora com os dedos.

– Vero está morando aqui, Steven.

A atenção de Steven voltou para mim, em seu rosto descrença pura. Antes que ele pudesse abrir a boca, completei:

– *Eu* estou pagando.

– *Você* está pagando?

– Digamos que nem eu nem ela estávamos satisfeitas com os seus termos.

O silêncio caiu como um martelo. Vero piscou com um sorriso triunfante de boca fechada. Uma veia na testa de Steven latejou.

– Pagando com o quê? – perguntou ele, nos olhando como se tivéssemos enlouquecido. – Você não tem dinheiro, Finlay. Você está com meses de atraso em todas as contas. Não tem jeito de conseguir pagar tudo isso.

– A sra. Donovan tem *muito* dinheiro – retrucou Vero. – E questões ligadas à liquidez financeira dela, além do aluguel que não deve mais, não te dizem respeito.

– Do que ela está falando?

Olhei feio para Vero. Ela olhou para as próprias unhas, cutucando esmalte e fingindo não notar. Steven me encurralara. Eu tinha que dizer alguma coisa, ou ele levaria os questionamentos sobre meus bens para Guy.

– Eu vendi um livro.

– Dois livros – corrigiu Vero.

Um nó se formou na minha garganta ao ver o orgulho em seus olhos vivos e escuros. Ninguém nunca tratara meu trabalho como... bom... um trabalho. Ninguém o defendera, sentira orgulho, se gabara. Sempre fora só eu, na escrivaninha.

– E o que ganhou com isso? Três mil dólares? – perguntou Steven, franzindo a boca na implicação da qual escorria tanto sarcasmo que dava para lubrificar a minivan. – E os cartões estourados? O financiamento do carro? E ela... – disse, apontando para Vero. – Ela deve custar...

– A renda da sra. Donovan *também* não é da sua conta – disse Vero, se aproximando dele.

– Que caralhos! – gritou Steven, olhando com raiva para ela e apontando para mim. – Não tem jeito nenhum de ela ganhar dinheiro o suficiente com aqueles livros de merda para pagar tanta dívida.

O golpe me atingiu em cheio. Fui derrubada com a mesma vergonha sufocante que sentia toda vez que abria meus cheques de adiantamento na frente dele. Ele me acalmava com um tapinha nas costas, fazia comentários passivo-agressivos sobre termos dinheiro para umas caixas de fralda ou, com sorte, até um pouco de comida.

Steven gesticulou para a porta atrás dele, onde a correspondência ficava empilhada.

– Aquelas contas estão se empilhando há meses. Ela me deve muito mais que...

Ele se desanimou de repente. Franziu a testa e abaixou os braços, o olhar percorrendo a casa como holofotes.

– Cadê as contas?

Ele forçou a passagem entre nós até a cozinha e revirou a pilha fina de folhetos e cupons no balcão, Vero bem atrás dele. Eu consegui ouvi-los discutir enquanto subia as escadas até o escritório.

Eu não aguentava mais ser diminuída, como se não fosse importante. Como se não pudesse tomar conta de mim mesma ou de meus filhos. Eu não aguentava mais ser tratada como se não pertencesse ao pódio com Steven e Theresa. Abri meu e-mail, enfiei uma folha de papel na impressora e xinguei Steven baixinho quando ela começou a ranger. Quando acabou, peguei a folha da bandeja e desci correndo, encontrando Vero e Steven cara a cara, prontos para se destroçarem com unhas e dentes.

Enfiei a mão entre eles e bati com o papel na mesa.

Vero se afastou e cruzou os braços, a ponta de seu sorriso pintado tão afiada que cortaria alguém, erguendo uma sobrancelha para Steven e o desafiando a olhar.

– O que é isso? – perguntou ele, relutante em pegar o papel.

– Minha oferta. Quer saber quanto valem meus livros de merda? Pode ver.

Steven pegou o papel da mesa. Seu olhar azul o analisou como um laser, e senti uma pontada de satisfação quando queimou um buraco no cifrão ali no meio.

– Que número é esse? – perguntou.

– É meu adiantamento.

Ele mexeu a boca, mas a língua demorou a acompanhar. Talvez fosse a primeira vez que eu o via sem palavras. Ele me devolveu o papel e pigarreou.

– Já era sem tempo de te pagarem razoavelmente. Mas ainda não basta para...

– Pode continuar a ler – disse Vero, empurrando o papel na cara dele. – É um contrato de dois livros. É o dobro disso, além do que pode ganhar por direitos de adaptação e tradução. Isso *antes* de receber os *royalties*. Quer fazer a conta, ou precisa de ajuda?

Steven largou o papel na mesa. Ele olhou com raiva para Vero e forçou passagem por ela para a porta. Nem olhou para mim. Talvez porque não conseguia. Fazia anos que ele só me via como fracasso. Era como se tivesse esquecido como me ver de qualquer outro modo.

– Volto domingo com as crianças – murmurou ele.

– Da próxima vez, toque a campainha! – gritou Vero.

Ele mostrou o dedo do meio para ela sem nem virar o rosto, e o desprezo que ele demonstrou por ela me irritou mais do que todo o resto.

– Steven.

A autoridade em meu tom me surpreendeu. Ele parou logo antes da porta.

– Você e Theresa podem querer reconsiderar o pedido de guarda – falei. – De acordo com minha contadora, temos os recursos para brigar.

Steven apertou o maxilar com barba por fazer. Ele escancarou a porta da frente e a bateu ao passar.

Vero pôs a mão no meu ombro enquanto eu via Steven se afastar. Ouvi os degraus rangerem quando ela começou a subir para o quarto.

– Por que você fez isso? – perguntei.

Ela parou.

– O quê?

– Naquela noite. Com Harris. Você podia ter me deixado na garagem. Por que você enterrou ele comigo?

Vero deu de ombros.

– Eu gosto das suas chances.

Fiz cara de confusão e ela continuou:

– Eu fiz o cálculo quando você me contratou. Precisava saber pelo que sacrificava o trabalho no banco. Pelo que eu imaginei, suas chances de arranjar um agente eram de um em dez mil. As chances de vender um livro eram piores ainda. De alguma forma, você conseguiu as duas coisas. Se safar de um assassinato deveria ser mais fácil, né?

Ela voltou a subir, mas parou de novo e se virou para olhar para mim por cima do ombro.

– Minha mãe foi mãe solo. Ela era esperta e corajosa... que nem você. Se eu fosse escolher uma parceira para apostar meus ganhos futuros, e talvez minha liberdade – acrescentou, com um sorriso –, achei que era seguro apostar em você.

Ela subiu até o quarto e, pela primeira vez em muito tempo, quando me sentei em frente à tela branca mais tarde, sabia que não a encarava sozinha.

– O que a gente faz com isso? – perguntei no domingo à tarde, segurando o saco perto do rosto.

– Não é "isso". Ele tem nome – disse Delia.

Engoli os argumentos que encheram minha boca. Se déssemos um nome a ele, deixava de ser um mero peixe. Virava um bicho de estimação. Meu histórico de manter seres vivos nos últimos tempos não estava muito bom.

– Ele se chama Christopher – declarou ela.

– Christopher? Sério?

Carrancuda, ela tentou puxar o saco da minha mão, mas eu o afastei.

– O papai gostou.

– Christopher é um lindo nome – admiti. – Acho que ele tem cara de Christopher mesmo. Os pais de Christopher devem estar muito orgulhosos.

Vero sorriu para mim do corredor, um ombro encostado na porta do quarto de Delia, me desafiando, com toda a linguagem corporal, a mantê-lo vivo.

Soltei o elástico e derramei Christopher em uma poncheira de vidro – uma relíquia de presente de casamento da avó do Steven que eu desenterrara de uma caixa na garagem. Delia aproximou o rosto do vidro, a testa franzida de preocupação ao ver Christopher cambalear e pender de lado, boquiaberto e de olhos arregalados. Ótimo, não seria a primeira criatura que eu matara sufocada poucos minutos depois de trazer para casa. Pelo menos esse seria mais fácil de enterrar.

Sacudindo as escamas laranjas e reluzentes, Christopher deu a volta por cima. Zach soltou um gritinho de alegria quando o peixe começou a dar voltas dentro do vidro.

A campainha tocou lá embaixo.

– Vou atender – falei para Vero. – Steven deve ter esquecido alguma coisa.

Ela revirou os olhos.

– Olha, pelo menos agora ele sabe usar a campainha – comentei.

– Alguns animais são adestráveis.

Ela me seguiu escada abaixo. Firmei os pés no último degrau quando vislumbrei pela janela o carro parado na frente de casa. Um sedã da Chevrolet, simples, azul-marinho, com várias antenas na tampa do porta-malas e uma luz arredondada no painel, estava estacionado ali.

Não era Steven.

Vero deu de cara com minhas costas, quase me derrubando do degrau. Ela soltou um palavrão, mas se calou ao seguir meu olhar, vendo a silhueta de costas para a porta. Alto, cabelo escuro, ombros largos. Até a pose era de policial, com os pés afastados na largura dos ombros e as mãos na cintura. Ele olhou para os dois lados da rua antes de se virar lentamente para a porta. No movimento, pude ver a arma no coldre dentro da jaqueta e o brilho de um distintivo no cinto.

– Merda, merda, merda – xingou Vero, dando a volta no meu corpo paralisado e entrando na ponta do pé na cozinha para espreitar entre as cortinas. – Ai, que merda, que merda, que merda – sussurrou. – O que a gente faz?

A casa se fechou ao meu redor até que eu só enxergasse o policial do outro lado da janela. Minhas opções se estreitaram junto, e eu fui tomada por uma clareza repentina.

– Vamos abrir a porta – falei, me forçando a ficar calma –, mas não vamos dizer nada sem a presença de um advogado. Se ele tiver vindo me prender, você vai ficar aqui com a Delia e o Zach. Depois você vai ligar para a minha irmã e pedir a ela que me encontre na delegacia e pague minha fiança.

Vero empalideceu e assentiu.

Andei até a porta e obriguei minhas mãos a pararem de tremer, girando a maçaneta.

Entreabri a porta. O policial à paisana do outro lado sorriu.

– Meu Deus, como ele é gato – disse Vero, atrás de mim.

Dei uma cotovelada na costela dela e pigarreei.

– Como posso ajudar o senhor?

Uma covinha apareceu no rosto com a barba por fazer. Ele ofereceu uma mão, me fazendo abrir mais a porta para apertá-la.

– Eu sou o detetive Nick Anthony e trabalho na polícia do condado de Fairfax. Estou procurando por Finlay Donovan.

Meus joelhos ameaçaram ceder, mas me segurei na porta. O policial franziu a testa.

– Se for má hora, posso voltar depois – falou.

A voz dele tinha a aspereza de alguém que passava o dia dando ordens, mas seus olhos escuros eram suaves sob cílios longos e grossos, e meu nome saíra mais como pergunta do que como ordem.

– Sou eu – falei, cuidadosa, procurando um parceiro atrás dele.

Se ele estivesse ali para me prender por suspeita de assassinato, provavelmente não teria vindo sozinho.

O sorriso hesitante dele se tornou mais simpático, esticando as ruguinhas ao redor dos olhos, destacadas pelo sol.

– Sou amigo da sua irmã. Estou trabalhando em um caso no qual você pode ter algum interesse, e Georgia achou que era boa ideia conversarmos.

– Eu? Por que eu? – perguntei, meu corpo meio escondido pela porta, Vero escutando por trás.

O detetive coçou a nuca, seu sorriso quase tímido.

– Cheguei em um beco sem saída e ela achou que você pudesse me ajudar.

Ele olhou por cima do ombro, para a janela da sra. Haggerty.

– Posso entrar? – perguntou.

Ele não me mostrou mandado de prisão, nem leu meus direitos. Não parecia que estava ali para me deter. Abri a porta, esperando não estar cometendo um erro.

– Pode. Claro.

Vero levantou as sobrancelhas, admirando as pernas compridas que entraram no hall. Apontei com o queixo para as escadas, mas ela sacudiu a cabeça em negação. O detetive Anthony parou de repente ao vê-la.

– Perdão. Não sabia que você estaria acompanhada. Eu devia ter ligado antes – falou, e apontou para a porta com o polegar. – Posso voltar depois...

– Não – disse ao mesmo tempo que Vero.

Se ele fosse embora, eu passaria o resto do dia em pânico, sem saber por que ele fora me ver. Era melhor resolver aquilo logo, arrancar que nem Band-Aid.

– Esta é Vero, minha babá...

– Contadora – corrigiu Vero, apertando a mão dele.

– Vero mora com a gente. E já vai subir – falei, olhando insistentemente para ela. – Podemos conversar aqui – continuei, levando o detetive Anthony para a cozinha. – Quer algo para beber? Café, refrigerante, qualquer coisa?

– Refrigerante cairia bem.

Ele tirou a jaqueta corta-vento e eu abri a geladeira. Eu o observei por cima da porta. Um coldre de couro marrom cruzava suas costas, e o cabo da arma preta parecia apontar para mim quando ele se sentou à mesa.

Engoli em seco, com dificuldade.

– Então... Detetive Anthony...

– Por favor, me chame de Nick.

– Nick.

Se ele estivesse ali para me prender, não seria tão informal, certo? Provavelmente não sorriria tanto. Ou talvez sorrisse. Minha irmã dizia que alguns policiais são escrotos assim.

– Você conhece a Georgia? – perguntei.

O gelo tilintou no copo de Coca-Cola que deixei na mesa para ele.

– Conheço, a gente estudou junto na academia de polícia.

Ele não parecia muito mais velho do que a minha irmã. A barba espessa por fazer não era grisalha, e os músculos grossos dos antebraços eram salpicados por pelos escuros, expostos quando ele arregaçou as mangas da camiseta de malha.

– Às vezes a gente sai para beber uma cerveja – continuou. – Você é a escritora, né? Ela me contou muito sobre você. Sobre as crianças, também.

Discretamente, afastei a cadeira um pouquinho antes de me sentar, mantendo a distância.

– Ah, é?

– Não se preocupe. Só contou coisas boas.

Engasguei com uma gargalhada nervosa. Ele também riu, mas senti seu olhar atento absorver cada detalhe meu, e estremeci um pouco.

– Então... você está trabalhando em um caso?

Ele corou, aquela covinha aparecendo inesperada de novo.

– É, isso. O caso. Eu me sinto meio esquisito fazendo isso – falou, quase tímido –, mas Georgia insistiu que você não se incomodaria. Ela achou que talvez pudesse nos ajudar.

Minhas suspeitas mudaram de direção. Talvez não tivesse nada a ver com Harris e Patricia. Não seria a primeira vez que Georgia tentava me juntar com um amigo do trabalho. Olhei de relance para a mão esquerda dele quando ele pegou o copo. Nada de aliança. Nem uma marca suspeita onde a aliança ficaria. Estreitei os olhos.

– Como assim, nos ajudar?

– É um caso de desaparecimento. Você deve ter visto no jornal. O casal de Arlington que sumiu... Harris e Patricia Mickler.

Minha boca secou. O chão rangeu no corredor do segundo andar, onde Vero devia estar escutando.

– Acho que ouvi falar, sim – falei.

– Não tenho nenhuma pista quanto à mulher ainda, mas sabemos que o homem desapareceu de um bar em McLean doze dias atrás. Encontramos o carro dele no estacionamento, junto com a carteira e o celular. Aparentemente, ele saiu para beber com uma mulher, mas ela teve uma emergência e ficou um bom tempo no banheiro. Um garçom se lembra de vê-lo ir embora com outra pessoa. Acreditamos ter sido capazes de identificá-la.

Senti um calafrio.

– Ah, é?

Ele assentiu.

– Ela e Harris eram parte de um mesmo grupo on-line. Ele estava no bar para um evento de networking. A mulher não confirmou presença no grupo, mas o nome da mulher do bar bate com o nome do perfil nas redes sociais, e ela se encaixa na descrição que recebemos dos funcionários.

Um suspiro trêmulo de alívio me escapou. Eles tinham uma suspeita. Não era eu.

– O que isso tem a ver comigo?

– É aí que as coisas ficam estranhas. Ele abaixou a bebida, passando o dedo na água condensada no copo.

– Não digo que ela é suspeita, mas é definitivamente do interesse do caso – continuou.

Seu olhar escuro encontrou o meu e ele falou:

– Acreditamos que Harris Mickler pode ter saído do bar com a noiva do seu ex-marido, Theresa Hall.

Derrubei meu copo, derramando refrigerante na mesa toda. Eu e o detetive demos um pulo ao mesmo tempo, ambos pegando o porta-guardanapos. Peguei um punhado de guardanapos, murmurando pedidos de desculpas, e sequei a bagunça com as mãos trêmulas.

O que eu fizera?

Eu me apoiei na mesa. Nick ofereceu um braço para me ajudar a sentar de novo.

Eu dissera a Julian que me chamava Theresa e que era corretora imobiliária. Eu usara uma peruca loira e o vestido preto de Theresa. Eu nem procurara se tinha alguém conhecido na página do evento onde eu pesquisara Harris, porque havia setecentos membros no grupo. Mesmo na última semana, eu só estava buscando pelos nomes que vira no celular de Harris.

– Tem certeza? – perguntei. – Quer dizer, não parece muito sólido.

– Se não tivéssemos mais informações, seria o caso. Mas o celular de Harris ativou uma torre tarde da noite, em um raio de cinco quilômetros da casa dela.

Não. Não era da casa de Theresa. Era dali. O celular de Harris tocou na minha garagem. Na mesma rua da casa de Steven e Theresa.

– Vocês já falaram com ela? – me ouvi perguntar.

– Eu fui ao escritório dela hoje de manhã. Ela negou veementemente que estava no bar naquela noite. Um barman lá se lembrava de servir uma mulher cuja descrição batia com a dela. Ele deu o nome dela e disse que ela era corretora imobiliária, mas não pediu a identidade, então não podemos confirmar. Todos os indícios que temos até agora são circunstanciais, mas eles vão se somando e Theresa não tem álibi verificável para a noite do desaparecimento de Harris.

– Como assim?

Theresa não estava no bar. Eu tinha procurado Harris em cada canto do lugar. Se ela estivesse lá, eu a teria visto.

– Onde quer que ela estivesse, não quer me dizer. Ela insiste que estava em casa sozinha. E seu mari... – disse Nick, mas se interrompeu para se corrigir. – Steven diz que saiu para encontrar clientes. Ele não pode confirmar que ela estava mesmo em casa.

– Isso não significa que ela não estava.

Eu não acreditava que a estava defendendo, mas a mulher estava prestes a se tornar madrasta dos meus filhos e chegava perigosamente perto de ser acusada de um crime grave.

Ele sacudiu a cabeça, enfático.

– Estou falando sério, Finlay. Já faz um tempo que trabalho nisso, e sou muito bom em sacar as pessoas. Theresa definitivamente estava escondendo alguma coisa. Ela estava quase tremendo de tão nervosa.

– Você é policial – falei, apontando para a arma. – Policiais deixam muita gente nervosa. E mesmo que ela estivesse no bar, que motivo teria para sequestrar Harris?

– Foi aí que eu empaquei.

Nick coçou a barba. Quando voltou a falar, havia um toque de cansaço em sua voz.

– Encontramos umas imagens no celular de Mickler. Ele tinha tirado fotos com dezenas de mulheres, algumas de natureza... íntima, e suspeitamos que algumas não tenham sido tiradas com o consentimento das mulheres.

Fiz meu rosto se manter em uma expressão neutra, cuidando para não demonstrar que eu já sabia. No entanto, Theresa não estava naquelas fotos. Eu olhara todas, com medo de encontrar alguém conhecido.

– Por volta de um ano atrás – continuou Lee –, uma mulher ligou para o disque-denúncia da minha delegacia. Ela disse que tinha sido drogada e estuprada depois de sair para beber com Harris.

– Quem era? – perguntei, tentando não soar ansiosa. – Ela deixou nome?

– O disque-denúncia é anônimo. A operadora da linha tentou convencer a mulher a ir à delegacia fazer um boletim de ocorrência, mas a mulher disse que Harris ameaçou contar ao marido dela que eles estavam juntos. Ela disse que, se o denunciasse, ele estragaria seu casamento. Considerando as fotos no celular, parece que o cara fazia muito disso. Quem sabe quantas mulheres não podem estar por aí, prontas para se vingar de um cara desses? Achei que talvez Theresa estivesse entre elas, mas ela não estava em nenhuma das fotos do celular e, exceto pelo grupo de networking, não encontrei nenhum outro ponto comum entre ela e Harris. Se eu não arranjar um motivo, a investigação vai morrer.

– Ainda não entendi o que isso tem a ver comigo.

Ele afastou o cabelo ondulado e escuro do rosto e esfregou os olhos como se não dormisse havia uma semana.

– Eu provavelmente não devia dizer nada – falou. – Eu não diria, normalmente. Mas ontem à noite fui beber uma cerveja com a Georgia e desabafar. Eu nem fazia ideia que ela conhecia Theresa. Até que ela mencionou sua questão com a guarda. Disse que você e Theresa não se davam nada bem, e que, se eu te perguntasse, talvez você soubesse de alguma coisa.

Uma pontada de desconforto me atingiu.

– O que está pedindo que eu faça?

Ele enfiou a mão no bolso e tirou o cartão de visitas, que deslizou para mim sobre a mesa.

– Sei que Theresa está escondendo alguma coisa. Se me ajudar a descobrir o que é, talvez eu possa juntar provas o suficiente para detê-la. Se eu estiver certo, e ela estivesse mesmo envolvida com Mickler, parece que isso também te ajudaria.

– Como assim, me ajudaria?

– Se Theresa for presa por suspeita de assassinato, o advogado do seu ex-marido provavelmente recomendaria que ele parasse de brigar pela guarda.

– Assassinato? Achei que você tinha dito que Harris estava desaparecido – falei, com cuidado.

Nick entrelaçou os dedos, deixando o cartão intocado entre nós na mesa.

– Faz mais de uma semana que ele sumiu. A esposa também. Não houve pedido de resgate, nem atividade nas contas deles. Como eu disse, faz muito tempo que trabalho com isso.

Ele deixou as implicações pairarem no silêncio que se seguiu.

Peguei o cartão de Nick, passando o dedo pelas bordas pontudas. Seria muito fácil armar para Theresa ser pega pelo meu crime. Talvez ela merecesse perder o futuro marido e a futura família. Afinal, ela não se importou em roubar a minha. No entanto, o que quer que eu pensasse a respeito, ela ia ser esposa de Steven, madrasta dos meus filhos. Ela podia ter feito muitas coisas horríveis, mas sequestrar e matar Harris não estava na lista.

Fora eu quem trouxera Theresa para os holofotes, mesmo sem querer. Usara o nome dela, as roupas dela. Passara de muitos limites nas duas semanas anteriores, mas, se eu deixasse Nick prendê-la pelos meus erros, que tipo de monstro seria?

Era isso. Este era o limite do qual não podia passar. Eu não podia trazer Harris de volta à vida, mas podia impedir que outra pessoa pagasse o pato.

Segurei o cartão de Nick contra o peito.

– Vou dar uma fuçada e ver o que descubro.

– Que ideia horrível.

Entre o piscar das luzes, os gritos das crianças e os berros dos videogames, eu estava a um fliperama de uma enxaqueca. Eu tinha cometido o erro de deixar minha irmã escolher onde nos encontraríamos para nosso almoço mensal. Suponho que aquela casa dos horrores robótica a interessava por não exigir que ela distraísse Zach por uma hora enquanto ele ficava amarrado à cadeirinha que nem em uma camisa de força. Pelo menos ali podíamos soltá-lo.

– Quem dirige, escolhe – lembrou Georgia, limpando uma mancha de gordura da camisa com um montinho de guardanapos de papel.

– É fácil você dizer isso – falei, distraída, olhando para o celular.

Ainda não tinha mensagens de Vero. Não podia ser boa coisa.

– Você tem as chaves do veículo de fuga – acrescentei.

Quando a minivan pifou de manhã, eu dei minhas chaves para Vero e pedi a ela que chamasse o primo Ramón para rebocá-la para a oficina. Na volta para casa, ela devia passar no banco e pedir um empréstimo de quinze mil dólares para devolvermos à esposa de Andrei Borovkov – isso, ou vender o carro. Ela escolhera o empréstimo. Vero deveria marcar uma reunião com a sra. Borovkov, educadamente recusar o acordo e devolver o adiantamento que ela nos pagara. Eu, pelo menos, me sentiria muito melhor quando o dinheiro sujo daquela mulher estivesse longe da minha casa.

– As crianças estão se divertindo. E você disse que queria comer pizza.

As sirenes e luzes não incomodavam Georgia em nada. Ela dobrou um pedaço de pizza gorduroso e enfiou na boca enquanto eu tentava ficar de olho em Delia e Zach, pendurados no trepa-trepa que passava acima das nossas cabeças.

– Como anda a pesquisa para o livro? – perguntou ela.

– Foi por isso que você mandou o Nick me ver? Para eu ter outra pessoa para importunar com minhas perguntas esquisitas?

– Eu mandei o Nick te ver porque a noiva do Steven está envolvida em uma investigação de desaparecimento de alta importância – disse ela, mastigando –, e não gosto da ideia de os meus sobrinhos passarem tanto tempo por lá até descobrirmos qual é o papel de Theresa.

– Então você mandou Nick ficar de olho em mim?

Ela engoliu com a ajuda de um gole de refrigerante.

– Digamos que Nick se ofereceu.

Eu me larguei no encosto do banco.

– Ótimo, agora tenho uma babá.

– Ele não é sua babá. É um detetive. Um ótimo detetive – disse ela, apontando com o canudo. – E, já que vocês dois têm interesse em confirmar que Theresa não é criminosa, achei que poderiam se ajudar.

– É só isso?

– Considere um favor para mim, caso te ajude.

– Desde quando eu te devo favores?

– Desde que cuidei dos seus filhos duas semanas atrás.

Abri a boca para discutir, mas fechei ao ver o olhar incisivo de Georgia.

– O parceiro do Nick vai ficar um tempão no hospital. Câncer – explicou, solene. – Nick está solitário. Ele precisa de companhia.

Minha irmã sempre mentiu muito mal.

– Então você está se fazendo de cupido.

Georgia deu de ombros.

– Ele é um cara legal, Finn. Solteiro, sincero e devidamente empregado. – Ela lambeu a gordura da pizza dos dedos. – O seguro-saúde e a aposentadoria são bons na polícia, sabia?

– Eu não preciso de babá *nem* de marido. Estou ótima.

O ceticismo caía bem em Georgia, como uma camisa preferida. Apontei para ela com o queixo.

– E você? Quando vai arranjar uma esposa? Faz uma década que não namora ninguém, mas eu não te encho o saco.

– Para de ser hiperbólica. Não faz uma década.

Levantei uma sobrancelha quando ela enfiou o resto da pizza na boca e bati os dedos contra meus braços cruzados enquanto ela mastigava. Ela se recostou no banco e limpou as mãos.

– Faz dezoito meses, se você quer saber – falou. – E eu não preciso de esposa. Tenho aposentadoria e plano de saúde. Você, por outro lado...

– Sério, Georgia, estou ótima.

– Ótima?

– Vendi um livro. – Georgia fez uma careta. Ela deu um soco no peito e soltou um arroto. – Que lindo – comentei. – Se continuar assim, daqui a pouco vai ser mesmo uma década.

Ela revirou os olhos.

– Achei que seu livro já estava vendido – falou.

Eu já tinha vendido vários livros antes, mas, depois da comissão de Sylvia e do imposto, o que restava mal era suficiente para um jantar e uma pedicure decente.

– Foi um acordo melhor.

Ela tomou um gole longo e desinteressado de refrigerante.

– Ah, é? Quanto?

– Cento e cinquenta mil por dois livros.

Georgia ficou boquiaberta. Uma gota de gordura escorreu pelo queixo.

– Fala sério.

– É sério. Tenho menos de trinta dias para entregar um rascunho para Sylvia, então não tenho tempo para me meter nessa corrida maluca com o seu amigo.

Georgia bateu na mesa.

– Puta que pariu, Finn! Você conseguiu!

Eu me encolhi quando a mãe na mesa ao lado se virou para nos olhar com raiva.

– Não acredito – continuou Georgia. – Naquela noite em que você me pediu que cuidasse das crianças, achei que só quisesse um tempo sozinha. Não achei que você estivesse mesmo trabalhando nem nada.

– Obrigada pela confiança.

Ela amassou um guardanapo e jogou em mim.

– Sério, Finn. Estou muito orgulhosa de você.

Era verdade. Eu via no brilho dos olhos dela. A última vez que Georgia me olhara daquele jeito fora no dia do nascimento do Zach. Antes disso, no da Delia. Era o mesmo olhar dos meus pais quando Georgia tinha se formado na academia de polícia e cada vez que fora promovida desde então. Senti a garganta arder de orgulho agridoce, que disfarcei com um gole de refrigerante. Eu finalmente escrevera uma história digna, mas que provavelmente me levaria à prisão.

– Já ligou para contar a notícia para a mamãe e o papai? – perguntou.

Sacudi a cabeça em negação, mexendo no canudo.

– Você sabe o que eles acham disso.

De acordo com minha mãe, tudo bem ter um hobby enquanto era casada, mas, desde que Steven se fora, os dois tinham deixado bem claro que escrever livros era uma decisão profissional irresponsável. Eles viviam me mandando prestar concurso público.

Georgia se inclinou sobre a mesa e abaixou a voz.

– Agora que entrou um bom dinheiro, talvez possa se livrar dessa confusão de guarda com o Steven e a Theresa. Com sorte, você e o Nick vão descobrir onde ela estava naquela noite. Talvez isso resolva tudo.

Engoli uma gargalhada triste. Ah, resolveria tudo mesmo. Se Nick seguisse os rastros e encontrasse o corpo de Harris, eu daria sorte se visse meus filhos de novo.

Neguei com a cabeça.

– Theresa pode ter feito muita merda, mas, honestamente, não acho que tenha feito isso. Inocente até que se prove o contrário, não é?

Georgia chupou um dente.

– Se ela não estava no bar, não tem nada a esconder.

Nada a esconder. Exceto a pá no galpão, a pesquisa no laptop, o corpo enterrado na fazenda do noivo. Theresa estava em maus lençóis e nem sabia. Tudo de que precisava para provar a inocência era um bom álibi para a noite em que Harris desaparecera. O que significa que tudo de que eu precisava para mantê-la livre era descobrir onde ela estivera naquela noite.

O sedã azul-marinho estacionado na frente da minha casa era suspeito de tão discreto. Parecia o do detetive Anthony, com menos antenas e um pouco mais de ferrugem. Fui tomada por uma onda de ansiedade.

– Está esperando alguém? – perguntou Georgia, parando atrás do carro depois do almoço.

– Provavelmente algum amigo da Vero. Obrigada pela carona. Te ligo mais tarde.

Tirei as crianças do banco de trás e apertei o código do carro da garagem. O Charger da Vero estava lá, mas a minivan, não.

Vero estava sentada à mesa da cozinha, comendo os últimos biscoitos Oreo do pacote. Zach saiu voando para o quartinho de brinquedos, se soltando do casaco enquanto corria. Peguei o casaco de Delia no chão e o pendurei na cadeira, esperando eles estarem bem longe do cômodo antes de perguntar:

– Cadê a minivan?

Ela olhou de relance para mim, tomando um copo de leite.

– Ramón está esperando umas partes novas. Ele te emprestou um carro até lá.

Minha ansiedade se esvaiu com um suspiro longo e exausto.

– Que legal. Qual é a má notícia?

Eu me sentei na frente dela e ela botou um recibo na mesa.

– Precisa de muitos consertos.

Dei uma olhada na nota. A única coisa surpreendente era o valor.

– Ai.

Ela bebeu o finzinho do leite e deixou o copo na mesa com um suspiro desanimado, como se desejasse ter mergulhado os biscoitos em alguma coisa mais forte.

– A boa notícia é que não teremos dificuldades para pagar.

Vero se levantou e tirou um zip-lock grosso do congelador. Ela o largou na mesa com um baque gelado. Senti um calafrio.

– O que é isso?

O conteúdo era retangular e verde, mas eu sabia que não era espinafre congelado.

– Eu encontrei Irina. Tentei explicar. Falei que tínhamos cometido um erro, que não sabíamos quem era o marido dela. Falei que o trabalho era perigoso demais e íamos devolver o adiantamento. Ela achou que era um truque para negociar e pedir mais dinheiro já que tínhamos descoberto para quem Andrei trabalhava e o quanto valia. Então ela dobrou a oferta e se recusou a ouvir não.

Eu caí numa cadeira, tonta.

– Não. Não, não, não, não, não!

Apertei as têmporas e sacudi a cabeça. A voz de Vero foi mais alta do que os gritos na minha mente dizendo que aquilo não podia estar acontecendo.

– Eu juro que tentei, Finlay! Eu praticamente enfiei o dinheiro na mão dela, mas ela não aceitou. Ela disse que você pode fazer como quiser, mas precisa fazer. Logo.

Abaixei a voz para as crianças não ouvirem.

– Andrei Borovkov é um assassino *profissional* de sangue-frio! Já pesquisou ele no Google? Ele foi preso mês passado por queimar um homem vivo! Seis meses antes, foi acusado de desmembrar um cara em um estacionamento e executar todas as testemunhas com tiros. Sem falar nos três homens encontrados com os pescoços cortados naquele galpão em julho!

– Ele não foi condenado por nada – disse ela, na defensiva. – Talvez não seja tão perigoso quanto parece.

– Ele se safou porque alguém manipulou as provas, Vero! Porque Feliks Zhirov paga propina para a polícia! Como vou matar um executor da máfia?

– Perguntei o mesmo para Irina. Ela disse que você vai dar um jeito, só precisa da motivação certa.

Vero ficou meio esverdeada, a boca seca suja de migalhas de Oreo.

– Que motivação é essa? – perguntei, irritada. – Mais dinheiro?

– Não exatamente.

Ela encarou o pacote vazio de biscoito, atordoada, e um pavor congelante me tomou.

– Que tipo de motivação?

– Temos que acabar com o marido dela nas próximas duas semanas, ou...

Vero engoliu em seco.

– Ou o quê?

O olhar que ela ergueu para mim brilhava de medo.

– Ou Irina vai contar para o marido que roubamos o dinheiro. E vai mandar ele atrás da gente.

Só havia uma coisa a fazer a respeito de Irina Borovkov, e era conversar cara a cara com ela, como adultas. Nada de intermediários. Nada de disfarces. Nada de envelopes cheios de dinheiro. Eu simplesmente explicaria que Patricia se enganara ao me contratar, que eu não era quem ela imaginava. Explicaria também que eu não matara Harris Mickler, que alguém invadira minha garagem e fizera aquela última parte, e que, portanto, eu não tinha as qualificações (ou a disposição) para assassinar seu marido-problema.

E depois?

Depois eu tomaria a atitude mais madura: eu jogaria a mochila de dinheiro nela e sairia correndo antes que ela pudesse me impedir. Posse era noventa por cento da lei. Não sabia bem qual lei, nem se a máfia seguia leis, mas matemática era matemática, quem quer que segurasse a calculadora. Se eu não tivesse o dinheiro de Irina Borovkov, ela não teria o que usar para alegar que eu a roubara e não mandaria o marido assustador me degolar.

O estacionamento do Tysons Fitness Club estava lotado de carros importados reluzentes, cujos financiamentos provavelmente eram mais caros do que a hipoteca da minha casa. Parei o carro emprestado de Ramón entre um Audi e um Porsche, cuidando para não esbarrar na porta de ninguém ao sair. O sedã enferrujado não combinava com o ambiente. Nem eu, aparentemente. Meus dedos estavam pálidos de segurar as tiras da mochila de princesas da Disney de Delia no caminho para a recepção. Tinha que ser o clube certo. O nome e o logo eram iguais aos do moletom no armário de Patricia no abrigo, mas aquele lugar não era nada a cara de Patricia Mickler. Por dentro, era tudo muito luxuoso, com um bar de sucos no saguão, um pátio com fonte, e corredores compridos e iluminados, com claraboias de mosaico. Eu não conseguia imaginar Patricia andando por ali de sainha de tênis e sorriso falso, mas, baseada na descrição que Vero fizera da esposa de Andrei, eu conseguia imaginar Irina Borovkov ali perfeitamente.

A mulher na fila atrás de mim soltou uma gargalhada de desprezo. Olhei para trás de relance e a vi analisar minha mochila, meu cabelo e meus tênis. Ajeitei a mochila de Delia no ombro e ignorei as risadinhas e os olhares das mulheres que passavam por ali. Se soubessem quanto dinheiro estava naquela mochilinha da Disney, ou o que eu fizera para ganhá-lo, não sorririam tanto assim.

– Posso ajudar?

A recepcionista jovem e animada usava muita maquiagem e uma polo com o logo do clube. Um leitor de digitais piscava em vermelho no balcão.

– Espero que sim – falei, olhando com desconfiança para o leitor. – Estou interessada em fazer uma aula de Pilates. A instrutora me foi recomendada por uma amiga... Irina Borovkov? Liguei mais cedo e a recepcionista mencionou que a próxima aula era às dez. Eu gostaria de experimentar para ver se gosto, antes de me inscrever.

Eu tinha visto um vídeo de Pilates de manhã, e Vero estava certa: dava para aprender de tudo no YouTube. Eu estava preparada.

– Você sabe se a Irina está por aqui? – perguntei.

– Reenie? Claro, ela acabou de chegar. Mas hoje ela vai fazer aula de spinning. Começa daqui a dez minutos. Quer que eu chame ela para você?

Ela foi pegar o telefone da mesa, mas eu a interrompi antes que pudesse fazê-lo.

– Não, não, não precisa!

Surpresa provavelmente era a abordagem mais sensata. Afinal, o que eu pediria a ela que dissesse? "Atenção, sra. Borovkov. A assassina de aluguel que a senhora contratou está te esperando no saguão." Forcei um sorriso.

– Vou só encontrá-la na aula mesmo, obrigada – falei.

– Vai precisar de sapato?

Dei uma olhada nos meus tênis e recusei com a cabeça.

– Ótimo, então só preciso que preencha essas liberações de saúde e segurança. Quando acabar, vou precisar registrar sua digital rapidinho. O vestiário feminino é à direita, no fim do corredor, e os treinadores podem te mostrar onde será a aula.

– Obrigada.

Peguei a prancheta e preenchi um nome e um endereço falsos enquanto ela atendia a pessoa na fila atrás de mim. Aproveitando que ela estava distraída, larguei a prancheta no balcão e corri para o vestiário antes que ela pudesse pedir minha digital.

Fiquei de cabeça baixa, levantando o olhar só para procurar, nas salas de ginástica, o rosto cirurgicamente esculpido e o cabelo liso e escuro que Vero descrevera.

Um grupo de mulheres se aglomerara em um corredor comprido ladeado por quadras de raquetebol bem iluminadas. Uma a uma, entraram em uma sala. Vislumbrei cabelo preto entre elas e corri para alcançá-las. O dinheiro de Irina quicava nas minhas costas quando me enfiei na fila para a sala de spinning.

Eu me misturei ao movimento, cuidando para não pisar no pé de ninguém. Estavam todas usando os mesmos sapatos pretos, parecendo sapatilhas com velcro e sola de chuteira. Meus tênis brancos se destacavam em contraste, tão deslocados quanto a mochila de Delia.

Segui o rebanho até uma sala quadrada e escura onde fileiras de bicicletas ergométricas eram iluminadas por lâmpadas roxas pendendo dos canos estilosamente expostos no teto. Todas as mulheres ao meu redor escolheram bicicletas. Elas subiram, ajustando os assentos e encaixando garrafas d'água nos suportes, conversando animadamente e se alongando nos pedais.

A instrutora subiu em uma bicicleta no meio da sala, testando o volume do microfone acoplado aos seus fones de ouvido. Vislumbrei o cabelo de ônix de Irina quando ela se abaixou para prender os sapatos no estribo dos pedais. O rabo de cavalo reluziu arroxeado sob a luz negra quando a sala escureceu, e eu corri até a bicicleta ao lado dela quando a música começou.

– Está ocupada?

As caixas de som atrás de mim berravam um ritmo de tecno. Perguntei de novo, falando mais alto.

Irina olhou para mim. Ela sacudiu a cabeça e abriu um sorriso plácido, erguendo as sobrancelhas ao ver meus tênis branquíssimos. Ela não olhou de volta para meu rosto, nem deu sinal de me reconhecer. Que bom. Sala escura, muita gente, música alta. Ela não me veria muito bem e provavelmente não seríamos entreouvidas.

Firmei os pés nos pedais, meus tênis brancos-neon começando a fazer círculos lentos enquanto eu pedalava. Observando Irina pelo canto do olho, imitei seus movimentos. Vendo a instrutora gritar uma série de comandos ao grupo, pensei que não seria tão difícil.

A turma se levantou em uníssono, pressionando os pedais como uma onda, e se abaixou de novo, as luzes piscando no ritmo da música, de roxo para verde e então azul. Tentei entrar no ritmo, subindo e descendo com elas, mas estava sempre um pouco atrasada. Os rostos das colegas ao meu redor estavam focados, concentrados. Era agora ou nunca.

– Irina – chamei, o mais alto que ousei, forte o bastante para ser ouvida em meio à música.

Ela virou a cabeça milimetricamente, a única indicação de que me escutara.

– Você conheceu minha amiga – falei, ofegante, pedalando. – Você deu dinheiro para ela e pediu para eu fazer um trabalho. Mas acho que houve um engano. Eu gostaria de conversar.

Irina olhou para meus braços, minhas pernas e meus sapatos, que deslizavam dos pedais. Ela mal suava.

– Não houve erro algum – disse ela, sua voz sombria e severa como seu olhar, as palavras rápidas e com sotaque forte. – O dinheiro é seu – insistiu, erguendo o queixo pontudo, a franja lisa caindo em camadas retas ao redor do rosto. – O restante chega depois do trabalho. Não há o que conversar.

– Prontas para acelerar, meninas? – gritou a instrutora para o grupo.

Gritinhos alegres irromperam quando o ritmo aumentou. Tentei acompanhar, me levantando atrasada em relação à onda, minha bunda batendo no assento e os pedais escapando. O estribo apertou meu calcanhar, me machucando, antes que eu conseguisse pegar o pedal de novo. Eu não estava ganhando bem o suficiente para estar ali.

– Então... é esse o problema – ofeguei. – Não sou quem você imagina. Não estou apta a fazer o tipo de trabalho que você contratou.

– Não foi o que Patricia disse. Ela falou que você era competente. Direta.

– Ela estava enganada.

– Acho que não. Patricia conhece a profissão do meu marido. Ela não te recomendaria se não confiasse na sua aptidão para o trabalho.

– Mas não fui eu!

Soltei o guidão com uma mão, que levei ao peito. O gesto me custou meu equilíbrio, e escorreguei de novo. Enfiei o pé de volta no estribo.

– Não fui eu quem... – comecei, olhando ao redor e abaixando a voz o quanto podia em meio ao grave persistente do baixo. – Não fui eu quem completou aquele trabalho.

Suor escorria pelo meu pescoço e minhas coxas estavam ardendo.

– Podemos ir a um lugar mais reservado para que eu explique? – perguntei. – Tenho algo que pertence a você e gostaria de devolver.

Pedalando, olhei de relance para a mochila da Disney no chão entre nós.

– Não há o que explicar – disse ela, abaixando e subindo de novo, perfeitamente sincronizada com a turma. – O "problema" com o marido de Patricia foi resolvido, não?

– Não – falei, arfando. – Quer dizer, foi. Mas...

Olhei para os lados, ansiosa, mas as outras mulheres estavam inteiramente concentradas na instrutora, subindo e descendo, pedalando que nem loucas. A música era tão alta que eu mal conseguia pensar.

– Aumentem a tensão! – gritou a instrutora.

Irina ajustou o botão entre os joelhos e se inclinou contra o guidão, a bunda bem acima do assento.

Forcei minhas pernas, determinada a acompanhar. Meus pedais voavam que nem monstros vivos e famintos. Acelerei, com medo de parar e eles arrancarem meus calcanhares.

– Você é minha única opção – disse ela, a testa começando a brilhar de suor, enquanto minha gola já estava encharcada. – Meu marido conhece todo mundo na sua área. Mas você – disse ela, sorrindo. – Você, ele não conhece. Vai ser fácil. Ele não esperará nada de alguém com seu... – Meus sapatos escorregaram perigosamente dos pedais e eu quase saí voando da bicicleta. Ela sorriu ainda mais. – Seu talento modesto – concluiu.

Ótimo. Que ótimo. Para ela, eu não só era qualificada, como era perfeita para o trabalho.

– Mais tensão!

"Não, cacete. Nada de tensão!"

– Você não está com medo de alguém descobrir?

– Quem? Feliks? – perguntou, me pegando de surpresa.

Ela abanou a mão, desmerecendo a preocupação, sem perder o ritmo.

– Feliks não se envolve em problemas domésticos – falou. – Se Andrei for descuidado o suficiente para ser subjugado por um rostinho bonito, Feliks certamente concordará que Andrei merece o que acontecer. Andrei tem sido imprudente. Ele se tornou um risco. É sorte dele Feliks não ter cuidado disso sozinho.

– Força, gente! – berrou a instrutora. – Mais força!

Ela estava de brincadeira? Eu não fazia força assim desde o parto de Zach.

O grupo gemeu com um impulso coletivo de velocidade, parecendo saído de um pesadelo. Eu não sentia minhas pernas, mas todo meu corpo doía. Irina se inclinou mais para a frente com um sorriso feroz e a sala tomou a cor e o tom de uma boate. Luzes piscavam, sirenes soavam, o baixo ecoava. Meu coração estava prestes a sair do peito.

– Eu te respeito por recusar – disse ela, mais alto que a música. – Entendo sua posição.

– Entende?

– E te respeito por pedir mais.

– Eu não... Não pedi...

– Isso aí! Mais um pouco, meninas! – rugiu a instrutora.

– Não – arquejei. – Não quero mais.

Irina sorriu, a endorfina relaxando a expressão severa em seu rosto. Ela parecia estar se divertindo. A mulher era masoquista.

– É difícil ser mulher em um mundo de homens – disse ela, em meio à música. – Somos condicionadas a acreditar que não merecemos. Mas é por isso que confio em você. Você fará esse trabalho para mim. E eu pagarei o que Feliks pagaria a qualquer homem pelo mesmo trabalho. Nós, mulheres, precisamos nos apoiar. É o motivo para Patricia ter me dado seu número. Porque ela entendia.

– Você não está nem um pouco preocupada com ela? – ofeguei.

– Por que me preocuparia?

– A polícia está procurando por ela. E se a encontrarem?

– O que te faz crer que restou o que encontrar?

Parei de mexer as pernas, meus pés carregados pelo ímpeto giratório dos pedais, enquanto as palavras dela giravam na minha cabeça.

– Como assim?

Os olhos de Irina eram frios e cortantes, o queixo erguido, acima de julgamento ou remorso.

– Patricia Mickler não existe mais. Eu garanti.

Eu não conseguia respirar o suficiente para falar. Olhei ao meu redor, me perguntando se alguém ouvira o que Irina Borovkov confessara, mas todos os rostos da sala estavam voltados para a instrutora. Todos, menos o de Irina. O sorrisinho torto estava virado de lado, para mim. Uma gota de suor escorreu pela têmpora dela. De alguma forma, ela parecia tranquila mesmo assim, como se sua frequência cardíaca não fosse nada afetada por aquilo.

– É melhor para todo mundo – disse ela. – Para você, também. Patricia sempre foi medrosa, facilmente intimidada. Se a polícia insistisse, ela poderia dizer alguma tolice. Seria muito ruim para nós duas.

Fiquei boquiaberta, as pernas bambas, tentando acompanhar. Patricia Mickler estava morta. Irina a matara só para impedi-la de falar. Para acobertar um crime que eu nem cometera. Achei que elas eram amigas. Que história era aquela de apoiar mulheres?

A música atingiu um tom frenético, as trovoadas do baixo roubando cada fôlego e som. Meu peito ardia. Minha boca estava tão seca que eu não conseguia formar palavras. Disse a mim que seguiria Irina ao vestiário depois da aula. Que devolveria a mochila de dinheiro e diria que nunca mais queria vê-la. O que tinha acontecido com ela e Patricia não tinha nada a ver comigo. Gritei de alívio quando a música parou e as mulheres à nossa frente saíram das bicicletas. Irina se virou para mim, secando o rosto com a toalha.

– Entre em contato quando acabar.

Ela passou a perna pela bicicleta ergométrica, jogou a toalha sobre o ombro e se dirigiu para a porta antes que eu pudesse retomar o fôlego e falar.

– Não! Espera! – chamei.

Passei o pé para o outro lado da bicicleta, tropeçando na mochila de Delia. Minhas pernas cederam e eu caí ao chão, desajeitada e encharcada de suor. A ciclista à minha frente se virou, oferecendo a mão para me ajudar a me levantar. Perdi Irina de vista quando ela saiu da sala. Com as pernas bambas, corri para a saída, a mochila pesada contra minha camisa fria e molhada. Quando cheguei ao corredor, Irina se fora.

Cambaleei até o bebedouro e fechei os olhos, bebendo goles de água gelada com gosto de cobre, tentando engolir o nó na garganta. Peguei um pouco de água na mão e joguei no meu rosto suado, desejando acordar e descobrir que a conversa toda fora um pesadelo. A mulher que me contratara para matar Harris Mickler – a única pessoa que podia tanto me condenar quanto me exonerar – morrera e eu não sabia bem o que sentir. Só sabia que Irina Borovkov era tão perigosa quanto o marido, e eu estava com o dinheiro dela.

Eu não sabia o que aconteceria comigo se eu não completasse o trabalho. Ou, pior, o que ela faria comigo se eu completasse.

Todos os ossos do meu corpo rangeram quando eu me endireitei e me virei, dando de cara com a pessoa atrás de mim na fila do bebedouro.

O homem segurava uma raquete e, com a outra mão, levantava a barra da camisa para secar o suor da testa. Um abdômen musculoso e bronzeado reluzia sob a roupa. Minha garganta sufocou qualquer pensamento coerente quando a camisa voltou ao lugar e Julian Baker passou a mão nos cachos. O rosto dele estava corado de esforço, o cabelo loiro-mel escurecido pelo suor.

Abaixei o rosto, deixando o cabelo que se soltara do rabo de cavalo cobrir minha cara. A universidade dele ficava perto dali. Eu fora idiota de nem considerar a possibilidade de encontrá-lo, ou o que aconteceria se encontrasse.

Eu dei um passo para o lado quando ele se afastou para me deixar passar. Acidentalmente pisamos nos pés um do outro.

– Desculpa – murmurei quando ele me ajudou a me equilibrar.

– Não, não se desculpe. Foi culpa minha, eu não estava prestando atenção.

O toque dele no meu braço era suave. Desviei o olhar quando ele abaixou o rosto, tentando me ver melhor. Dar meia-volta e sair correndo seria suspeito... e mal-educado. Por outro lado, se ele descobrisse quem eu era, e se me visse ali, na mesma aula de Irina Borovkov, sua próxima conversa com o detetive Anthony seria (como Irina dissera) muito ruim para nós duas. Talvez ele não tivesse visto de que sala eu saíra. Se eu fosse embora logo, talvez ele não me reconhecesse.

– Spinning, é? Essa aula é de matar – disse ele, ofegando, apontando vagamente com a raquete para a sala da qual eu saíra.

– Nem me fala.

Eu me virei, o rosto para baixo e para o lado, apertando o passo na direção do vestiário.

– Espera – chamou ele, apertando o passo também. – Eu te conheço?

– Acho que não.

Eu não estava usando maquiagem nenhuma. Estava com calor, com a pele manchada e provavelmente vermelha que nem um pimentão, com o cabelo castanho sem vida, sem peruca, e as olheiras de noite virada inteiramente expostas.

– Tem certeza? – perguntou ele, alguns passos atrás de mim.

Parei, dividida entre olhá-lo uma última vez e fugir. O sorriso dele era suave, o rosto, bondoso, e ele estava suado o suficiente para eu ver o desenho de todos os músculos por debaixo da roupa.

– Tenho certeza que eu me lembraria.

– É que... Você parece conhecida.

A voz dele estava bem próxima quando cheguei à porta do vestiário. Próxima o bastante para eu sentir o cheiro de suor limpo na pele dele, ouvir a respiração ainda um pouco pesada de esforço.

Eu não devia me virar. Eu *definitivamente* não devia me virar. Vero estava certa. Comunicação com Julian era um perigo bobo. Especialmente porque Nick fora interrogar os funcionários do Lush. Julian era a única pessoa que poderia me identificar com certeza se descobrisse quem eu era. Ainda assim, parte de mim queria me virar e contar tudo para ele.

Olhei por entre a cortina de cabelo, o bastante para ver seus olhos se estreitarem, tentando encaixar as peças de quem eu era.

– Eu preciso ir – falei, apertando a mochila contra o peito e empurrando a porta para entrar no vestiário. – Acho que estou atrasada para... alguma coisa.

Entrei e me encostei na porta. Quando olhei ao redor do vestiário, Irina já tinha ido embora.

– Não acredito que Patricia Mickler está morta – disse Vero. – Ela estava curvada no banco do motorista do Charger, de olho na porta da imobiliária de Theresa. Tínhamos posicionado o carro estrategicamente no lado mais distante do estacionamento. Zach balbuciava sozinho atrás de nós, mastigando salgadinhos e vendo desenho animado no celular de Vero. – Não sei se é boa ou má notícia – comentou.

– Como pode ser boa notícia?

– Se a encontrarem, ela não pode te dedurar.

– Não, mas Irina pode.

Se eu não matasse o marido dela, Irina certamente passaria por cima de mim com o mesmo carro que usara para esmagar Patricia.

– Você acha que ela mandou o marido matar Patricia?

Estremeci ao pensar naquela faca na porta dos fundos.

– Provavelmente.

Irina me colocara em uma situação impossível, forçando-me a lidar com Andrei antes de dar a Andrei um motivo para lidar comigo. No entanto, eu nem tinha tempo para pensar naquilo. Primeiro, precisava descobrir o álibi de Theresa, para que, no caso provável de minha morte prematura, meus filhos tivessem com quem morar.

Eu me remexi no assento e olhei a hora, arrependida da segunda xícara de café que tomara mais cedo. Delia só ficaria na pré-escola até a hora do almoço, mas nada de emocionante tinha acontecido na hora que tínhamos passado ali.

– Preciso fazer xixi – falei.

– Você não pode fazer xixi. Estamos de tocaia.

– Não estamos de tocaia.

– Estamos, sim. E este é um veículo de tocaia.

– Minha bexiga não está nem aí.

– Se você mijar no meu carro novo, vou te matar por uma questão de princípio.

Fácil falar. Ela tinha vinte e dois anos e nunca tinha tido filhos. Provavelmente conseguiria segurar o xixi até a menopausa.

– A gente nem sabe o que está procurando – resmunguei.

– Você ouviu o detetive gato. Estamos procurando qualquer coisa suspeita.

– Não faria mais sentido perguntar para Theresa onde ela estava naquela noite?

Vero me olhou com desdém.

– Quando Theresa Hall já foi honesta com você? Você acha mesmo que ela vai te falar o que estava fazendo numa terça à noite qualquer, sendo que nem te falou que estava dando pro seu marido o ano passado todinho?

Eu me afundei mais no assento. Minha bunda estava dormente já fazia meia hora.

– Theresa está aqui, Steven está na fazenda. Por que não vamos fuçar na casa deles?

– Primeiro – disse Vero, levantando um dedo –, porque isso é invasão de domicílio e não fomos pagas para isso. Segundo, porque, se ela estava metida em alguma coisa esquisita quando Steven estava trabalhando naquela noite, não teria deixado indícios em casa, onde ele poderia encontrar. Nem Theresa é burra assim. Qualquer coisa incriminadora estaria no laptop ou no celular e ela provavelmente está com...

– É ela – falei, me afundando mais quando as pernas compridas e os saltos altos de Theresa apareceram atrás das portas de vidro.

As portas duplas se abriram. Um homem de terno caro saiu atrás dela.

– Puta que pariu – falei. – Aquele é Feliks Zhirov.

O carro preto já conhecido parou na frente deles. Andrei saiu do banco do motorista para abrir a porta de Feliks. Theresa estendeu a mão para Feliks, em um gesto puramente profissional, mas Feliks aproveitou para puxá-la para mais perto, cochichar no ouvido dela e dar um beijo na bochecha. Ela corou, com um olhar ansioso para as janelas do prédio logo atrás.

– Acho que o clima ali vai um pouco além do profissional – disse Vero.

Feliks olhou longamente para Theresa, como se a avaliasse, ao entrar no banco de trás do carro. Assim que o Town Car se afastou, Theresa seguiu para a BMW.

– O que você acha que isso significa? – perguntou Vero.

– Não sei.

Eu só sabia que não queria que o detetive Nick Anthony descobrisse aquilo antes de mim. Peguei a bolsa de fralda no banco de trás e a revirei em busca da peruca, que amarrei com o lenço na cabeça antes de roubar os óculos escuros espelhados do rosto de Vero.

– Fique aqui. Já volto – falei.

– Aonde você vai? – sibilou Vero, quando pus os óculos no rosto e saí do carro.

– Descobrir o que Theresa estava fazendo com Feliks Zhirov.

Além do que ela estava fazendo na noite em que eu fora ao Lush. Atravessei o estacionamento e entrei no vestíbulo da imobiliária antes de mudar de ideia. A recepcionista levantou o olhar quando me aproximei da mesa.

– Posso ajudar?

Abaixei os óculos só o bastante para olhá-la por cima da armação.

– Sou a assistente do sr. Zhirov. Ele acabou de se reunir com a sra. Hall e esqueceu algo importante no escritório. Ele me pediu que pegasse.

Pus os óculos de novo. A mulher fez menção de pegar o telefone.

– Ela acabou de sair. Vou ligar para o celular e...

– Não! – falei, rápido demais, antes de tomar um segundo para me recompor. – Não é necessário, e o sr. Zhirov não tem tempo para esperar. Posso pegar.

Andei na direção das portas de vidro que davam para dentro do escritório, requebrando o quadril com propósito, desafiando ela a me impedir.

– Qual é a sala dela? – perguntei, por cima do ombro, abrindo as portas.

– É a última à esquerda – gaguejou a mulher. – Tem certeza que não posso...

A porta bateu atrás de mim. Com a cabeça baixa, passei por fileiras de cubículos e parei ao chegar à sala de canto no fundo. Girei a maçaneta, rezando para estar destrancada. A porta se entreabriu. Pela fresta, vi quatro mesas – um escritório compartilhado. Três das mesas estavam vazias. Só uma corretora trabalhava, de costas para mim, falando ao telefone. Entrei rapidamente, tomando o cuidado de não fazer barulho.

Não foi difícil encontrar a mesa de Theresa. Era impecável, assim como a casa, a superfície decorada com as fotos do noivado em porta-retratos.

Nada de agenda ou calendário, só um computador e um móvel porta-arquivo. Olhei por cima do ombro para conferir se a mulher ainda estava de costas e mexi no mouse. A tela esperava uma senha.

Merda. Eu não fazia ideia de qual era a senha de Theresa, nem tinha tempo para chutar. Eu só sabia com certeza que Theresa nunca deixava a roupa suja exposta. Abri a gaveta da escrivaninha. Pacotes de chiclete abertos, canetas mordidas, clips de papel soltos, algumas moedas, post-its amassados... Eu os revirei e encontrei uma pilha fina de pastas e um bloco de notas amarelo. As páginas do bloco estavam cheias de anotações quase ilegíveis. Passei pelas pastas, peguei a com o nome de Zhirov na etiqueta e guardei as outras. Folheei o conteúdo rapidamente: anúncios imobiliários, mapas e anotações escritas à mão. Todos os anúncios tinham sido impressos duas semanas antes, no dia em que Harris Mickler desaparecera.

Abracei a pasta e o bloco e fechei a gaveta. Se eu tivesse provas de que Theresa estava mostrando imóveis na noite em que Harris desaparecera, poderia dizer a Nick que ela estava com um cliente e despistá-lo.

Eu estava prestes a ir embora quando uma foto na mesa me deteve. Não sei o que chamou minha atenção. Talvez fosse o fato de ser a única foto que não era de Steven. Ou talvez porque a garota na foto me fosse vagamente conhecida, de forma distante. Ela abraçava os ombros de Theresa, as duas jovens, bronzeadas e loiras, usando moletons da fraternidade universitária, com letras gregas na frente. A moldura dizia:

AMIGAS PARA SEMPRE

Tinha que ser aquela tal tia Amy de quem ouvira falar o tempo todo. A mulher que ensinara minha filha a passar maquiagem nos olhos e passava os sábados com meus filhos, a mulher que provavelmente ajudaria a criá-los se eu acabasse presa – e que eu nunca nem conhecera.

– Ah, oi, Theresa. Esqueceu alguma coisa?

Eu fiquei paralisada. Estava tão perdida na foto que nem ouvira a outra corretora desligar o telefone. Minha peruca coçou e eu resisti ao impulso de me virar.

– É – tossi, cobrindo o rosto.

– Encontrou o que precisava?

Pelo bem de Theresa, esperava que sim.

Levantei a pasta de Feliks Zhirov, que usei para esconder o rosto, e rezei para conter as respostas de que precisava enquanto saía correndo pela porta.

Eu e Vero nos sentamos no chão do meu escritório enquanto as crianças cochilavam, com os documentos de Feliks e as anotações de Theresa espalhadas no tapete entre nós. Tudo de que eu precisava era um álibi para livrá-la de Nick, uma pista de onde Theresa estivera naquela noite de terça e, mais importante, por que ela não queria que ninguém soubesse. No caso de um cliente notório como Feliks Zhirov, talvez ela só quisesse ser discreta. No entanto, aquilo não combinava com a Theresa que eu conhecia. Ela amava prestígio e status. Se tivesse a oportunidade de exibir um cliente de alto nível como Feliks, aproveitaria até a chance de enfiar a cabeça pelo teto solar da limusine preta dele e gritar para a lua. Qualquer que fosse a relação dela com Feliks Zhirov, eu definitivamente não queria que a polícia do condado de Fairfax soubesse – pelo menos por enquanto. Farejar aquela pista os aproximaria demais de Andrei, o que inevitavelmente os aproximaria de mim e de Vero.

– Aposto que ela está transando com ele e não quer que Steven saiba – sugeriu Vero.

– Talvez. Ou talvez ela não estivesse com Feliks naquela terça. Talvez estivesse com outra pessoa.

– Então por que não contar para a polícia o que fez? Não, ela certamente está dando pro russo. Você viu o jeito que ele olhou para ela. Aquele beijinho tinha toda a cara de quem tava imaginando nudez.

Eu mexi no conteúdo da pasta de Feliks: um contrato assinado da corretora permitindo que Theresa o representasse na compra ou aluguel de imóveis, uma lista de critérios de busca, alguns endereços já riscados... A julgar pelos anúncios e diagramas, ele estava querendo comprar terras. Os mapas mostravam áreas rurais extensas. Os limites das terras tinham sido marcados em amarelo, com anotações rabiscadas nas margens: perto demais da estrada, árvores demais, poucas árvores, drenagem ruim, servidão administrativa, inclinado demais... Ele rejeitara tudo.

– Imagino que eles não estivessem passeando pelas colinas rurais às nove da noite de terça – falei, largando os mapas.

Cocei os olhos. Talvez Vero estivesse certa.

– Estou falando, eles provavelmente estavam transando naquele carrão chique.

Eu não sabia o que era pior: que a dedução fosse plausível ou o que significaria para Steven. Não que eu sentisse pena. Ele obviamente estava se divertindo com Bree na fazenda. Quanto mais eu descobria sobre as bagunças escondidas no relacionamento deles, mais convencida ficava de que Steven e Theresa se mereciam, e menos inveja eu sentia.

Pensei na foto de Theresa e sua amiga, Amy. Eu me perguntei se aquela foto era que nem os retratos emoldurados no hall da casa dela, mostrando o que queria que vissem... se ela e Amy eram mesmo melhores amigas.

Vero se debruçou sobre o bloco de notas, em busca de pistas. Ela cuidava dos meus filhos como se fossem seus. Ela me defendera de Steven e pagara minhas contas. Ela lera meu manuscrito porque quis. Ela até me ajudara a enterrar um cadáver, cacete, e eu não tinha foto nenhuma de nós duas juntas. Talvez porque eu não precisasse. Porque já tínhamos provado o que quer que precisássemos provar entre nós.

– Sinto uma certa pena deles – falei.

– De quem?

– Steven e Theresa.

Vero riu, seca.

– Melhor não gastar energia com isso. Não faço ideia do que ele vê naquela mulher, na real. Digo, além do óbvio.

Olhei para minha camiseta larga, com manchas amareladas de leite em pó para bebês e um rasguinho na barra. Se eu me despisse e parasse na frente de um espelho, ainda veria uma mãe. As olheiras roxas de insônia não mentiam, nem os furos na minha calcinha prática de algodão ou as estrias finas esbranquiçadas que meus filhos tinham deixado.

Nas duas primeiras vezes em que Julian me chamara para sair, eu estivera vestida de Theresa. Eu me perguntei se ele estaria tão interessado na academia, no dia anterior, se soubesse mesmo quem eu era.

– O que foi? – perguntou Vero, beliscando o dedão da minha meia.

– Por que homens se apaixonam por mulheres que nem a Theresa?

Por que homens olhavam para ela como Feliks o fizera: como se a imaginassem nua?

– Acredite em mim. Eles não se apaixonariam se vissem através da louraça gostosona bem-sucedida e enxergassem o desastre por trás.

Era exatamente o que eu temia. Com um suspiro desanimado, joguei a pasta de Feliks no chão. Vero a pegou e me deu o bloco de notas.

– Aqui, troca comigo – falou. – Talvez a gente tenha perdido alguma coisa.

Dei uma olhada nos papéis amarelos. As páginas estavam cheias de rabiscos: números de loteamento, endereços, horários no cabeleireiro, listas de supermercado... Parei quando a caligrafia mudou. Reconheci as letras de forma grandonas de Steven imediatamente.

T.,

TENHO REUNIÃO COM UM CLIENTE NA FAZENDA. ESTOU COM ZACH. FINN TEVE UMA EMERGÊNCIA. PRECISO QUE VÁ À CASA DELA FECHAR A GARAGEM. ACABOU A LUZ. O MECANISMO EMPERROU. VÁ COM AIMEE. VAI PRECISAR DE ALGUÉM PARA SEGURAR O PORTÃO QUANDO SOLTAR.

OBRIGADO. TE DEVO UMA.

Ele escrevera aquilo na manhã da minha reunião com Sylvia. Na manhã em que eu ficara sem luz em casa e o portão travara.

"...ela foi com a Amy fechar o portão da sua garagem no caminho do almoço."

Amy, não. *Aimee*.

– As fotos... – sussurrei.

Vero levantou o olhar das anotações que examinava.

– Que fotos?

Pulei de pé e me sentei na cadeira da escrivaninha.

– O que foi? – perguntou Vero, me olhando como se eu estivesse doida ao ligar o computador.

– Aimee era um dos nomes nas fotos do celular de Harris. Tenho certeza.

Abri o navegador e encontrei o grupo de networking de Harris. Cliquei na página de membros e segui pela lista, passando a foto de Theresa, até chegar a um nome: Aimee R. Não tinha foto, só um avatar temporário. Cliquei, mas o perfil estava vazio. Além do nome, ela tinha apagado os detalhes.

Os links para as outras redes sociais não davam em nada, todas as contas deletadas ou trancadas. Aimee R. era um fantasma.

Tinha que ser ela. A grafia do nome de Aimee era rara e ela se encaixava no perfil das vítimas de Harris. Além do mais, faria sentido que ela e Theresa estivessem no mesmo grupo – elas faziam tudo juntas.

– É ela. Tenho certeza – falei. – A data do último post dela no grupo é pouco mais de um ano atrás. É quando Nick falou que uma mulher ligou para a polícia para fazer uma denúncia anônima.

A cena se desenrolava lentamente na minha cabeça.

– Duas pessoas mataram Harris – continuei. – E se o palpite de Nick quanto a Theresa estiver certo? E se Theresa e Aimee estivessem esperando Harris perto do Lush?

– Você acha que elas estavam perseguindo ele?

– Elas saberiam que ele estaria lá. Podem ter me visto levá-lo à minivan.

No escuro, podem ter suposto que era eu quem estava cambaleando. Sob o peso de Harris, estávamos os dois com o passo atrapalhado.

– Talvez elas tenham se confundido e achado que eu era a próxima vítima. Theresa pode ter reconhecido meu carro e nos seguido até aqui. Talvez não quisesse matá-lo. Talvez só quisesse impedi-lo. Mas eu entrei correndo em casa e deixei a oportunidade perfeita.

Mostrei o bilhete de Steven para Vero. Ela estreitou os olhos ao lê-lo.

– Elas já sabiam fechar o portão sem usar o motor – concluí. – Já tinham feito isso juntas.

Vero empalideceu.

– Por isso Theresa não queria contar a Nick onde estava. Acha mesmo que Theresa e Aimee podem ter matado Harris Mickler?

– Não sei. Mas Nick falou que tudo de que precisava para detê-la era um motivo.

O motivo de Theresa era grande, e eu tinha dado os meios e a oportunidade para agir.

Se eu dissesse a Nick que sua suspeita estava certa... Se eu falasse de Aimee e desse informações o bastante para ele fazer as conexões sozinho, quer elas fossem ou não culpadas, as pistas levariam Nick direto para a minha garagem. De repente, a possibilidade de Nick descobrir Feliks não parecia tão horrível.

Peguei o cartão de Nick na minha bolsa.

– O que você está fazendo? – perguntou Vero, sua voz tomada por pânico. – Você não pode contar isso para o Nick!

– Não vou – falei, digitando. – Vou dar um álibi para Theresa.

Vero olhou por cima do meu ombro, lendo a mensagem cuidadosamente escrita que eu mandara pra Nick: "Acho que Theresa está tendo um caso".

Passei na frente do escritório e meus dedos coçaram. Eu estava travada desde a cena na garagem. Não fazia ideia do que devia acontecer até que a revelação quanto ao envolvimento de Theresa abriu as portas do próximo capítulo. O enredo fazia sentido, todas as peças pareciam se encaixar. Além disso, eu tinha menos de um mês para acabar o livro sem me entregar no processo.

Mesmo mudando os nomes, Theresa e Aimee não podiam ser as assassinas na minha história. Seria besteira me ater tanto à verdade. Não, a história precisava levar a outro lugar, a um lugar menos crível. O assassino precisava ser um personagem exagerado, um vilão arquetípico que os leitores acreditariam ser inventado porque já o tinham visto na televisão ou no cinema. A única pessoa que eu imaginava naquele papel era o vilão de verdade que eu planejava entregar ao detetive Anthony.

Feliks Zhirov era praticamente intocável. De acordo com Georgia, ele nunca passara um dia na prisão, mesmo sendo culpado como o capeta. Se Feliks farejasse uma investigação, mesmo sem estar diretamente envolvido, eu tinha certeza que ele interromperia o caso imediatamente. Ele era minha aposta mais garantida, talvez a única pessoa capaz de manter tanto eu quanto Theresa em liberdade.

Eu me sentei à mesa e abri o rascunho da história, relendo por alto o que já escrevera: uma assassina de aluguel experiente é contratada para matar um marido difícil. Ela analisa o alvo, o persegue em um bar, o droga e o leva a uma garagem subterrânea abandonada onde vai largá-lo.

Bati com a cabeça na mesa, me xingando por mandar o arquivo para a minha agente sem pensar melhor. Os detalhes estavam próximos demais da realidade. Talvez eu pudesse ajustar um pouquinho.

Voltei ao texto, desmontando o que eu tinha escrito e fazendo mudanças sutis nos personagens e na premissa: o marido difícil é um contador que trabalha para um chefão de alto nível da máfia. Ele também é muito rico, e seu seguro de vida considerável vai para a esposa. Entre a primeira bebida e a bebida drogada, minha heroína repara que a esposa não transferiu o pagamento para a conta no exterior, como combinado. Sendo tarde para mudar de planos, minha heroína enfia a vítima em uma van e o leva à garagem subterrânea, para ele dormir até o efeito da droga passar. A assassina se afasta para ligar para a esposa e avisar que o trabalho está suspenso por falta de pagamento. Enquanto isso, outra pessoa se infiltra pelas costas dela e, com um silenciador, dá um tiro na testa do marido. Determinada a buscar justiça vigilante e resolver o mistério de quem matou sua vítima, ela investiga o assassinato, se juntando a um detetive fodão que não suspeita de nada, de modo a se manter sempre à frente da polícia, e aproveitando para procurar a esposa fugida.

"Isso", pensei, estalando os dedos por cima do teclado. Isso sim ia funcionar! Não tinha nada de barman gato e estudante de direito, nem corretora imobiliária que rouba marido alheio. Nada de enredo secundário com fotos explícitas ou propina. Nada de brigas por guarda, nem autora faminta fazendo coisas questionáveis para pagar as contas.

Horas se passaram. Meus dedos doíam, minha mente se cansou. Cheiros começaram a chegar da cozinha: pão no forno, vegetais no vapor e a pele amanteigada e temperada com alecrim de um frango assado. Caiu a noite além da janela, embalada pelo barulho dos talheres lá embaixo, a cadeirinha alta sendo afastada da mesa, o aspirador que Vero passou depois do jantar. Ninguém bateu à porta. Três capítulos novos depois, dei um pulo quando meu celular tocou alto.

O número de Steven piscou na tela e eu pensei em não atender.

– Alô – falei, esfregando os olhos ao notar a hora.

As crianças provavelmente já tinham ido dormir. Eu nem tinha dado boa noite.

– Oi, Finn. Liguei em má hora?

A voz dele estava arrastada, suavizando a aspereza costumeira com que falava meu nome. Eu me perguntei quantos copos ele precisava ter bebido para não parecer que me xingava.

– Por quê?

– Só preciso conversar.

Ele soava cansado, talvez um pouco derrotado, e eu me odiei pelo pedaço do meu coração mole que ainda doía naqueles momentos, mesmo depois de tudo que ele fizera.

– Está tudo bem? – perguntei.

Desliguei o monitor, ficando no escuro e ouvindo o líquido correr da garrafa do outro lado da linha, antes de ele engolir com força.

Ele tossiu.

– Não sei – falou, rouco. – Talvez. Na verdade, não.

O fato de que ele ligara para mim, em vez de para a noiva, dizia muito e, ao mesmo tempo, dava margem para muitas dúvidas. Um ano antes, estávamos juntos, nós quatro sob o mesmo teto. Por que ele tinha ferrado tudo?

– O que foi? – perguntei.

– É a Theresa. Estou com medo de ter cometido um erro.

Mordi a língua para não dizer todas as coisas duras que queria.

– Fui idiota de confiar nela – continuou ele. – Ela está escondendo alguma coisa. Não sei exatamente o que é, mas...

– Mas o quê? – perguntei, com prudência, temendo assustá-lo. – Por que você acha que ela está escondendo alguma coisa?

Ele hesitou, tomou outro gole e soltou um palavrão baixinho.

– Eu encontrei dinheiro na gaveta de calcinhas. Muito dinheiro, Finn. E um policial ligou lá para casa outro dia, procurando por ela. Quando perguntei a respeito, ela ficou defensiva e se recusou a falar.

– Talvez não tenha nada a dizer.

– Não sei, Finn. Ela tem um cliente novo, ricaço, vive atrás dele. Ela diz que ele só quer comprar um terreno, mas eu já vi o cara e ele é...

Steven hesitou.

– Bonito? – perguntei.

– Mais para canalha – resmungou. – Eu pesquisei, Finn, e ele está metido numas coisas esquisitas. E se ele deu todo aquele dinheiro para ela? E se ela estiver planejando...

Steven se calou.

– Te deixar por outra pessoa?

No silêncio, uma sirene soou, e eu a ouvi em estéreo – bem alta pela janela e mais baixa pelo celular.

– Onde você está agora? – perguntei.

Afastei a cadeira da mesa e andei até a janela. Quando afastei as cortinas, vi a picape de Steven estacionada ali na frente. Ele acenou timidamente.

– Espera aí – falei. – Já vou descer.

Eu vesti um casaco e calcei tênis. Nem me preocupei com arrumar o cabelo ou trocar a calça de malha. Eu e Steven já tínhamos passado daquela fase. Cruzando os braços para me esquentar, atravessei a grama ressecada até a picape. Ele se esticou por cima do banco para abrir a porta e eu entrei. O ar estava íntimo e quente, cheirando ao uísque na boca dele e à terra da fazenda que ainda se prendia às suas roupas.

Ele estava com uma cara horrível e, pela primeira vez em muito tempo, aquilo não me alegrou. Uma garrafa de meio litro vazia estava no banco entre nós. Ele usava a jaqueta aberta por cima da camisa de flanela, e o cabelo espetado, como se tivesse bagunçado com a mão.

Uma cortina se mexeu na janela da cozinha da sra. Haggerty. Amanhã ela pegaria o telefone assim que acordasse, doida para contar para o bairro inteiro que Steven estava ali, tendo uma reunião clandestina na picape com a ex-esposa.

– Quer ir a outro lugar? – perguntei.

Steven seguiu meu olhar até a casa da sra. Haggerty. Os ombros dele se sacudiram em uma gargalhada triste quando ele girou a chave na ignição e fez uma manobra desajeitada, os pneus enormes deixando marcas no gramado dela.

A mão de Steven não estava firme no volante. Pensei em me oferecer para dirigir, mas ele estacionou logo em seguida, na frente do parquinho no fim da rua. Ele desligou o motor e saiu, e eu segui seus passos lentos e cambaleantes até os balanços iluminados pelo brilho fraco do luar.

As correntes gemeram quando ele se sentou em um balanço. Eu sentei no balanço ao lado, estremecendo ao sentir o frio do plástico duro penetrar minhas roupas. Ficamos ali, ouvindo o murmurar grave do trânsito na autoestrada próxima, vendo as luzes oscilantes dos aviões lá no alto.

– Isso me lembra da noite em que Delia nasceu – disse ele, olhando para o céu noturno.

Eu o olhei pelo canto do olho. Nossas lembranças daquela noite eram bem diferentes. Eu só me lembrava da dor e das muitas horas de parto, de mandar mensagens frenéticas para ele entre as contrações, conforme o tempo se encerrava. Só me lembrava do rosto de Georgia. Do hálito de café dela, da mão segurando a minha enquanto ela gritava com aquela voz de policial, me encorajando a fazer força, do esporro que deu no meu marido no estacionamento do hospital quando ele finalmente apareceu, apavorado e de ressaca. Ele tinha passado a noite ali, bebendo no parque, com medo de virar pai e estragar tudo.

– Estou com medo, Finn.

– Do quê?

– Estou com medo de Theresa estar envolvida com ele.

Ergui uma sobrancelha, me virando no assento para olhá-lo de frente. As correntes se retorceram, mantendo a tensão no balanço. Se eu tirasse os pés do chão, elas me virariam de costas para ele, e de frente de novo, uma ideia que me pareceu estranhamente confortável.

– Você também não está envolvido com alguém? – perguntei.

Ele olhou para mim com surpresa.

– É óbvio assim? – perguntou.

– Digamos que eu reconheço os sinais.

Ele sacudiu a cabeça, olhando para as botas sujas de grama e lama.

– Não é só isso. Sei que provavelmente mereceria se ela estivesse só transando com outras pessoas, mas temo que ela esteja em apuros com esse cara. Ele é perigoso, Finn. Estou com medo de ela fazer alguma besteira e se meter em confusão. Alguma besteira que me custe meu negócio ou meus filhos. Do negócio eu me recuperaria, mas já perdi nossos filhos uma vez, e acho que não posso...

Um músculo se retesou no pescoço dele e seus olhos brilharam, refletindo a luz do poste da calçada.

– Eu sinto muito – disse ele, sem fôlego. – Por tudo.

– Eu sei.

Estendi a mão aberta no espaço entre nós. Fiquei ali por um momento, até sentir os dedos frios e calejados de Steven nos meus. Eu os apertei. Não porque o perdoava pelo que fizera, mas porque eu entendia aquele medo. Porque eu o compartilhava. Porque, de tudo que eu tinha para temer, era aquele meu maior medo, também.

Os olhos de Steven pesaram. Com um puxão leve da mão, ele aproximou meu balanço, até eu sentir o álcool, o medo e o desespero em sua respiração.

Ele inclinou a cabeça, só o bastante para servir de convite, só o bastante para nossas testas se tocarem. Seria fácil me apoiar nele. Era muito conhecido, dava para entrar naquilo sem pensar. Levantei o pés, meus dedos se soltando dos dele quando o balanço voltou ao centro.

– Você está mesmo namorando um modelo de cueca? – perguntou ele, com um sorriso bêbado e sonolento.

Também sorri.

– Meu advogado provavelmente sugeriria que eu não respondesse.

Steven assentiu. Ele deu um chute leve no círculo de terra debaixo do balanço, e me perguntei se ele estava com ciúme. Em seguida, me perguntei se aquilo me importava.

Eu me levantei, puxando Steven do balanço e garantindo que ele estava pisando firme antes de soltá-lo.

– Vamos lá – falei, pegando as chaves do bolso dele. – Eu te levo para casa.

A chave de Steven fazia um peso satisfatório e quente no meu bolso no caminho de volta da casa dele. Quando dirigira a picape até a casa dele, tirara a chave da casa dele do chaveiro. Parecia justo, já que ele guardara uma cópia da minha chave por um ano. Ele acordaria amanhã, notaria que havia sumido, contaria alguma história para boi dormir para Theresa sobre como a perdera e me encheria o saco até eu ceder e a devolver. Mesmo que fosse temporário, a sensação de controle que me proporcionava era boa, e andar para casa no ar fresco me deu tempo para refletir.

Meus passos eram suaves na calçada, folhas caídas farfalhando quando a brisa as jogava na grama levemente congelada. No meio do quintal, eu paralisei, encarando a silhueta escura deitada em frente à minha casa.

– Então, diga – disse Nick, se apoiando nos cotovelos e no degrau, as pernas compridas esticadas à sua frente. – O que você desenterrou?

Eu dei um passo para a frente, cautelosa, e só voltei a respirar quando vi seu sorrisinho. Minha expiração formou uma nuvem branca quando eu me sentei no degrau ao lado dele.

– Você quase me matou de susto – falei, apertando o peito. – Não vi seu carro.

Ele apontou para a rua, onde o carro apontado se misturava ao fundo escuro.

– Desculpa por não chegar mais cedo. Eu estava ocupado. O que você descobriu?

"Seja direta", me lembrei. "Se atenha o máximo possível à verdade. Só o mantenha ocupado."

– Acho que Theresa está tendo um caso com um cliente – falei. – Acho que estava com ele naquela noite de terça e não quer que Steven saiba.

– Se Steven não sabe, como você soube?

– Eu e Vero a vigiamos.

Nick abriu um sorriso oblíquo e soltou uma gargalhada rouca.

– Vigiaram, é? Sua irmã que te ensinou?

– Já acompanhei ela algumas vezes – falei, na defensiva. – Não sou totalmente inexperiente.

Os dentes dele brilharam no escuro.

– Tá bom, detetive – falou. – O que vocês viram?

Ignorei o toque brincalhão nos olhos dele.

– Ela saiu do escritório com um homem bonito. Bem vestido. Trinta e muitos anos. Em forma. Cabelo escuro.

– E por que você supõe que eles estão tendo um caso?

– Eles se despediram de forma nada profissional.

– Como assim?

– Ele beijou a bochecha dela, cochichou no ouvido dela e, de acordo com Vero, estava imaginando ela pelada.

O detetive Anthony me olhou com a atenção policial.

– E como exatamente é essa cara? – perguntou.

– Não faço ideia.

Senti o sangue subir ao rosto, grata por ele não enxergar tão bem no escuro.

– Então você não sabe de fato se ela está tendo um caso com esse cliente. Nem se ele é mesmo um cliente. Nem se ela definitivamente estava com ele na noite do desaparecimento de Harris.

– Não, não exatamente. Mas eu conversei com Steven hoje e ele disse que ela tem passado muito tempo com o cara. Ele está com medo de eles estarem juntos.

Ele reagiu com um gesto menos cético de cabeça.

– Você sabe o nome do cliente? – perguntou.

– Não.

Quanto mais tempo Nick gastasse tentando descobrir, melhor.

– O que te dá tanta certeza de que ela não estava no evento daquela noite?

– Eu dei uma olhada no grupo on-line, aquele que você falou – respondi. – Está cheio de corretores imobiliários e agentes hipotecários. Ela provavelmente conhece metade das pessoas que estavam no bar naquela noite. Se estivesse lá, alguém lembraria que a vira.

Eu observei seu rosto, esperando, com certeza, uma reação ao que eu dissera. Theresa definitivamente não estava no Lush naquela noite. Pelo menos, não *entrara*. Nick era esperto. Ele mesmo disse que trabalhava naquilo fazia muito tempo. Ele teria entrevistado as pessoas confirmadas primeiro. Se ela estivesse lá, os colegas dela teriam confirmado.

Uns dias antes, o detetive Anthony tinha certeza da culpa de Theresa. Naquele momento, sua confiança parecia no mínimo hesitante. Eu só precisava esgotá-la e distraí-lo.

Nick se levantou devagar, apoiando os cotovelos nos joelhos.

– Eu voltei para conversar com o barman do Lush hoje.

– Ah, é? – perguntei, e pigarreei para conter a surpresa. – O que ele disse?

– Eu mostrei uma foto de Theresa Hall. Ele disse que não achava que fosse a mesma mulher com quem ele conversara, mas...

Ele sacudiu a cabeça, franzindo a testa e olhando a grama, com as mãos cruzadas.

– Mas o quê?

– Antes de mostrar a foto, eu falei por que estávamos procurando por ela... que ela era mais do que uma testemunha, que estava envolvida no caso. Ele reagiu de forma arrogante. Disse que eu estava me enganando, como se não fosse nada.

– E daí?

– Daí que ele estuda direito na GMU, só tira nota máxima. Nas férias, ele fez estágio na defensoria pública. Ele sabia exatamente o que estávamos procurando. Continuou repetindo a mesma história, insistindo que vira ela sair do bar sozinha. Até que eu mostrei a foto de Theresa e alguma coisa mudou. Ele se fechou. Disse que achava que não era ela. Mas, se não era a mulher da foto, por que ficou tão chateado?

Senti meu estômago revirar. Claro que Julian estava chateado. Porque eu tinha mentido para ele. Na academia, ele me olhou como se não soubesse bem quem eu era, como se não soubesse se me conhecia. Ele nem fazia ideia do quanto estava certo. Vero tinha sido sensata. Mesmo que eu fosse boba o suficiente para ligar e me desculpar, daria sorte só de ele querer falar comigo de novo.

Apertei as mãos nos olhos.

– Você não pode acreditar de verdade que Theresa esteja envolvida nisso.

– Até eu ter motivos para desconsiderá-la, acredito, sim.

Enfiei as mãos nos bolsos, arranhando o dedo nos dentes pontudos da chave de Steven. Eu tinha que dar um jeito de despistar Nick de Theresa. De mim também.

– Está tudo bem? – perguntou ele.

– Tudo – falei, suspirando. – Só estou cansada. A noite foi longa. Steven apareceu faz uma hora, podre de bêbado.

A postura de Nick enrijeceu. Um toque abrasivo endureceu sua voz.

– Quer que eu peça um mandado de proteção? Se ele estiver te perturbando, posso...

– Não, não é nada disso. Ele só queria conversar.

Steven nunca foi o tipo de bêbado que fica raivoso. Na verdade, a bebida o deixava mais vulnerável, um pouquinho mais honesto.

– Eu deixei ele reclamar um pouco de Theresa e o levei pra casa – falei.

A gargalhada de Nick foi baixa e grave.

– Se quer saber, esse cara parece um idiota.

– Por quê? Porque enche a cara e volta a hábitos antigos?

– Porque ele te deixou.

Eu me encolhi no casaco.

– Acho que ele teve seus motivos – falei.

– Não é desculpa.

Nick apertou a boca, como se quisesse dizer mais, mas achasse melhor não.

– Você já foi casado?

Era difícil acreditar que Nick sempre estivera solteiro.

– Já cheguei perto.

– O que aconteceu?

Ele suspirou, soltando uma nuvem gelada.

– Ela mudou de ideia. Acho que não queria passar a vida presa a um policial.

– Bem, ela obviamente saiu perdendo.

Ele inclinou a cabeça, o sorriso torto me pedindo para continuar.

– De acordo com a Georgia – expliquei –, devemos todos casar com policiais para aproveitar o seguro-saúde.

A gargalhada repentina dele causou ruguinhas ao redor dos olhos. O silêncio a seguir foi pesado, carregado. Olhei para meus pés.

– Ei – disse ele, se curvando para encontrar meu olhar. – Não se preocupa com a questão da guarda. Quando acabar esta investigação, terei encontrado problemas suficientes com Theresa para qualquer juiz pisar no freio. Além disso, Georgia me contou do seu livro. Com um adiantamento desses, seu ex não vai ter no que se sustentar.

Meu sorriso educado desmoronou.

– Georgia te contou?

A última coisa de que eu precisava era que Nick me perguntasse sobre o que era o livro.

– Ela espalhou a notícia pela delegacia inteira. Está bem orgulhosa de você.

Sufoquei numa montanha de culpa. Se Georgia fizesse a menor ideia da origem da ideia, não se gabaria de mim. Eu me levantei.

– Falando nisso, eu preciso entrar e voltar ao trabalho.

Nick se levantou, também, sua atenção passando para a fresta estreita entre as cortinas do quarto da sra. Haggerty.

– Você está ocupada amanhã? – perguntou ele, quando peguei a maçaneta.

– Acho que não.

– Quer dar um passeio?

O olhar dele brilhou no escuro.

– Que tipo de passeio? – perguntei, desconfiada.

– Um pouco de pesquisa para o seu livro.

Provavelmente era ideia de Georgia. Ela provavelmente pedira a ele que fizesse isso. Naquele momento, eu não tinha coragem de decepcioná-la.

– Pode ser, claro.

Ele enfiou as mãos nos bolsos, andando de costas pela calçada até o carro.

– Venho te buscar às onze.

Eu o vi ir embora, me perguntando se ele continuaria empolgado com o passeio se soubesse o quanto já estava envolvido na minha pesquisa.

– Você sabe que isso é invasão de domicílio – disse Vero, teimosa.

Prendi o celular debaixo do queixo e ajeitei o lenço e a peruca no retrovisor.

– Não é invasão de domicílio. Eu tenho a chave.

– Uma chave roubada.

– Não é roubada – insisti, pelo telefone.

Eu tinha me oferecido para levar Steven para casa de carro e, em seu estado alterado, ele me entregara as chaves. Eu só deixara de devolver uma em específico.

– Bom, não seja pega – disse ela. – O detetive Anthony vem te buscar para o passeio daqui a uma hora.

Theresa não tinha que se preocupar com nenhuma sra. Haggerty, pelo que parecia. Ainda assim, estacionei o carro emprestado de Ramón um pouco mais longe do que o necessário e ajeitei os óculos de sol enormes no meu rosto. A peruca coçava horrores. Resisti à tentação de arrancá-la até estar em segurança, dentro da casa de Steven e Theresa.

Eu entrei e bati a porta, contra a qual me encostei, o celular apertado contra a orelha, prendendo o fôlego para escutar. A casa estava em silêncio; o único som que ouvia era Zach balbuciando no fundo da ligação.

– Entrei – sussurrei.

Enfiei o lenço com a peruca no bolso do moletom e tirei os tênis, que deixei do lado da porta, com minhas chaves dentro. Subi devagar até o quarto de Theresa.

– Descubra o que precisar e saia daí.

Minha ansiedade explodia a cada ranger do assoalho, e a encheção de saco de Vero não estava ajudando.

A porta do quarto se abriu em silêncio, raspando no carpete denso. As persianas estavam fechadas e o cômodo ainda cheirava de leve à ressaca de Steven: álcool velho, suor, mau hálito. O lado dele da cama era uma bagunça de lençóis inquietamente embolados e aspirina e antiácido se encontravam na mesinha de cabeceira.

– Onde você está? – perguntou Vero.

– No quarto de Theresa e Steven.

Abri a gaveta da mesinha de cabeceira de Theresa e revirei o conteúdo. Eu não sabia bem o que estava procurando. Um bilhete, um número de telefone, um recibo. Alguma pista da identidade de Aimee R, talvez. Provas de que elas estavam definitivamente juntas na noite de terça, de preferência longe do Lush.

Fechei a gaveta e me esgueirei pelo corredor, parando em frente ao quarto de Delia. A cama estava por fazer, os lençóis cor-de-rosa de princesa amarrotados, o travesseiro denso de plumas afundado na forma da cabeça de uma mulher adulta. Um par dos sapatos de salto de Theresa estava largado no chão, ao lado da casa da Barbie.

– Parece que Theresa dormiu no outro quarto hoje.

Vero engasgou uma gargalhada.

– A sra. Haggerty deve ter contado à vizinhança toda que Steven encheu a cara e foi te procurar.

– Só espero que ela não tenha mencionado Nick – murmurei.

– Não tinha pensado nisso – concordou Vero, séria.

Andei até o cone de luz do sol escapando pela porta do escritório de Theresa. Na mesa dela não havia bagunça. Um cabo solto pendia onde o laptop devia estar conectado. Nada de PC antigo. Nada de poeira. Abri a primeira gaveta, o conteúdo aleatório ameaçando transbordar ao chão. Nada ali dentro revelava quem era Aimee ou onde estiveram na noite da morte de Harris Mickler, mas ver a bagunça ali me fez bem.

Eu me virei para a estante na parede oposta.

– Bingo.

– O que foi?

– Os anuários da faculdade.

Puxei um livro grosso de capa dura da estante: Formandos de 2009 da GMU. Eu me sentei no chão, abri no índice e encontrei a foto da sororidade de Theresa, lendo por alto os nomes da legenda. As irmãs eram identificadas pela ordem das fileiras e bem ao lado de Theresa estava Aimee.

– Aimee Shapiro – falei.

– O perfil no site dizia que ela era Aimee R.

– Aimee deve ter pegado o sobrenome do marido quando casou.

Uma porta bateu lá embaixo.

– O que foi isso? – perguntou Vero.

Eu me empertiguei quando chaves caíram na mesinha da entrada. Passos ritmados de salto no chão de madeira.

Theresa.

Desliguei e pus o celular no silencioso. Em seguida, guardei o anuário na estante e me levantei com cuidado. Minhas meias não faziam barulho no carpete grosso e felpudo, e fiquei feliz por ter me lembrado de deixar os sapatos na...

"Ah, não."

Meus sapatos.

Eu me encolhi no canto ao lado da estante, certa de que meu coração batia forte o suficiente para a sra. Haggerty ouvir lá da casa dela. Talvez Theresa só tivesse esquecido alguma coisa. Talvez almoçasse rápido e fosse embora sem notar meus sapatos perto da porta. Talvez fosse ao banheiro e eu pudesse sair sem ela saber.

Os passos subiram a escada.

Olhei para a janela do outro lado do cômodo. Era só o segundo andar. Eu provavelmente podia pular sem morrer... se tivesse meus sapatos. E se não tivesse que arrebentar a tela, nem me preocupar com sangrar nos rododendros do peitoril.

Peguei o celular do bolso e mandei mensagem para Vero.

Finn: *Socorro. Presa. Casa da Theresa.*

Vero: *Tenta a janela.*

Finn: *Meus sapatos e minhas chaves estão no hall.*

Vero: *Você é uma merda nisso.*

Finn: *Eu sei!*

O celular ficou quieto por um tempo interminável.

Vero: *Tenho um plano. Segura firme. Dez minutos.*

Eu me encolhi contra a parede, querendo me tornar invisível, enquanto Theresa botava roupa para lavar na outra ponta do corredor e voltava ao quarto para ver televisão. O quarto dela era perto da escada. Não tinha jeito de passar por lá sem ser vista.

O celular dela tocou e ela pôs a televisão no mudo.

– Graças a Deus é você. O que eu faço?

A voz de Theresa oscilou, mais e menos alta, conforme ela andava pelo corredor.

– Não posso contar onde estava. Ele vai surtar total. E agora esse detetive me liga...

Prendi a respiração, me esforçando para escutar a voz que sumia dentro do quarto.

– Não posso correr o risco de Steven descobrir. Estamos no meio dessa merda de guarda com a ex dele e parece que ela arranjou um advogado.

Theresa assoou o nariz. Ela fungou, fazendo uma pausa.

– Parece que ela arranjou um dinheiro sei lá onde. Tem a ver com um livro. Só sei que a velha viu ela entrar na picape do Steven ontem e, quando ele chegou, estava desmaiado de bêbado. Você pode vir amanhã? Eu adoraria...

A conversa se perdeu em um estrondo ensurdecedor. Um motor a diesel roncou na rua, bem na frente da janela do escritório. O sistema hidráulico gemeu. Correntes chacoalharam.

– Espera, não estou te ouvindo.

Theresa entrou correndo no escritório, usando a mão livre para abaixar as persianas. Voltei a me encolher contra a parede, prendendo a respiração com os olhos arregalados, rezando para ela não virar e me ver agachada no canto do lado da estante.

– Tem um babaca rebocando meu carro!

Theresa deu meia-volta e passou por mim correndo, voando escada abaixo em meio ao ronco do motor.

Eu me esgueirei até a janela e vi um reboque identificado como REBOQUE E SALVAMENTO DE RAMÓN arrastar a BMW de Theresa rua abaixo. Theresa correu atrás, descalça, gritando e sacudindo o celular. Eu desci a escada correndo, peguei os sapatos e verifiquei se Theresa não estava olhando antes de sair em disparada da casa. O reboque parou a uma quadra dali. Um homem, provavelmente Ramón, escrevia em uma prancheta, ignorando as ordens de Theresa de devolver o carro aonde estava. Enfiei um sapato enquanto passava pelo gramado, quase tropeçando na pressa de voltar ao carro. Enquanto me debatia, tentando calçar o outro pé, levantei o olhar e congelei.

O detetive Anthony estava estacionado do outro lado da rua, com a janela abaixada, ouvindo Theresa ameaçar matar Ramón de todas as formas imagináveis. Não era Theresa que ele observava, entretanto.

Ele me chamou com um gesto do dedo. A expressão severa não deixava margem para discussão.

Com um sapato na mão, corri até o carro dele, abri a porta e me joguei lá dentro.

O sedã de Nick era uma viatura de polícia padrão aposentada. Azul-marinho, óbvio para cacete. Abaixei o visor e me encolhi, observando, de baixo do painel, Ramón entrar com o carro de Theresa bem devagar na frente da casa, sob o olhar atento dela.

– Eu quero saber o que aconteceu aqui? – perguntou Nick. – Enfiei as mãos nos bolsos para confirmar que o lenço da peruca estava devidamente escondido. Quando abri a boca para me defender, Nick ergueu um dedo. – Tome muito cuidado com a resposta – advertiu.

– Podemos ir embora?

Afundei ainda mais no assento e cruzei os braços no peito. Nick sacudiu a cabeça e passou a marcha. Ele não tinha reconhecido o carro que eu estacionara mais longe na mesma quadra e eu não queria me expor ainda mais indo buscá-lo.

– O que você está fazendo aqui? Só ia me buscar às onze.

– Cheguei cedo. Vi o carro de Theresa chegando quando estava a caminho da sua casa. Achei que era uma boa ficar de olho na casa para o caso de alguém interessante aparecer.

Ele abriu um sorriso lento, parando na frente da minha casa.

– Que bom que te diverti – falei.

Saí do carro correndo e enfiei a chave na fechadura de casa, mas Vero abriu a porta antes que eu pudesse tocar a maçaneta. O queixo dela caiu ao ver Nick atrás de mim.

– Diga para Ramón que fico devendo essa – falei, passando por ela para entrar em casa.

– Detetive Anthony, que prazer ver o senhor.

Vero o olhou de cima a baixo quando ele entrou atrás de mim. Eu a olhei com repreensão, tirando o moletom e o pendurando no corrimão perto do começo da escada.

Delia apareceu ao pé da escada e olhou desconfiada para Nick.

– Quem é esse?

– Ele é amigo do trabalho da sua tia Georgia – falei.

Tentei, sem sucesso, ajeitar os fios espetados do meu cabelo que tinham se soltado por baixo da peruca. Arranquei o elástico de cabelo e cocei um incômodo fantasma na cabeça.

– Ele se chama Nick – completei.

Ela franziu o nariz.

– E por que ele está aqui?

Cheirei minha blusa.

– Ele veio me ajudar na pesquisa para meu novo livro.

– Você vai namorar ele?

Engasguei na minha própria língua. Nick conteve um sorriso, arriscando me olhar de relance.

– Delia Marie Donovan – gaguejei –, que tipo de pergunta é essa?

– Vamos lá... – riu Vero, pegando a mão de Delia. – Vamos deixar sua mãe conversar um pouco com o detetive Nick.

Ela se virou por cima do ombro, levando as crianças escada acima.

– Por que não levam a conversa aonde orelhinhas não escutam? – propôs.

– Eu estou bem aqui, sabia? – bufou Delia. – E não sou inha. Eu sei o que é namorar...

A discussão sumiu dentro do quarto dela quando Vero fechou a porta.

– Desculpa por isso. Ela tem cinco anos – falei, como se a explicação bastasse.

Ele coçou a nuca, soltando o sorriso.

– A menina não pega leve. Daria uma detetive e tanto.

Ofereci para pegar o casaco dele.

– Não diga isso para minha irmã. Já temos interrogadores o bastante na família.

Nick tirou a jaqueta. O couro era macio, o forro estava quente do corpo. O cabideiro estava atrás dele e eu precisei fazer uma manobra confusa, acidentalmente esbarrando no coldre do ombro dele ao me esticar para pendurar a jaqueta. O hall de repente pareceu muito pequeno. Muito apertado. O rosto de Nick estava recém-barbeado e ele cheirava a enxaguante bucal e almíscar. Mesmo de calça jeans e camiseta de mangas longas com botões na gola, justa e escura, ele estava atento, seu foco em mim muito além do casual.

– Preciso me arrumar um pouco – falei, apontando vagamente para as escadas atrás de mim. – Quer beber alguma coisa enquanto espera?

Eu me senti corar quando ele me seguiu até a cozinha. Peguei um copo do escorredor e abri o freezer em busca de gelo, mas vi um zip-lock cheio de dinheiro debaixo de um saco de brócolis.

Bati a porta do freezer.

– Que tal pegar alguma coisa no caminho? – propus, minha voz esganiçada.

Levantei um dedo e me afastei devagar da geladeira.

– Vou levar só dois segundos. Não... vá embora.

Deixei o copo na pia e corri para me trocar no quarto. Depois de me limpar rápido na pia, passei um pente no cabelo, vesti uma calça jeans limpa, uma camiseta e um moletom de capuz e corri escada abaixo.

– Vamos – falei, pegando o casaco dele e minha bolsa do cabideiro. – Vamos dar o fora.

Gritei uma despedida apressada para Vero e tranquei a porta atrás de mim, vislumbrando o movimento das cortinas da sra. Haggerty ao entrar no banco do carona do carro de Nick.

– Jesus, essa mulher não tem nada melhor pra fazer? – perguntei.

Nick prendeu o cinto de segurança e ligou o carro. O rádio do painel começou a tocar, com um guincho.

– Quem? Sua vizinha?

Ele ajustou o retrovisor, apertando os olhos ao ver o reflexo dela na janela da cozinha.

– Essa mulher é um perigo – falei, resistindo à tentação de mostrar o dedo do meio para ela quando nos afastamos.

– Fala sério, vizinhos assim são o sonho de um detetive. Aposto que nada acontece nesta rua sem que aquela velha não veja.

Ele ajeitou o retrovisor de novo, avançando na rua.

– Ela vê tudo – falei, amarga.

Fiquei tensa quando ele parou devagar perto da casa de Theresa, bem atrás do carro que Ramón me emprestara.

– Aonde vamos? – perguntei.

– Vamos pegar seu carro.

– Mas esse não é meu...

Nick já tinha saído do sedã, com minhas chaves na mão. Ele destrancou a porta do motorista e entrou. Eu o segui, soltando uma série de xingamentos cochichados ao me sentar no banco do carona.

– Como você achou minhas chaves? E como sabia que era meu carro?

– Você deixou as chaves na bancada da cozinha quando subiu. E eu estava bem atrás de você quando estacionou hoje.

Ele saiu com o carro da vaga. A BMW de Theresa não estava na entrada. Ainda assim, relaxei quando a casa dela sumiu do retrovisor.

– Foi uma invasão bem malfeita, por sinal – comentou ele. – Sorte sua não ter sido pega.

Olhei para ele, boquiaberta.

– Você sabia que eu estava presa naquela casa com ela e não fez nada?

– Não podia me envolver no crime.

– Não foi crime – falei, teimosa. – Eu tinha a chave.

Ele abriu um sorriso satisfeito.

– Admito que sua fuga foi impressionante.

– Foi ideia da Vero. E foi culpa *sua* eu estar na casa dela.

– Minha?

Ele entrou com o carro de Ramón em um drive-thru de fast-food.

– Você me disse para fuçar os segredos dela. Eu estava fuçando.

Ele riu.

– E o que achou?

– Nada. Ela chegou logo depois de mim.

Era estressante o quanto ele era perceptivo. Ele sempre parecia um passo à minha frente.

Nick pediu dois hambúrgueres para ele e fez meu pedido pelo interfone. Ele comeu os dois sanduíches enquanto dirigia, o que me tranquilizou de que Delia estava errada e não tinha nada de romântico ali. Engoli meu hambúrguer e minhas batatas fritas, vendo os prédios passarem até Nick virar em uma rua menor e desacelerar perto da imobiliária de Theresa.

– Aonde vamos? – perguntei, amassando a embalagem e jogando no saco vazio.

O carro freou e virou, me jogando contra a porta quando Nick fez um retorno ilegal.

– Você queria brincar de detetive, né? Vim te trazer para uma tocaia de verdade.

Ele parou o carro no meio-fio e desligou o motor. O hambúrguer no meu estômago virou cimento.

– Por que vamos vigiar Theresa se o barman falou que não era ela no bar?

Nick limpou a gordura dos dedos em um guardanapo, o olhar percorrendo o estacionamento até encontrar o carro de Theresa.

– Porque acho que os dois estão escondendo alguma coisa e quero saber com quem ela estava naquela noite.

– Como vamos fazer isso?

Ele reclinou o banco, cruzou os braços e fechou os olhos.

– Vamos esperar o namorado dela aparecer.

Vinte minutos se passaram. Nick passou a maior parte do tempo de olhos fechados, com um boné jogado na cara. Pelo menos eu tinha entendido por que ele não pedira nada para beber.

– E o que exatamente é para eu procurar?

O assento de vinil guinchou quando eu tentei, sem sucesso, me ajeitar. Se reclinasse o banco tanto quanto Nick, nenhum de nós enxergaria.

A voz dele estava sonolenta quando finalmente respondeu.

– É só avisar quando o Lincoln do Feliks aparecer.

Congelei.

– Feliks? – perguntei, tirando o boné da cara de Nick. – Esse tempo todo você sabia quem era o cliente da Theresa? Quando planejava me contar?

Nick abriu um olho, um sorriso preguiçoso fazendo aparecer aquela covinha na bochecha.

– Você nunca perguntou – respondeu.

– O que mais você descobriu e não me contou?

Ele abriu o outro olho e se espreguiçou, esticando os braços até o teto. Ele cruzou os dedos atrás da cabeça, os joelhos levemente dobrados de cada lado do volante e a jaqueta aberta, revelando a arma no coldre na altura das costelas.

– Sei que o cliente de Theresa é um homem chamado Feliks Zhirov. Ele é muito rico, muito poderoso e muito envolvido no crime organizado. E, de acordo com o pessoal da inteligência criminal, Feliks tinha contratado a empresa de contabilidade de Harris Mickler.

Uma gargalhada nervosa me escapou.

– Provavelmente é coincidência, né?

Nick pôs o boné, curvando a aba sobre os olhos.

– Quando se trata da máfia, existem poucas coincidências. Infelizmente, o cara é feito de Teflon. Nada gruda. Ele já devia ter sido preso mais de dez vezes, mas nenhum juiz do estado tem coragem de condená-lo. Mesmo que conseguissem, ele tem amigos que podem fazer quase qualquer um sumir... nome novo, passaporte novo, e a pessoa some do mapa como se nunca tivesse existido. Ele daria no pé e nunca mais veríamos ou ouviríamos falar de Feliks Zhirov de novo.

– O que ele quer com Theresa?

– É o que planejo descobrir. – Como se lesse minha expressão, ele suspirou e falou: – Olha, Finlay. Não estou tentando acabar com a vida do Steven, nem da Theresa. Se Feliks estiver envolvido no desaparecimento de Mickler, meu palpite é que Theresa também é uma vítima nessa história de algum jeito. Prometo que vamos descobrir. Você e seus filhos ficarão bem. Planejo manter vocês três o mais distante possível da investigação. Georgia me fez jurar.

– Sério?

Ele fez uma careta.

– Sério.

A curiosidade me venceu.

– O que mais ela disse?

Ele olhou pela janela, corando no pescoço.

– Ela disse que você foi magoada bem seriamente. E também que, se eu fizer qualquer coisa para te machucar, ela vai tirar meu distintivo e quebrar minha cara.

Sacudi a cabeça, rindo.

– Entre minha irmã e minha filha, você deve achar que essa é uma enorme armação. Juro que nada disso foi um esquema para você me chamar para sair.

– Seria tão ruim se fosse o caso?

Ele se voltou da janela, seu olhar me percorrendo como na noite anterior, em frente à minha casa. Só que, da segunda vez, sua avaliação me pareceu muito menos profissional.

Minha gargalhada morreu. Um silêncio carregado se instaurou entre nós, quente e espinhoso. Nick era atraente e solteiro. Ele era amigo da minha irmã, o que significava que já tinha passado pela checagem de antecedentes mais rigorosa do mundo. Eu tinha quase certeza que ele queria me beijar, e também que eu gostaria.

Uma gota de suor escorreu pelas minhas costas. Fui mexer no termostato no mesmo momento em que ele foi mexer no rádio. Nossas mãos se esbarraram. Quando levantei o olhar, estávamos próximos, a aba do boné cobrindo nossos rostos em sombra. Nenhum de nós se mexeu e meu coração acelerou quando Nick entrelaçou as pontas dos nossos dedos.

– Tenho uma confissão – disse ele, em uma voz grave que me deixou sem ar. – Não foi tudo ideia da Georgia.

Eu não me afastei quando ele se aproximou, fazendo o vinil ranger. Minha adrenalina subiu e o ar pareceu se rarefazer. Eu não me lembrava da última vez que estivera tão próxima de um homem além de Steven.

– Tudo bem? – perguntou, nossas testas encostando sob o boné, o soltando.

Não, não estava nada bem. O que eu queria era muito, muito errado. Errado por milhões de motivos. Assenti, tonta, a mínima distância que ele mantinha testando todo meu autocontrole. Nossos narizes se encontraram quando um capô preto e comprido passou pela janela atrás da cabeça de Nick.

Eu me afastei de repente.

– É ele – falei. – É o carro do Feliks.

Nick se jogou de volta contra o banco com um palavrão baixinho. Ele fechou os olhos e suspirou profundamente antes de levantar o assento.

O Lincoln estacionou na frente do trabalho de Theresa. Andrei abriu a porta de Feliks e o seguiu para dentro do prédio.

– Parece que eles vão passar um tempo lá. Fique aqui um minuto. Já volto.

Nick saiu antes que eu pudesse perguntar aonde ia. Ele andou apertando o passo até a imobiliária, parando atrás do sedã de Feliks e derrubando as chaves. Perdi Nick de vista quando ele se abaixou para pegá-las. Um segundo depois, ele se levantou, guardando algo no bolso e pegando o celular. Ele o apertou contra a orelha, fazendo uma ligação apressada na volta para o carro de Ramón.

– O que foi isso? – perguntei, quando ele voltou e fechou a porta.

– Só conferindo um palpite – respondeu ele, um pouco distraído.

– E agora?

Todo meu corpo do pescoço para baixo queria continuar de onde tínhamos parado. O restante sabia que seria má ideia.

O olhar de Nick estava preso às portas do escritório.

– Agora a gente espera.

Um momento depois, Andrei saiu e segurou a porta. Feliks saiu em seguida, com a mão na lombar de Theresa e um sorriso no rosto. Feliks abaixou ainda mais a mão quando Theresa entrou no carro dele.

– Viu, falei que eles estavam transando. Agora que sabemos o que Theresa estava escondendo, podemos ir?

Nick ligou o carro. Ele esperou um instante antes de entrar no tráfego, alguns carros atrás deles. Em silêncio, com a testa franzida, ele os seguiu a oeste na interestadual, para longe da cidade. Seguimos o Lincoln de Feliks por quase uma hora, obrigados a esperar quando eles pegaram uma saída e as estradas se estreitaram no terreno rural. Eles pararam quatro vezes em frente a terras de fazenda com placas de VENDE-SE. Toda vez, o Town Car desacelerava, mas Feliks nunca saía. Depois da quarta passagem, o Lincoln voltou à interestadual, fazendo o retorno para a cidade, no caminho pelo qual tinha vindo.

– Foi uma reunião imobiliária bem normal. Me parece inocente.

Eu esperava que Nick concordasse e me levasse para casa.

– Nada que Feliks Zhirov faz é inocente – respondeu. – Ele está comprando terras.

– E daí?

As terras que ele visitara eram muito parecidas com as que Theresa tinha riscado no bloco. Ao que parecia, ele não tinha gostado mais daquelas quatro opções do que das anteriores.

– Daí a pergunta é: para que Feliks quer terras?

Nick acompanhou os movimentos do Lincoln, com o cuidado de manter alguns carros de distância, saindo da estrada principal.

– O departamento de Feliks é tráfico de drogas, armas e pessoas. Ele compra muitos prédios e galpões para movimentar a mercadoria. Todas as terras que ele viu hoje são a oeste de Dulles, próximas ao aeroporto e a duas interestaduais grandes, mas distantes o suficiente da cidade para não chamar a atenção. É bom para receber mercadoria por avião e mandar embora de caminhão.

Senti a barriga revirar ao pensar na futura madrasta dos meus filhos transando com aquele homem.

– Ele parece um partidão.

– Pode acreditar – disse ele, quando o Lincoln entrou no estacionamento da imobiliária –, não tem nada que eu queira mais do que prender Feliks Zhirov pela vida toda.

– É por isso que estamos aqui?

Nick riu.

– Tenho mais chances de ganhar na loteria do que de prender Feliks Zhirov. Estamos aqui porque cada pedacinho do negócio de Zhirov é sujo e perigoso. Se Theresa estiver trabalhando para ele, em qualquer função, ela já se meteu no que não devia.

Vimos Theresa sair do carro sozinha e sumir dentro do prédio. Nick não seguiu o Lincoln quando o carro voltou a circular.

– Não devíamos segui-lo?

Nick sacudiu a cabeça, pensativo, o olhar preso à porta da imobiliária.

– Vamos descobrir muito mais seguindo Theresa. Acho meio conveniente que ela esteja envolvida em uma investigação de assassinato enquanto age como corretora de Feliks.

– Investigação de desaparecimento, né? – corrigi.

– Se tem cor de merda e cheiro de merda, provavelmente seja merda – respondeu ele, sério. – Encontramos o Volvo de Patricia Mickler no fundo do reservatório Occoquan ontem à noite.

– Tem certeza que era dela?

O carro que eu vira estacionado na garagem de Patricia era um Subaru.

– As coisas dela estavam juntas, e o chassi batia.

Eu me afundei no banco, com um enjoo esquisito. Nick deu de ombros.

– Harris e a esposa vão acabar aparecendo – falou. – Cadáveres sempre aparecem.

Encostei a cabeça na janela fria. O cadáver de Harris aparecer era exatamente o que eu temia.

Nick esticou a mão e puxou de leve a cordinha do meu moletom.

– Ei, vai ficar tudo bem. Prometo.

Ele deslizou a mão sobre a minha, seu polegar desenhando círculos lentos sobre meus dedos. Aquilo era um erro. Eu não podia me envolver com Nick. Complicaria tudo.

– Nick – falei, me virando para olhá-lo. – Mais cedo, eu acho que talvez...

Meus pensamentos se perderam quando um borrão vermelho chamou minha atenção.

Nick começou a virar a cabeça, seguindo a direção do meu olhar, quando Aimee saiu da imobiliária usando um cachecol vermelho-vivo, ao lado de Theresa. Se Nick visse Aimee e a reconhecesse das fotos de Harris, tudo poderia dar muito, muito errado.

Bati com a mão no rosto.

– Ai, merda! Acho que entrou alguma coisa no meu olho.

Nick se virou para mim, se aproximou e afastou minha mão com cuidado.

– Tudo bem?

– Não sei.

Apertei um olho o suficiente para lacrimejar. Com o outro, me esforcei para enxergar atrás da cabeça de Nick, Theresa e Aimee entrando no carro de Theresa.

– Aqui, deixa eu olhar.

Nick pegou meu rosto com a mão, delicadamente abaixando minha pálpebra inferior com o polegar. Fiquei sem fôlego quando ele levantou meu queixo. Nossos olhares se encontraram e sustentaram. Ele desceu com o polegar, secando uma lágrima do meu rosto.

– Melhor? – perguntou, baixinho.

– Acho que sim – ofeguei.

Nick fechou os olhos. Ele se aproximou, cobrindo a distância estreita entre nós. Eu talvez tenha esquecido Theresa e Aimee completamente quando a boca dele tocou a minha.

Foi bom. Foi... tão melhor do que bom. "Cacete."

A língua dele passou pelos meus dentes. Enfiei os dedos no cabelo dele e a fivela do cinto de segurança apertou meu quadril quando nossos corpos se encontraram por cima do console. Ele fez um som faminto com o fundo da garganta, apertando os dedos nas costuras da minha calça jeans antes de passar para dentro do meu moletom e segurar minhas costas.

Meu Deus do céu, fazia muito tempo que eu não me agarrava com alguém em um carro. Eu me aproximei mais, calando a voz da minha cabeça que dizia que eu ia me arrepender daquilo.

A respiração dele contra meu pescoço era ofegante.

– Eu quero te levar para o banco de trás agora mesmo. Mas, se eu fizer isso, sua irmã vai me matar. – Ele me deu um último beijo lento que me fez retorcer os pés e ofegar. – Agora – disse ele, o nariz roçando minha orelha –, o que aconteceu no estacionamento há um minuto que você não queria que eu visse?

Eu congelei, sentindo a curva do sorriso contra meu maxilar quando ele se afastou devagar. Ele não parecia irritado, só surpreso. Talvez um pouco impressionado.

– Se você não quisesse que eu a seguisse, poderia ter dito – disse ele, voltando a encostar no banco e medindo minha frustração com os olhos entreabertos. – Você pode ser uma ficcionista e tanto, Finn, mas mente muito mal.

– Como você sabe?

Havia um toque de nostalgia nas rugas pensativas ao redor dos olhos dele.

– Porque eu já levei tiro, facada e muita porrada, e prefiro sentir qualquer dessas coisas a uma abrasão na córnea.

– Não exagera.

Ele sacudiu a cabeça diante do meu olhar cético.

– Estou falando sério. Na semana que saí da academia de polícia, mandei mal na minha primeira blitz de trânsito quando um imbecil jogou o cinzeiro na minha cara. Doeu tanto que eu não conseguia nem pensar. Cambaleei por duas pistas de carros em movimento, desesperado para tirar aquela merda dos olhos. Foi sorte não ter morrido. Passei uma semana sem enxergar.

Eu me joguei de volta no banco, me sentindo boba. Irritada, também. Ele sabia desde o início que não tinha nada no meu olho.

– Se você sabia que eu estava mentindo, por que me beijou?

– Eu esperava que fosse valer a pena.

Senti o sangue subir ao rosto. Fazia mais de um ano que eu não beijava ninguém. Mais de dez desde a última pessoa antes de Steven. Eu passara o ano anterior duvidando de mim mesma, me perguntando por que meu marido fora embora, contemplando a possibilidade de talvez ele não ter me largado pelo cabelo de Theresa, pelo corpo dela, pelo dinheiro, pelas roupas. Talvez ele só quisesse *me* deixar.

– E valeu?

O sorriso de Nick era o de um predador.

– Vamos dizer que eu considerei seriamente deixar sua irmã me matar.

Ele esfregou o rosto com a mão e ajeitou o assento.

– Vou te levar de volta a South Riding – falou. – Tenho que buscar meu carro e levar uma coisa ao laboratório em Manassas antes de fechar.

Eu sabia, por Georgia, que "o laboratório" era o laboratório forense regional. Quando Nick se abaixara atrás do Lincoln, ele enfiara algo no bolso ao pegar o celular.

– Encontrou alguma coisa?

– Ainda não sei.

O que quer que fosse, devia ser importante.

– Quer que eu vá com você?

A gargalhada dele era rouca, seu sorriso, um pouco perigoso.

– Eu quero muitas coisas agora. Por isso, acho melhor te deixar em casa.

Encostei a cabeça na janela quando ele ligou o carro, sem saber se eu estava mais curiosa quanto ao que ele escondera no bolso ou quanto ao que aconteceria se eu o acompanhasse.

Vero olhou para meu cabelo e minhas roupas assim que entrei em casa, cruzou os braços, pensativa, e falou:

– Você beijou ele, não foi?

– Não – sussurrei, olhando de relance para a sala, torcendo para Delia não ter ouvido.

– Nem tente negar.

Ela bateu do lado do pescoço, apontando para o meu com o queixo.

– O detetive deixou uma certa prova na cena do crime – falou, levantando as sobrancelhas.

– Não!

Levei a mão ao pescoço. Eu não levava um chupão desde a época da escola.

– Juro, vou matar ele... – comecei.

Vero se dobrou de tanto segurar a gargalhada.

– Viu, eu sabia. Você devia ver sua cara!

Embolei meu moletom e joguei nela.

– Relaxa – falou, engasgando de rir –, eles estão cochilando.

Ela me puxou pela manga até a cozinha, me enfiou em uma cadeira à mesa, e deixou um pacote de biscoito Oreo na minha frente.

– Em uma escala de um a dez, como foi? – perguntou.

Fui pegar um biscoito, mas Vero puxou o pacote, fazendo o Oreo de refém.

– Desembucha! Quero saber tudo.

Puxei o pacote de volta.

– Foi um onze – murmurei, enfiando um biscoito na boca.

Ela se recostou na cadeira e pegou um biscoito também.

– Eu sabia. Sempre quis pegar um policial. Aposto que ele foi cinquenta tons de assertivo – disse ela, se abanando.

– Não exatamente.

Vero estreitou os olhos, como se raramente errasse naquele assunto.

– Eu meio que dei uma encorajada – falei.

Ela deu um tapa no meu braço, segurando uma gargalhada.

– Eu não tive escolha! – argumento. – Precisei distrair ele para que não visse Theresa e Aimee juntas, então fingi que tinha entrado alguma coisa no meu olho, aí ele chegou mais perto para me ajudar e uma coisa levou à outra...

A gargalhada de Vero morreu e o queixo dela caiu, com um biscoito ainda na boca.

– Theresa e Aimee juntas? O que aconteceu? Ele viu?

Sacudi a cabeça, negando.

– Aimee apareceu no trabalho da Theresa. Parecia que elas estavam indo almoçar juntas, sei lá. Nick não as viu sair. Mas tem mais – falei, pegando outro biscoito do pacote, porque aquela manhã definitivamente merecia dois Oreos. – Ele já sabia que ela andava se encontrando com Feliks Zhirov.

– Merda. Não demorou.

– Ele ainda está convencido de que ela está envolvida no desaparecimento de Harris, mas agora acha que é Feliks quem está por trás de tudo. Não só isso, como Nick voltou ao Lush e falou com Julian. Ele mostrou uma foto de Theresa, e quando Julian insistiu que não era a mulher com quem ele tinha falado, Nick desconfiou que Julian estava disfarçando por ela. Agora, além de tudo mais, Julian sabe que eu menti para ele.

Vero fez uma careta.

– Podia ser pior. Você podia ter dado seu nome de verdade. Aí sim estaria na pior.

Ela empurrou o copo de leite para mim, me deixando mergulhar um biscoito.

– Acha que Nick vai encontrar alguma coisa que leve a investigação até você? – perguntou.

Suspirei.

– Acho que não. Nada me conecta a Feliks ou ao negócio dele.

Vero empurrou todo o pacote de biscoitos para mim.

– Nada além de Andrei Borovkov – falou.

À noite, sentei à frente do computador e fiquei vendo o cursor piscar. Eu tinha revisado um bom pedaço do manuscrito para disfarçar meus segredos. Tinha tirado o advogado jovem e gato da história e substituído por um policial fodão e, apesar de a mocinha e o policial terem ótima química na página, a ausência do advogado me descia mal, por motivos que não conseguia engolir. Eu sentia saudade do papo entre eles e do sorriso igualmente fácil. Sentia saudade de como ele parecia enxergá-la completamente – apesar da peruca, da maquiagem e do vestido emprestado – e, mesmo que ela fosse uma assassina com uma história complexa, ele ainda parecia gostar do que via.

Puxei meu celular, procurei o nome de Julian e encarei o número. Meu dedo hesitou na tecla de apagar. Havia tantos motivos para clicar. Tantos motivos para editá-lo na minha vida dias antes.

Em vez disso, peguei o celular, me sentei no chão ao lado da mesa e cliquei no nome na tela. Abraçando os joelhos, ouvi o celular de Julian tocar, esperando o bipe habitual da caixa postal. Quando ele de fato atendeu, fiquei atordoada demais para falar.

Fez-se silêncio.

– Eu não me chamo Theresa – confessei, baixinho –, nem trabalho com imóveis.

Tentei escutar algum sinal de que ele ainda estava ouvindo.

– Não sou loira. Você estava certo sobre tudo o que disse no bar. Eu não devia estar lá. Nem o vestido que eu estava usando era meu.

Segurei a respiração por uma pausa longa, certa de que ele ia desligar. Estava prestes a desistir quando ele perguntou:

– Alguma coisa foi verdade?

Não havia sugestão de culpa no tom dele. Nada de expectativas, nem exigências.

– Um pouco. – Afundei a cabeça nas mãos, surpresa por me sentir tão culpada. – Tenho dois filhos – continuei. – Sou divorciada. Estou no meio de uma disputa de guarda bagunçada com meu ex. – Olhei para as migalhas de Oreo na camiseta larga. – E você acertou bem meu estilo e minhas preferências alimentares – acrescentei.

Ele suspirou. Ou talvez fosse uma gargalhada pesada.

– Quem é você? – perguntou, soando sinceramente curioso.

Eu encostei a cabeça contra a mesa.

– Acho que não posso te contar. Pelo menos ainda.

– Por que não?

– Eu quero – falei, passando a mão no cabelo, as unhas coçando a irritação fantasma na cabeça. – Eu só... preciso resolver umas coisas antes.

– Você está com algum problema grave?

– Não quero estar – falei, contendo as lágrimas. – Só tento fazer a coisa certa, mas o tiro sempre sai pela culatra.

Eu só queria uma oportunidade de ficar com meus filhos. Provar para Steven que ele estava errado quanto a mim. Mas e se ele não estivesse?

– Esse tal de Mickler, que desapareceu... Ele te machucou? – perguntou ele, cuidadosamente.

– Não – falei, mas pensei nos nomes todos no celular de Harris. – Eu, não.

– Você machucou ele?

Não havia insinuação de culpa. Nada de condenação, nem julgamento. Talvez devesse.

– Não. Mas duvido que acreditem em mim.

– Talvez, se você me contar o que aconteceu, eu possa ajudar.

Ele parecia tão sincero, tão honesto. Eu me perguntei se seria como a confissão na igreja, despejar todas as minhas verdades horríveis no celular com ele. Desejei poder murmurar umas Ave-Marias para o mundo me absolver como Julian parecia querer fazer.

– Não posso. Essa história na qual me envolvi... É complicada.

Era errado arrastá-lo para o meio daquilo.

– Desculpa – falei. – Eu não devia ter ligado...

– Por que ligou? – perguntou, antes que eu pudesse desligar.

A pergunta me surpreendeu. Puxei um fio do joelho esgarçado da calça jeans.

– Acho que eu só queria que você soubesse que não sou uma pessoa horrível. E nunca quis te enganar. Se as coisas não estivessem tão confusas agora, eu diria meu nome. Eu aceitaria aquela oferta de pizza e contaria tudo bebendo cerveja. Mas...

– É complicado – disse ele, baixinho. – Eu sei.

– Você acredita em mim?

Fechei os olhos e me preparei para a resposta, surpreendida pelo alívio que senti quando ele falou:

– Acredito, sim.

– Por quê?

– Já ouviu falar da navalha de Hanlon? – Encostei a cabeça e fechei os olhos. O timbre grave da voz dele era calmo e constante, um bálsamo para meus nervos à flor da pele. – Tem um antigo provérbio – disse ele – que é mais ou menos assim: *nunca atribua à malícia e à crueldade o que pode ser atribuído a motivos menos criminosos*. Eu faço questão de nunca supor o pior sobre os outros.

– Talvez devesse.

– Às vezes, as pessoas só erram.

Ficamos em silêncio. Eu me perguntei se ele sentiria o mesmo se soubesse a profundidade dos erros a que nos referíamos. Se ele soubesse que Harris Mickler estava enterrado no fundo daqueles erros.

– Eu provavelmente preciso me livrar deste celular e nunca mais te ligar.

– É o que você quer?

– Não.

– Então guarda.

Era a voz de um advogado dando conselhos. Havia algo de reconfortante, uma solidez na qual eu podia me apoiar.

– Ainda não sei seu nome – lembrou ele. – Pode ser o número de qualquer um no meu celular. O detetive só está interessado em uma mulher chamada Theresa e, já que seu nome não é Theresa, não há motivos para eu falar de você para ele. Há?

Engoli um nó dolorido na garganta.

– Não.

– Prometa que vai me ligar se precisar de ajuda.

Eu queria poder dizer que não era nada tão simples quanto um alternador quebrado. Que eu estava numa confusão de que não dava conta e que precisaria mais do que cabos e um lencinho para consertar.

– Vai ficar tudo bem – falei, e desliguei.

Só queria acreditar.

De acordo com o anúncio de noivado no jornal local de sete anos antes, Aimee Shapiro se casou com um jovem empreendedor dono de uma rede de lava jato. Ele se chamava Daniel Reynolds. De acordo com minha busca, Aimee e Daniel Reynolds moravam em um sobrado em Potomac Falls, a uns vinte e dois quilômetros dali. Considerando o crachá preso ao tailleur que ela vestia ao sair de casa de manhã, Aimee Reynolds, ou Aimee R., estava a caminho do trabalho.

Eu e Vero a seguimos até o estacionamento do shopping Fair Oaks e depois ao departamento de cosméticos da loja de departamento Macy's. Nós nos escondemos em meio às araras de vestidos, a observando organizar a vitrine do balcão.

– Vai falar com ela – disse Vero, me dando uma cotovelada.

Peguei Zach do colo dela.

– Não posso falar com ela. E se ela me reconhecer das fotos na casa do Steven?

Vero revirou os olhos.

– Ah, é. Até parece que Theresa tem seu rosto estampado na casa toda.

Verdade.

– Se Aimee estava lá na noite em que eu levei Harris para casa, ela talvez tenha visto meu rosto. Precisa ser você – insisti, discretamente de olho em Aimee, mexendo nos vestidos na arara de metal. – Ligue para o meu número e deixe o celular no bolso. Assim eu consigo escutar daqui. E ponha aquele fonezinho pra me ouvir.

– O que eu digo? – perguntou ela, enfiando o fone Bluetooth no ouvido.

– Não sei.

Afastei Zach de um bustiê de seda de marca antes que ele pudesse enfiá-lo na boca para usar de chupeta.

– Puxe papo-furado – falei. – Descubra se ela estava trabalhando aqui na noite do desaparecimento de Harris.

– Me dá seu cartão de crédito – pediu Vero, abrindo a mão.

– Não pode usar meu cartão! Tem meu nome!

– Então me dá dinheiro. Não posso ficar à toa no balcão sem gastar.

Tirei umas notas da bolsa, botei na mão dela e a empurrei na direção do balcão de maquiagem. Apertando o celular com a orelha, levantei Zach do outro lado do quadril e fingi estar em uma ligação. Usando as araras mais altas de vestido como disfarce, andei até à margem do departamento de cosméticos, numa distância adequada para espiar.

– Você me ouve? – falei no celular.

– O tempo todo – resmungou Vero.

– Posso te ajudar? – perguntou Aimee, a voz leve e agradável no celular.

– Espero que sim – disse Vero, um pouco alto demais. – Estou procurando um presente para minha amiga. Ela não sai muito. É daquelas solteironas reclusas doidas por gatos, sabe?

– Não tenho gato – reclamei.

– Mas tem um cara interessado nela. Ele é policial. Um gostoso – disse Vero, se abanando. – Falei que ela não pode sair com ele de moletom. Precisa fazer um esforço, no mínimo. Sabe, pelo menos usar um pouco de maquiagem, né?

– Por quê? – resmunguei. – Para ficar bonita na ficha da polícia?

– Aaaaah! – disse Aimee, os olhos brilhando, e apoiou os cotovelos no balcão. – Que emocionante.

– Você nem imagina – disse Vero.

Aimee abriu as mãos, mostrando as fileiras coloridas de paletas sob o balcão.

– Posso te ajudar a escolher alguma coisa. Me conte quais são os melhores traços dela.

Vero revirou os olhos até o teto.

– Ai, isso vai ser difícil – falou.

– Não exagera – falei.

– Então, ela tem o cabelo meio ondulado, marrom arruivado. É bonito quando ela se esforça. O que é raro. – Bati com um cabide na arara. – E olhos cor de mel, esverdeados. Mudam de cor quando ela está com raiva e fica com o rosto vermelho. No geral, ela é pálida que nem um vampiro, porque não sai muito de casa. Mas tem umas sardas, então é mais um vampiro amigável e cintilante do que um daqueles bizarros que dormem em caixão.

Aimee soltou uma gargalhada alta.

– Que bom que ela está se divertindo – murmurei.

– Bom, vamos destacar os olhos dela. Parecem bonitos – disse Aimee, abrindo um armário de vidro e dispondo uma bandeja de amostras no balcão.

– Anda logo – grunhi.

Vero me olhou com raiva enquanto Aimee estava com a cabeça abaixada. Em seguida, bateu no queixo, estudando o rosto de Aimee, que arrumava as paletas.

– A gente já se conheceu?

Aimee olhou para cima. Inclinou a cabeça de lado.

– Acho que não.

– Tem certeza? – perguntou Vero. – Porque eu vim aqui umas semanas atrás e jurava que você tinha me vendido o blush. Deixa eu ver... Foi numa terça-feira à noite.

– Não – disse ela, educada. – Não fui eu. Não trabalho nas terças à noite. Talvez tenha sido Julia – acrescentou, alegre. – Vivem confundindo a gente.

Vero assentiu.

– Ah, claro! Acho que era Julia mesmo. Ei, aquilo está na promoção?

Vero ficou na ponta dos pés e apontou um mostruário do outro lado do balcão. Quando Aimee se virou para ver, Vero se voltou para mim.

– O que eu faço? – perguntou, sem fazer som.

Abanei o ar.

– Não olhe para mim! – falei. – Descubra onde ela estava naquela noite.

– Então – disse Vero, alto, chamando a atenção de Aimee de volta –, você tem folga na terça? Deve sair à noite, né? Aposto que você frequenta os melhores lugares.

– Que sutil – falei, irônica.

Aimee sorriu hesitante, talvez um pouco desconfortável, e voltou à tarefa.

– Ouvi falar bem de um lugar chamado Lush – continuou Vero. – Você conhece?

Aimee levantou o rosto de repente e deixou cair uma bandeja de sombras de olho. O estrondo de plástico se quebrando ecoou pela loja, chamando a atenção do gerente. Aimee se desculpou, o rosto corado tomando um tom rosa-choque quando ela se abaixou para limpar.

– Não, desculpa. Não frequento.

Mesmo dali, entre os vestidos, eu via as mãos dela tremerem ao limpar o pó na saia.

– Minha amiga disse que o barman parece um modelo de cueca. Ela falou que eles têm uma boa promoção na terça à noite. Tem certeza que nunca esteve lá?

Aimee ficou lívida.

– Exagerou um pouco – avisei.

Aimee olhou ansiosa ao redor do balcão, confirmando que ninguém estava ouvindo.

– Você é da polícia? – perguntou.

Vero afastou o rosto. Ela requebrou um quadril, analisando Aimee.

– Não, não, não – sibilei no celular. – Você não é da polícia!

Vero ergueu uma sobrancelha.

– E se for? – retrucou.

– Olha – disse Aimee, com um sussurro irritado –, não sei como você me encontrou, mas eu não tive nada a ver com o desaparecimento daquele homem. Não vejo a cara dele faz mais de um ano. Vi o nome no jornal que nem todo mundo.

– Então você certamente não se importará de me dizer onde estava na noite do desaparecimento.

Prendendo a respiração, esperei pela resposta.

– Eu estava na minha reunião do AA na igreja episcopal na Van Buren. Vou toda terça à noite faz onze meses. Pode confirmar com minha madrinha. Ela vai toda semana. A reunião começa às oito – falou. – Só não envolva meu marido.

– É por isso que você está trabalhando aqui? – perguntou Vero, baixinho. – Para não envolver seu marido? É assim que você pagava o Harris, usando seu salário para impedi-lo de falar com Daniel?

Aimee ficou boquiaberta e olhou ao redor, ansiosa.

– Não sei do que você está falando.

– Tudo bem – disse Vero, tranquila. – A polícia já sabe das fotos. Ele não vai poder te machucar de novo. Se quiser dizer qualquer coisa, pode me falar.

Os olhos de Aimee brilhavam, ameaçando lágrimas. Ela endireitou a coluna.

– Quer que eu embrulhe alguma coisa para você? – perguntou, a voz trêmula e frágil sob a firmeza artificial que tentou, sem sucesso, forçar.

Vero deve ter ouvido o mesmo.

– Quer saber? Vou levar essa paleta toda.

Vero apontou para um kit debaixo do vidro. Aimee registrou no caixa, sorrindo, tensa, quando Vero entregou as notas. Encontrei o olhar de Vero quando ela pegou a sacola do balcão. Provavelmente estávamos pensando exatamente a mesma coisa.

Aimee tinha motivo, mas também tinha álibi. Se Aimee não tinha ajudado Theresa a matar Harris, quem tinha?

– O que isso significa? – perguntou Vero, jogando a sacola de maquiagem no meu colo e batendo a porta do carro.

Aimee Reynolds definitivamente era a Aimee do celular de Harris. Definitivamente também era a mulher que fizera a denúncia anônima à polícia. No entanto, se estava na reunião do AA das oito às nove, não tinha como chegar ao bar a tempo de me ver sair com Harris.

– Significa que Aimee não estava, mas Theresa definitivamente tinha motivação. E ainda não tem álibi. – Pensei no dinheiro que Steven disse ter encontrado na gaveta de calcinhas. E se ela tivesse matado Harris por razões muito menos nobres do que vingança? E se fosse por dinheiro? – E se o palpite de Nick estiver certo e Theresa estiver mais envolvida do que devia com Feliks? – propus.

Vero inclinou a cabeça para trás, virando de lado para me olhar.

– Você acha que Theresa está trabalhando com Feliks para além do setor imobiliário?

– É possível.

Nick estivera certo sobre o restante.

– Harris obviamente tinha um tipo – continuei. – Se Feliks queria matar Harris, Theresa seria a isca perfeita. Talvez eu só tenha chegado antes.

– O que faremos com Nick? Aquele homem é que nem um cachorro atrás do osso. Se continuar investigando ela, vai parar bem debaixo da porta da nossa garagem.

Sacudi a cabeça, negando, talvez só para me convencer.

– Enquanto não tiver corpo, não tem caso – falei.

Era possível condenar alguém por assassinato sem encontrarem o corpo, mas eu sabia, por falar com a Georgia, que eram casos difíceis de provar. Nick precisaria de provas concretas. Ele não podia nos prender por causa de um palpite.

– Julian falou para Nick que tinha certeza que a mulher da foto não era Theresa – continuei. – Theresa não falou nada, nem eu. E Nick não vai chegar nem perto de Zhirov sem que os advogados de Feliks se metam. Até o Nick falou que nada cola contra Feliks. Supondo que nenhuma de nós fale, as provas de Nick são, no máximo, circunstanciais. Alguma hora, Nick vai cansar de quebrar a cara e o caso vai se perder.

Olhei pela janela, para as muitas fileiras de carros, a luz refletida nos para-brisas. Pessoas desapareciam todos os dias. O tempo passava e os casos se acumulavam. Um dia, pensei, Harris se perderia naquele mar.

– Então é melhor não ter uma fazenda sequer nesse seu livro.

– É um cemitério – murmurei contra a janela, as palavras quase sumindo em meio ao balbuciar incessante de Zach no banco de trás, e Vero me olhou pelo canto do olho. – No livro, ela enterra o cara no cemitério, em uma cova recém-cavada. Sabe, em cima de outro cara que foi enterrado logo antes.

Vero pensou naquilo. Ela assentiu em aprovação, como se prendesse a informação em um quadro mental.

– Boa ideia. Devíamos ter pensado nisso antes. Podemos tentar quando você matar Andrei.

– Não vamos matar Andrei de jeito nenhum.

– Tente dizer isso a Irina Borovkov.

A oficina de Ramón estava escura, com a exceção de uma luz fraca em uma das janelas do escritório. Na volta do shopping, o primo de Vero me mandara uma mensagem, dizendo que a minivan estava pronta e que eu poderia buscar a partir das oito. No entanto, quando eu cheguei à oficina, as portas de garagem já estavam fechadas e a placa de neon na janela estava desligada. O relógio no painel do carro que ele me emprestara dizia que eu estava na hora certa, mas todo o restante gritava "Vá embora, estamos fechados".

Cascalho solto no asfalto gasto estalou sob meus tênis quando saí do carro e fui dar uma olhada no terreno. Encontrei meu carro estacionado atrás da garagem, mas as portas estavam trancadas e eu não tinha levado as chaves de reserva. Chutei o pneu. Eu aparentemente tinha ido até lá à toa.

Remexi na bolsa, soltando um palavrão. Eu provavelmente esquecera o celular na bolsa de fraldas quando chegara do shopping à tarde. Ou seja: meu celular estava em casa com Vero. Com um suspiro profundo, bati à porta. Talvez Ramón ainda estivesse lá dentro.

A batida soou oca e metálica. Gritei por Ramón. Quando ninguém respondeu, tentei a porta lateral do escritório, que, surpreendentemente, estava aberta.

Os sinos da porta soaram, causando um eco incômodo nas paredes manchadas por fumaça e no teto manchado por mofo. Um bebedouro borbulhava no canto escuro da sala de espera. O lugar cheirava a escapamento, cinzeiro e revistas automobilísticas velhas largadas nas cadeiras de plástico.

– Ramón! – chamei, quando a porta bateu atrás de mim. – Ramón! É a Finlay Donovan. Vim buscar...

Snick.

Congelei quando senti uma pressão firme, fria e afiada na pele sensível logo abaixo do maxilar.

Minha bolsa caiu ao chão com um baque. Foi o único som no ambiente.

Devagar, levantei as mãos. Não ousei me mexer quando uma bota pesada chutou minha bolsa para longe. O conteúdo saiu pelo zíper aberto: a peruca loira se espalhou, moedas soltas rolaram, um batom vermelho quicou no chão.

Olhei de relance para a minha carteira caída, com o cuidado de não abaixar o rosto. A bota do homem era enorme, com bicos de aço largos e solas grossas tratoradas. A roupa dele cheirava a cigarro, e o hálito tinha um bafo forte de alho.

Engoli em seco devagar contra a lâmina.

– Minha carteira está no chão. As chaves estão no meu bolso. O carro está lá na frente. Pode pegar e ir.

Ele soltou uma gargalhada grave e rouca, de fumante. Gritei quando ele me agarrou pelo cabelo e me empurrou pelo corredor escuro.

Com o coração na boca, deixei ele me empurrar pela porta aberta, para o meio da garagem escura. Ele parou e me segurou, falando em palavras grossas que eu não entendi. Uma voz suave e tranquila respondeu em uma língua gutural que definitivamente me pareceu russo, e o homem atrás de mim soltou meu cabelo com um grunhido.

– Sente-se, sra. Donovan.

As palavras incorpóreas flutuaram do outro lado do ambiente. O inglês do homem tinha um sotaque sutil, e o toque gélido em seu tom me fez estremecer. Pisquei, ajustando os olhos devagar à escuridão. O colarinho branco da camisa do homem se tornou visível na luz fraca que entrava da rua pelas janelas altas e estreitas. Ele se aproximou, sua silhueta tomando a forma de um terno elegante.

Uma cadeira dobrável de metal rangeu quando ele a abriu no meio da garagem.

Quando não me mexi, o homem atrás de mim me puxou pelo cabelo. Com mãos enormes, grossas e calejadas, ele me jogou sentada na cadeira.

– Você sabe quem eu sou, sra. Donovan – disse o homem de terno.

Não era uma pergunta.

Olhei por cima do ombro para o ogro que segurava a faca. Ele obviamente não fora informado das regras de vestimenta, e usava uma camiseta preta justa e calça jeans escura no corpo parrudo e musculoso. Meu olhar subiu, chegando à cabeça raspada rente, às sobrancelhas grossas e expressivas, e ao nariz que parecia ter sido quebrado várias vezes. De perto, Andrei Borovkov era exatamente tão assustador quanto eu imaginava.

Passos ecoaram lentamente pelo chão da garagem. Senti o estômago se revirar quando Feliks Zhirov entrou em um feixe de luz noturna. O sorriso dele era sereno, cheio de expectativa. Só consegui sacudir a cabeça.

– Não – falei, rouca. – Acho que não.

Ele abriu um sorriso ainda maior, revelando dentes brancos e retos. O cabelo escuro e liso caía curiosamente sobre um olho.

– Ainda assim, você estava me seguindo. Por quê?

– Eu não...

Ele levantou uma mão, as abotoaduras cintilando na luz baixa.

– Vamos nos dar a cortesia de não perder tempo – disse ele, sua voz ameaçadoramente suave, o músculo teso em seu maxilar indicando a impaciência. – Ontem, um sedã azul, com a mesma placa daquele que você estacionou aqui, seguiu minha limusine em um pequeno passeio pelo condado de Fauquier. Meu colega rastreou a placa e a conectou a esta garagem.

Feliks enfiou as mãos nos bolsos, a postura elegante e as palavras cuidadosamente controladas, andando na minha frente.

– Eu e Ramón conversamos um pouco – continuou. – Ele me disse que você viria devolver o carro hoje, então eu o encorajei a tirar a noite de folga. Ou seja, podemos ficar aqui na garagem pelo tempo que for necessário. Mas você certamente prefere voltar para casa e para seus filhos, sra. Donovan.

Ele deixou meu nome pairar. Encontrar minha casa, meus filhos, seria fácil; isso supondo que ele ainda não soubesse...

– Então vamos direto ao ponto. Diga – falou, ajeitando as mangas e apertando cada abotoadura ao se aproximar. – Por que me seguiu?

– Eu não te segui.

Feliks parou em frente à cadeira, o desenho duro da boca dele se estreitando em uma linha fina quando ele olhou para Andrei. O hálito quente de fumante de Andrei roçou minha nuca. A faca ardeu no meu pescoço e as mãos calejadas me prenderam à cadeira. Eu só conseguia pensar nos três homens que os amigos de Georgia tinham encontrado assassinados em um galpão vazio, com as gargantas cortadas de um lado a outro, largados em um rio de sangue.

– Eu segui a Theresa! – falei.

Não era exatamente mentira. Com os olhos fechados com força, me preparei para a morte. Quando não veio, ousei abri-los.

Feliks inclinou a cabeça para o lado. A curiosidade relaxou os traços duros de seu rosto e ele me observou como um gato considerando sua presa: sem saber se queria me matar ou brincar comigo.

– O que exatamente você quer com a sra. Hall?

– Ela é noiva do meu ex-marido.

Ele ergueu as sobrancelhas com um toque de surpresa.

– E o que você esperava ganhar ao espionar nossa reunião?

Senti a boca seca. Tentei não pensar na ardência sob a faca de Andrei, nem na gota descendo lentamente pelo lado do meu pescoço, que podia ou não ser suor.

– Steven... Meu ex-marido acha que ela está tendo um caso.

– Então você chamou um policial para te ajudar a pegá-la?

Feliks riu baixinho. Ele coçou a barba escura por fazer.

– Não demonstre tanta surpresa, sra. Donovan – continuou. – Eu e o detetive Anthony temos uma longa história. Posso não ter reconhecido o carro, mas reconheci exatamente o motorista. – Ele se inclinou para a frente, um brilho horrível no olhar. Ele cheirava a bebida cara, couro macio e perfume chique, como eu imaginava o cheiro de uma limusine por dentro. – Posso supor com segurança que vocês não notaram nada de útil, visto que eu e a sra. Hall temos um relacionamento puramente profissional.

O sorriso diabólico sugeria que tínhamos definições muito diferentes de "profissional". Eu me encolhi quando ele afastou uma mecha de cabelo do meu rosto com a ponta do dedo.

– Diga – continuou, enfiando as mãos no bolso –, o que o detetive procurava?

– Nada – falei, trêmula. – Ele só estava me fazendo companhia.

– Devo inferir que você e o detetive Anthony têm um... relacionamento pessoal?

Assenti, muda, quando Feliks se ajoelhou à minha frente. Os olhos escuros cintilavam quando ele segurou meu rosto, levantando meu queixo. A voz dele era tão fria que estalava.

– Se eu descobrir que você mentiu, vou te encontrar. Entendeu?

Com o coração a mil, assenti na mão dele.

Andrei o observava, segurando a faca, esperando um sinal.

Uma sirene uivou à distância, se aproximando.

Feliks soltou. Ele se levantou quando um carro parou na frente da garagem, cantando pneu e derramando luz azul rodopiante pelas janelas altas.

– Obrigada pelo seu tempo, sra. Donovan – disse Feliks. – Espero não te ver de novo.

Ele fez um gesto para Andrei e o homem enorme o seguiu até a saída nos fundos da garagem. Minha respiração saiu em um suspiro trêmulo quando a porta se fechou atrás deles.

– Finlay!

Os gritos abafados de Nick ecoaram lá de fora. Portas tremeram nas dobradiças, uma por uma, conforme ele dava a volta no prédio. Os sinos soaram no escritório. Eu me levantei, surpresa por minhas pernas bambas me sustentarem.

– Aqui – consegui dizer.

Com a arma na mão, ele entrou correndo na garagem, olhando para todos os cantos. Ele se apressou na minha direção e parou de repente. Seu olhar se dirigiu ao meu pescoço e, rapidamente, ao resto.

– Está tudo bem? O que aconteceu?

Sequei uma gota grudenta de sangue no meu pescoço. A mancha vermelha no meu dedo me deixou tonta.

– Foi só um arranhão – falei, para tranquilizá-lo. – Está tudo bem.

Ele se aproximou devagar, guardando a arma de volta no coldre. Eu me encolhi quando ele levantou meu queixo para conferir o corte no pescoço. A mão dele se demorou, possessiva, no meu queixo, seu corpo um pouco mais próximo do que exigia o protocolo profissional.

– O que você veio fazer aqui?

– Vero ligou, mas eu estava em reunião e não atendi. Ela deixou uma mensagem frenética. Só falou que você estava na oficina do Ramón, tinha esquecido o celular e precisava de ajuda. Cheguei o mais rápido possível.

Ramón devia ter ligado para Vero e falado que Feliks e Andrei estavam me esperando. Quando ela não conseguira falar comigo, provavelmente notara que eu estava sem o celular. A preocupação fora o bastante para ligar para Nick.

– Você pode me contar o que aconteceu aqui? – perguntou ele.

– Eu tinha combinado de buscar minha minivan, mas o Ramón não estava aqui. Feliks Zhirov estava me esperando com um capanga.

A mão de Nick congelou no meu rosto. Seu olhar encontrou o meu, a pele, ao redor dos olhos, enrugada de preocupação.

– Está tudo bem – insisti. – Eles fugiram pelos fundos quando ouviram a sirene.

O olhar dele foi direto para os fundos da garagem, como se estivesse pronto para correr atrás deles.

– Não adianta – falei. – Eles já devem estar muito longe.

Eu não vira o carro de Feliks quando chegara. Ele provavelmente estacionara em outra quadra. A última coisa que eu queria era que Nick fosse atrás deles.

Nick puxou a cadeira dobrável para mais perto, mantendo-a firme para eu relaxar. A adrenalina estava baixando, substituída por exaustão.

– Conte tudo – pediu.

– Feliks sabia que a gente seguiu ele outro dia. Ele pegou o número da placa do carro e rastreou até aqui. Meu mecânico é primo da Vero. Ele deve ter ligado para ela para avisar que eu estava em apuros.

Apoiei os cotovelos nos joelhos, massageando a tensão nas têmporas. Não só eu estava no radar de Feliks, como Nick também.

Ele levou as mãos à cintura e olhou para o chão.

– Desculpa por não ter ouvido a mensagem de Vero antes.

– Não é culpa sua – falei, com um suspiro trêmulo.

– O que Feliks falou?

– Ele queria saber por que eu o seguira. Falei que estava seguindo Theresa. Mas ele te reconheceu.

– Merda – disse Nick, esfregando o rosto e dando uma volta lenta pela garagem. – Como você explicou?

– Falei que eu e você estamos... *envolvidos*. E que você estar no meu carro não tinha nada a ver com ele. Mas não sei se ele acreditou.

Nick fez uma pausa, um toque de divertimento no sorriso sugestivo.

– Se quiser tentar convencê-lo, tenho algumas ideias.

Revirei os olhos e me levantei, virando de costas para ele e indo buscar minha bolsa. Eu só queria confirmar que estava tudo bem com Vero, olhar meus filhos adormecidos e dar beijos de boa-noite.

– Finn, espere – disse Nick, soltando um palavrão baixinho e me pegando pelo cotovelo. – Desculpa. Estava tentando aliviar a tensão. Sei que você teve uma noite e tanto. E me sinto horrível por Feliks ter te ameaçado por ter visto nós dois juntos.

Ele sacudiu a cabeça, passando as mãos pelos cachos escuros antes de levá-las à cintura.

– Eu devia ter ido com meu carro – falou. – Nunca deveria ter te levado junto. Georgia vai me estrangular quando descobrir...

– Ela não vai descobrir – falei, ignorando a culpa nas minhas entranhas. – Não conto, se você não contar.

Um peso caiu dos ombros de Nick. Ele assentiu.

– Vai pegar suas coisas. Eu te levo para casa.

Meus joelhos ainda estavam bambos quando voltei ao escritório, e me senti grata pela desculpa para não dirigir. Eu me abaixei para pegar o que caíra da bolsa, catando maquiagem e moedas do chão e enfiando a carteira de volta. Os passos de Nick ficaram mais altos quando me aproximei da peruca. Quando ele chegou atrás de mim, eu a empurrei para mais longe debaixo da mesa.

– Vou solicitar um policial à paisana para ficar de olho na sua casa por um tempo.

Eu me levantei, pronta para reclamar, mas Nick levantou um dedo.

– Só por uns dias – falou. – Só até sabermos que ele não vai tentar te atacar de novo.

Abri a boca para discutir, mas ele já estava ligando para a delegacia. Quando eu chegasse em casa, um policial já estaria estacionado na rua, documentando todos os meus movimentos, me vendo ir e vir. Era pior que a sra. Haggerty. Muito pior mesmo. Usei o sapato para enfiar a peruca ainda mais longe debaixo da mesa; não ousei levá-la para casa.

De repente, planejar um assassinato não parecia tão difícil. No mínimo, parecia mais fácil do que descobrir como *não* matar alguém. Porque, quando a campainha tocou às oito e meia da manhã de sábado, minha irritação era bastante para tentar.

Honestamente, me surpreendi por Steven chegar a usar a campainha. Talvez a bronca de Vero tivesse tido efeito. Ou talvez a chave que ela tinha jogado na lixeira de fraldas fosse mesmo a única cópia. Andei a passos duros até a porta, segurando minha xícara de café.

– Você chegou cedo – murmurei, bebendo café, ao abrir a porta. – As crianças ainda...

Nick estava encostado no umbral, recém-barbeado e com o cabelo ainda úmido do banho. Ele abriu um sorriso ao ver meu estado desgrenhado.

– Bom dia para você também.

Passei uma mão no cabelo e segurei a frente do roupão para fechá-lo ao redor das mesmas roupas suadas que eu usara na noite anterior.

– Desculpa, achei que fosse o Steven. O que você veio fazer...

Fechei a boca com força; ainda nem tinha escovado os dentes.

– Vim ver como você estava depois de ontem.

O olhar dele desceu para o meu pescoço, e cobri com a mão o corte feito por Andrei. A casquinha era quase invisível, mas eu preferia esquecer a experiência. Nick franziu a testa, o sorriso habitual murchando.

– Como você dormiu? – perguntou.

– Não dormi. Muito.

Sob a pressão do meu prazo apertado e dos inúmeros e-mails da minha agente, eu ficara trabalhando até as três da manhã. Eu mal consegui me lembrar de mandar o que escrevi de novo para Sylvia antes de pegar no sono de roupa e tudo.

Nick apontou com o polegar por cima do ombro para um carro à paisana estacionado na rua.

– Pode descansar hoje à noite. O sargento Roddy está de olho. Se Feliks passar a cento e cinquenta metros daqui, eu saberei.

Ótimo. Exatamente o que eu precisava. Talvez o sargento Roddy e a sra. Haggerty pudessem tomar um chá e trocar fofocas.

Nick levantou uma sobrancelha. Ele saltitou de leve nos calcanhares do par de sapatos formais. Ele tinha trocado o figurino habitual de calça jeans escura e camiseta de malha por uma calça social cinza-chumbo e uma camisa de botão.

– Quer dar um passeio? – perguntou.

– É um eufemismo?

– Só se você quiser.

Revirei os olhos e fiz sinal para ele entrar. Ele me seguiu até a cozinha.

– Bom dia, detetive – disse Vero, de óculos de leitura, concentrada em um livro didático. – Pode se servir de café. As xícaras estão logo acima da cafeteira. – Ela deu uma boa olhada nele sob os cílios compridos. – Gostoso – murmurou Vero, sem fazer som, quando Nick se virou de costas.

– Aonde vamos? – perguntei, me sentindo um pouco rabugenta.

Não me importava a aparência de Nick. Sempre que ele chegava à minha porta, eu só me sentia grata por não estar trazendo algemas e um mandado de prisão.

Nick pegou uma xícara do armário.

– Tem leite? – pediu.

– Na geladeira – disse Vero, marcando uma passagem no livro, sem levantar o olhar.

– Eu pego... – falei, mas me calei quando ele chegou antes na geladeira, parando em frente à porta aberta.

– Recebi um telefonema do laboratório – disse ele, pegando a caixa de leite.

Agradeci aos céus por não ter um saco de dinheiro enfiado ali quando ele serviu leite na xícara.

– Vou lá buscar o relatório agora – continuou. – Achei que você podia querer ir comigo.

Vero ergueu o olhar à menção do laboratório.

– Pode ir – falou. – Eu fico com as crianças.

– Mas você tem que estudar para a prova.

– Steven já vem buscá-las. Vou ter tranquilidade.

– Mas...

– Você não devia perder uma visita ao laboratório – insistiu ela, firme. – Talvez aprenda alguma coisa interessante. Para o seu *livro*.

Ela deu ênfase em especial à última palavra.

– Tá – cedi, dando o mesmo peso a cada palavra. – Tenho certeza que você ficará bem sozinha, porque Nick pediu ao *sargento Roddy* para ficar de olho aqui na rua.

Vero fez um "oh" com a boca.

– Quanta consideração da parte dele – falou, olhando de relance pela janela e levantando de leve da cadeira para enxergar o carro de Roddy. – Por que você não se arruma? Eu faço companhia ao detetive Anthony.

Ela me enxotou escada acima, ignorando meus protestos.

– Então, me fale desse tal sargento Roddy. Ele está solteiro? – ouvi Vero perguntar, logo antes de me fechar no quarto.

Ótimo. Que ótimo. Conhecendo Nick, ele provavelmente tinha mandado um policial ficar de olho na casa de Theresa também. Vero estava certa, no entanto. Eu aprenderia mais sobre o estado da investigação no carro dele do que vendo tudo acontecer pela janela.

Tomei uma chuveirada rápida, sequei o cabelo com a toalha, passei um pouco de rímel e gloss e parei em frente ao armário, enrolada na toalha. Minhas roupas eram principalmente moletons e camisetas, então me surpreendi ao encontrar minha única calça preta social limpa e passada, pendurada ao lado de uma camisa branca de botão que Vero devia ter lavado e passado para mim. Eu as vesti, quase tropeçando na correria para calçar um par de saltos baixos. Se íamos a um laboratório forense, eu pelo menos devia parecer digna de chegar no banco da frente de uma viatura, em vez de no de trás.

Desci a escada, cutucando a orelha em busca dos furos com os brinquinhos de diamante que Steven me dera no nosso primeiro aniversário de casamento. Eu não os usava desde o divórcio e me surpreendi ao ver que os furos da minha orelha não tinham fechado completamente.

Nick e Vero levantaram o olhar quando meus saltos ecoaram no chão da cozinha. Vero parecia confusa.

– Desculpa. Eu te conheço? Achei que eu trabalhasse para uma vampira de calça de malha.

Eu a ignorei e me virei para Nick.

– Pronto?

Ele abriu um sorriso enviesado ao se levantar da cadeira, seu olhar descendo ao decote v da camisa.

– É um eufemismo? – perguntou.

Calor subiu ao meu peito e eu me virei rápido para a porta.

Vero riu por cima do livro.

– Traga ela de volta antes do anoitecer, detetive – falou. – Finlay precisa trabalhar no livro.

– Volto daqui a algumas horas – falei, por cima do ombro.

As mochilas das crianças já estavam arrumadas, esperando no hall. Vê-las me causou uma sensação esquisita. Eu nunca me acostumaria com aquilo. Nick esperou eu abrir um sorriso pouco convincente e me despedir dos dois com um beijo. O cabelo fino e macio de Delia fez cócegas no meu queixo. Inspirei profundamente o cheiro de cereal e leite quente das bochechas gorduchas de Zach.

– Comportem-se com o papai, e a gente se vê segunda, tá?

Sequei os olhos. Quando abri a porta, Steven estava na minha frente, a mão pronta para bater. Olhei em pânico para a picape dele, aliviada por Theresa e Aimee não estarem ali.

Steven apertou o maxilar ao ver Nick atrás de mim. Nick deu a volta e ofereceu uma mão. Steven a apertou, relutante.

– Quem é esse? – perguntou.

– É o Nick – respondeu Delia da sala, arrastando a Barbie pelada pelo cabelo. – Ele é amigo da tia Georgia.

– Ah, é?

O sorriso de Steven era amargo, na sombra do boné, e os punhos fechados apareciam pelos bolsos do moletom.

– Ele e a mamãe estão namorando.

Arregalei os olhos ao notar como parecia mesmo que estávamos. Não me lembrava da última vez que Steven me vira de maquiagem. Nem de nada além de pijamas, na verdade. Apontei para Nick.

– Não estamos... Quer dizer, ele não...

– É o advogado? – perguntou Steven, seu olhar azul analisando Nick com desprezo.

– Não – disse Delia. – Ele é policial. Que nem a tia Georgia.

Eu me aproximei de Steven.

– Você sabe como é a Delia – sussurrei. – Ela não faz ideia do que diz.

– Por que vocês falam isso sempre? – bufou Delia.

– Não se esqueça de alimentar Christopher – falei para ela.

– Christopher? – perguntou Nick, próximo o suficiente para eu sentir a respiração quente dele na minha orelha, enquanto Steven o olhava com raiva.

– O peixinho dela – respondi.

Delia entrou no hall e puxou a manga do pai.

– Podemos ir buscar o Sam hoje?

Steven fez uma careta.

– Quem é Sam?

– O cachorrinho do abrigo – disse ela, olhando para o pai em súplica. – Aaron disse que eu posso adotar ele. Mas a mamãe falou que, como o Christopher já mora aqui, o Sam vai ter que morar na casa da Theresa.

Steven rangeu os dentes.

– Foi isso que ela falou, é?

– Precisamos ir – falei, surpresa quando a mão de Nick veio à minha lombar ao passar pela porta.

Ele sorriu, fazendo um gesto exagerado para segurar a porta enquanto eu mandava beijos para as crianças e dizia que as veria na segunda-feira. Vi o rosto de Steven nos observando pela janela quando Nick abriu a porta do lado do carona para mim. Pelo retrovisor, as cortinas da sra. Haggerty tremularam como um fantasma. Nick entrou e ligou o carro.

– Então – falou –, me conta desse advogado.

Passei a maior parte do caminho do laboratório evitando as perguntas de Nick sobre minha vida amorosa. Tudo que saiu da minha boca era verdade; eu não estava namorando um advogado. Tecnicamente, não estava namorando Julian *nem* Nick. Mesmo assim, conhecendo Nick, ele investigaria por conta própria. Eu só esperava que a investigação não o levasse de volta ao Lush.

Quando chegamos ao estacionamento, eu fiquei grata pela distração. Nick prendeu um crachá de visitante na gola da minha camisa, e outro na dele.

– O que você espera encontrar? – perguntei, cruzando o lobby iluminado e de pé-direito alto do laboratório forense regional.

Nick se dirigiu às escadas altas em caracol, cumprimentando os técnicos pelo nome no caminho. Ele esperou todos estarem mais longe antes de responder.

– Quando seguimos Feliks e Theresa, eles foram a quatro propriedades diferentes sem pisar em nenhuma delas. Nem estacionaram o carro. Mas tinha terra e grama debaixo do Lincoln de Feliks naquele dia. O que significa que eles saíram da estrada recentemente.

O ritmo de Nick acelerou na subida da escada, se tornando mais focado.

– Suspeito que ele tenha encontrado um terreno – continuou –, ou pelo menos esteja interessado em algum de fato. Se eu puder descobrir onde é e em que tipo de zona, provavelmente posso adivinhar o que ele planeja fazer. Ou pelo menos me adiantar quando ele comprar.

– Por quê?

– Feliks nunca assina a escritura com o próprio nome. Ele usa laranjas ou empresas fraudulentas, o que dificulta encontrar os bens. Se eu souber o nome que ele vai usar para comprar o terreno, posso usar a informação para encontrar outros.

– E fazer o quê?

– Vasculhar. Ver que sujeiras encontro.

– O que isso tem a ver com Theresa e Harris Mickler?

– Talvez nada. Mas eu adoraria um motivo para levar Feliks à delegacia, enfiá-lo em uma sala de interrogatório e descobrir.

As pernas de Nick cobriam a escada dois passos por vez, acelerando ao se aproximar do alto.

– E o pessoal do laboratório consegue descobrir isso tudo com um pedacinho de terra? – perguntei, me esforçando para acompanhar.

– Não sei. Parecia difícil, mas a ligação que recebi hoje foi promissora.

Nick abriu uma porta e a segurou para mim. Ele nos levou ao laboratório no fim do corredor e bateu no vidro. Um técnico de jaleco nos chamou para entrar.

– Oi – disse o técnico, nos encontrando no meio da sala e oferecendo a mão. – Finlay Donovan, uau!

O aperto de mão dele era entusiasmado e um tanto suado.

– Perdão – falei, olhando confusa para Nick e depois para o técnico. Ele era jovem, bonitinho de um jeito meio nerd e desajeitado. Ele ajeitou os óculos. Mesmo vendo com mais clareza, eu não sabia de onde nos conhecíamos. – E você é? – perguntei.

– Ah, claro! – disse ele, sacudindo a cabeça, com um tapinha de brincadeira na própria testa. – Desculpa, eu sou o Peter. Não nos conhecemos. Mas Georgia me contou tudo sobre você. Na verdade, sou muito fã. – Ele secou as mãos no jaleco, as orelhas corando. Ele olhou de relance para Nick e se aproximou para confessar, baixinho: – Eu li seus livros.

– Ah! Então alguém os leu. – Ri quando a expressão de Peter murchou. – É brincadeira – falei, e abaixei a voz a um sussurro conspiratório. – Então agora são pelo menos dois leitores. – Os cantos da boca de Peter se levantaram em um sorriso hesitante. – Sério, é brincadeira – falei.

Ele soltou uma gargalhada nervosa.

– Nick me falou que talvez você viesse. Será que você me daria um autógrafo?

– Claro – falei, corando. Ninguém além da minha família me pedira um autógrafo. – Por que não? – acrescentei.

Nick deu de ombros, reticente, mas eu notei que ele estava ansioso para ir direto ao ponto e começava a perder a paciência. Peter tirou um livro cheio de cantos dobrados e uma canetinha do bolso do jaleco. Nick olhou de relance o peitoral bombado do modelo da capa e soltou um suspiro impaciente enquanto eu rabiscava uma assinatura rápida. Peter estudou meu rosto quando devolvi o livro.

– Você não se parece em nada com a foto – falou, indo à página da minha biografia. – Sabe, no fim do livro? Você está loira na foto. E com os óculos escuros é difícil ver seu rosto.

Ele levantou a foto para compará-la com minha cara. Senti a cabeça coçar e ajeitei o cabelo atrás da minha orelha.

– Se eu não soubesse que você viria, não teria te reconhecido de jeito nenhum.

Evitei me virar para Nick quando ele olhou a foto por cima do ombro de Peter, e depois olhou para o relógio.

– Você provavelmente usa um disfarce para não ser reconhecida em público e atacada por fãs, né? – perguntou Peter.

– Isso – falei, com um riso nervoso.

Ou ser reconhecida quando sequestro estupradores assustadores em bares, invado imobiliárias e aceito contratos para assassinar maridos problemáticos enquanto como cheesecake no Panera. Naquele tempo todo, eu nunca considerara que minha foto profissional, impressa em todos os meus livros, seria uma prova contra mim. Ou que Nick poderia usá-la para me localizar no Lush.

– Georgia falou que você está escrevendo outro livro. Mal posso esperar para ler. Se tiver perguntas forenses, pode falar comigo. Sempre quis...

– Pete – interrompeu Nick.

Peter se virou, como se lembrasse de repente que Nick estava ali.

– Você tem alguma coisa para me mostrar? – perguntou Nick.

– Ah, é! Você não vai acreditar.

Suspirei quando Peter guardou o livro no bolso e nos chamou para uma mesa do laboratório. Um pedacinho de terra enlameada se encontrava em um pratinho ao lado de um microscópio. Ele ajeitou os óculos, os olhos escuros transbordando de empolgação.

– Então, normalmente – explicou –, isso que você me pediu seria um feito monumental, e o melhor que eu poderia fazer seria limitar a amostra a uma região específica, de alguns estados, talvez até condados, mas *nunca* um terreno em específico. No entanto – continuou, fazendo uma pausa dramática –, neste caso, a grama que você encontrou é bem rara.

Nick se aproximou.

– Quão rara?

– Tipo... – disse Peter, olhando para cima como se calculasse mentalmente, como Vero costumava fazer. – Muito rara. É uma variação de festuca popular, mas esta variedade em específico é nova, então ainda não foi muito usada nesta parte do Médio Atlântico. A amostra que você pegou continha uma camada da superfície do solo, e a combinação de fertilizantes e pesticidas industriais que encontrei, sugerem que era mantida profissionalmente. Então peguei uma lista de distribuidoras de semente e procurei as empresas nesta área que compraram essa grama recentemente. Há três delas em Virginia, mas só uma cumpre os critérios que você me deu: a oeste do aeroporto, a leste da interestadual 81.

Peter entregou um papel para Nick.

Nick franziu a testa e sua postura se tornou rígida ao ler o relatório. Ele fez uma careta, em silêncio pouco característico, ao dobrar o papel e guardá-lo no bolso do casaco.

– Espera aí – falei, curiosa quanto ao motivo da empolgação de Peter. – O que diz?

Nick me virou pelos ombros e me dirigiu com firmeza até a porta.

– Obrigado, Pete. Tenho que ir.

O sorriso de Peter desmoronou.

– Espera aí, vocês já vão? Mas tem mais.

– Eu te ligo depois – disse Nick, por cima do ombro.

– Tchau, Finlay! – gritou Peter. – Foi um prazer te conhecer!

Não tive a oportunidade de me despedir. Nick pressionou minha lombar, me empurrando até a escada.

– Aonde vamos?

Segurei o corrimão para não tropeçar no salto.

– Vou te levar para casa. Preciso verificar uma coisa.

Os passos dele eram tensos e rápidos, a voz grave roncando como um motor.

– O que você descobriu? – O que quer que fosse, deveria ser importante. – Por que você não me conta? – insisti, seguindo ele escada abaixo.

– Porque já te contei demais.

Parei no meio do lobby, cruzando os braços com teimosia, enquanto ele corria na direção das portas de vidro, já com a chave do carro na mão.

– Se for por causa de ontem – falei –, está tudo bem. Você não precisa me proteger de Feliks e dos capangas dele.

Ele deu meia-volta e me segurou com firmeza pelo cotovelo, me puxando até a porta.

– Não está tudo bem. Vou te levar para casa. Cometi um erro. Não quero você por perto dessa investigação.

Firmei os pés, o impedindo de seguir.

– Se não quisesse me envolver, não teria me trazido – insisti, e um músculo no rosto dele se tensionou. – Você encontrou alguma coisa no relatório que não quer que eu saiba. Né?

Ele passou a mão pelo cabelo escuro e soltou um palavrão baixinho.

– Você me contou todo o restante do caso – continuei. – Por que não isso? Por que não agora?

Ele levou um dedo à boca, pedindo silêncio, olhando ansioso ao nosso redor.

– Porque achei que podíamos nos ajudar – falou, com dificuldade de manter a voz baixa. – Você queria provas de que Theresa não é adequada para ter a guarda dos seus filhos, e eu queria prendê-la. Mas não é mais só Theresa envolvida nisso.

– Você está certo. Não é. Depois do que Feliks tentou fazer comigo ontem, acho que mereço saber.

Ele apertou a ponta do nariz e soltou um suspiro profundo.

– É melhor não saber.

– Você não pode me afastar assim! Você mesmo disse que eu já sei muito...

– A fazenda do Steven – cedeu, falando baixo. – A grama do Lincoln de Feliks veio da fazenda do seu ex-marido.

Dei um passo para trás. De tudo que eu esperava ouvir, aquilo não estava na lista.

– Deve ser um erro – falei, sem fôlego. – Theresa nunca seria idiota a ponto de levar o amante à fazenda do Steven.

– Você está supondo que eles estiveram lá por motivos pessoais. Mas e se for profissional?

"Eu e a sra. Hall temos um relacionamento puramente profissional."

Feliks dissera aquilo, mas fazia ainda menos sentido.

– Steven comprou a fazenda ano passado. Não está à venda – falei.

– Se não está à venda, o que Feliks foi fazer lá?

Eu não tinha resposta.

– Agora você entende por que eu não queria te contar? Se eu provar que Feliks estava conduzindo negócios ilícitos na fazenda de Steven, e se um advogado provar que você ou seus filhos podem se beneficiar de qualquer forma com esses negócios, seu envolvimento compromete o caso inteiro.

– Meu envolvimento já comprometeu seu caso – argumentei. – Ninguém precisa saber.

– Feliks sabe e pode usá-lo contra mim no tribunal.

– Ele não pode provar o que sei sobre o caso. Eu falei para ele que estamos envolvidos romanticamente.

Havia um ar de desafio no olhar escuro de Nick.

– Você vai falar a mesma coisa para o seu ex quando chegarmos à fazenda?

Então era para lá que Nick ia. Para a fazenda. Eu podia deixá-lo me levar para casa e passar o dia me perguntando o que ele encontrara lá, ou fazê-lo me levar junto.

– Ele não vai estar – falei, minhas pernas bambas só de pensar. – Ele está com as crianças.

Nick mordeu o lábio ao me estudar, os dedos lívidos na cintura. Ele abaixou bem a voz.

– Eu posso fazer isso sem você, Finlay. Quanto menos souber, melhor para nós dois.

Eu não sabia quem ele tentava convencer: a si próprio ou a mim. A única coisa que eu sabia certamente era que Harris Mickler estava enterrado naquela fazenda e eu não podia deixar Nick encontrá-lo.

– Eu vou com você.

Peguei a chave da mão dele antes que ele pudesse discutir. Se Nick ia se aproximar daquela fazenda, de jeito nenhum o faria sem mim.

– Tem certeza que o Steven não está?

Nick estava com os nervos à flor da pele quando entrou na estradinha de cascalho que levava à fazenda. Eu também sentia o estômago embolado e os buracos da estrada não ajudavam. Engoli a náusea para não vomitar no carro.

– Ele fica com as crianças até segunda.

– Tem mais alguém aqui?

Reconheci o Fusca vermelho estacionado na frente do trailer de vendas.

– Bree. Ela trabalha no administrativo.

– Ela te conhece?

– Conhece.

– Então vai ser fácil – disse Nick, entrando com o carro na vaga ao lado de Bree e abrindo a porta. – Siga minha deixa.

Senti um buraco no fundo do estômago ao segui-lo até o trailer. Ele segurou a porta aberta para mim, mas eu não entrei.

– A gente pode estar aqui? – cochichei. – A gente não precisa de um mandado de busca, sei lá?

– Só vim comprar grama!

Ele abriu um sorriso inocente e me fez sinal para entrar.

Bree levantou o olhar do computador.

– Oi, sra. Donovan! Que bom te ver. Steven não está – falou, inclinando a cabeça, como se eu devesse saber daquilo. – Ele tirou folga hoje.

– Eu sei. Ele está com as crianças. Acho que foram ver cachorros no abrigo.

– Ah, que amor.

Ela apertou o peito. Quase dava para escutar os ovários explodindo. Nick levantou uma sobrancelha e eu respondi com um rápido aceno de cabeça.

Nick conteve um sorriso e se apresentou:

– Sou amigo da sra. Donovan. – Ele reforçou a palavra "amigo" e levou a mão à minha lombar, um pouco mais baixo do que no laboratório. Bree seguiu o gesto com o olhar, e eu a vi guardar a informação mentalmente. – Estou interessado em dar um trato no meu jardim – continuou –, e Finlay me disse que vocês têm uma ótima seleção de grama.

– Temos, sim – respondeu Bree, abrindo uma gaveta. – Posso oferecer um catálogo.

– Na verdade, um amigo me recomendou uma tal de festuca-azul. Vocês têm?

– Temos, sim, mas já vendemos nosso primeiro lote, está reservado. Um empreiteiro comprou adiantado no verão.

– Então vocês não venderam para nenhum outro lugar? – perguntou.

Pisei no pé de Nick. Bree podia ser jovem, mas não era ingênua àquele ponto.

– Ainda não – disse ela. – Mas na primavera vamos preparar um novo lote. Posso pegar os preços, caso queira comprar.

– Obrigado, mas acho que gostaria de dar uma olhada antes, se for possível. Você disse que plantaram um lote aqui?

Ele segurou minha cintura. Uma gota de suor escorreu pelo meu tronco e torci para ele não sentir através da camisa.

– Plantamos, sim. Posso mostrar para vocês, com prazer. Só preciso deixar um aviso na porta para o caso de alguém chegar enquanto estivermos lá.

Bree abriu a gaveta da escrivaninha e tirou um bloco em formato de coração, mas Nick a interrompeu.

– Não preciso te dar trabalho. Você está sozinha aqui e não quero te afastar do escritório. Se me contar onde é, posso encontrar sozinho.

Bree pareceu aliviada. Ela abriu outra gaveta e pegou uma cópia de um mapa da fazenda. Roí a unha do dedão quando ela marcou a estrada de terra com um marca-texto cor-de-rosa, apontando para o lote quadrado que Nick procurava... exatamente em frente à terra onde tínhamos enterrado Harris Mickler.

– A sra. Donovan sabe o caminho – disse Bree, entregando o mapa a Nick, antes de se voltar para mim. – A senhora já passou por lá. É o último campo antes da entrada dos fundos, na frente da terra de alqueive. A grama que vocês estão procurando tem um tom azulado. Não dá para confundir.

– Obrigado, Bree. Você foi de grande ajuda – disse Nick, segurando minha mão e me levando à porta. – Entrarei em contato em breve.

Ele andou até o carro em passos largos e fervorosos, esmagando o cascalho. Assim que entramos no carro, abri a janela, sentindo o suor se acumular atrás dos joelhos e nas axilas.

– Seu ex é um cafajeste e tanto – falou, olhando de relance para o retrovisor e estreitando os olhos. – Provavelmente eu vá me dar mal por isso, e talvez devesse me sentir culpado, mas foda-se.

Ele se inclinou por sobre o console, pegou meu rosto com as duas mãos e me beijou. Foi um beijo rápido e quente que teria me deixado louca se eu não estivesse ocupada me perguntando como ficaria de uniforme da prisão e algemas. Eu o empurrei com uma mão firme no peito.

– O que foi isso? – perguntei, corada e sem fôlego.

– Foi para a Bree. Ela está de olho na janela agorinha mesmo. Já que a sra. Haggerty não viu nada tão emocionante, achei que alguém precisava contar para o Steven que estamos envolvidos, para confirmar nossa história. Para todo mundo que perguntar, viemos por motivos pessoais – explicou, com o sorriso um pouco torto. – Vamos escolher grama pra minha casa.

Senti um aperto no peito quando ele ligou o carro, o ar rarefeito quando o sedã quicou pela estrada de terra comprida entre os campos, espalhando nuvens de poeira marrom. Nick estacionou antes de chegarmos ao fim, assim que avistou a linha de cedros cercando as terras da fazenda. Atrás deles, eu vislumbrava a rua rural estreita que eu e Vero tínhamos usado para chegar ali na noite em que enterramos Harris.

Nick desligou o motor. Ele encarou o cascalho à nossa frente, e depois os campos, batucando no volante, com ar pensativo.

Não ousei olhar para a esquerda, para a área de terra revolvida castanha--avermelhada onde Harris se decompunha. Em vez disso, olhei para o mar ondulante de festuca-azul à minha direita, a grama lembrando cabelo. Nick não tinha levado uma pá, me lembrei, sentindo as mãos úmidas de suor. Ele não ia desenterrar nada – pelo menos ainda não. Eu só precisava me manter calma e determinar os próximos passos. Depois eu e Vero saberíamos o que fazer.

– O que você acha que Feliks e Theresa vieram fazer aqui? – perguntei, a voz trêmula.

– Não sei. Vamos descobrir.

Senti o coração acelerar quando Nick saiu do carro. Ele andou até a beira do campo, onde a festuca encontrava a estrada, e se ajoelhou ao lado de uma marca de pneus que tinham esmagado parte da grama. O rastro deixara sulcos fundos no encontro com o cascalho, e uma faixa larga de grama tinha sido arrancada da raiz, como se arrastada por um carro. Pelo Lincoln de Feliks.

Ansiosa demais para ficar parada, saí do carro, cruzando os braços contra o vento frio que percorria os hectares sem fim de grama e entrava sob o tecido fino da minha camisa. Andei atrás de Nick, que seguiu as marcas pelo campo. Elas paravam em poucos metros.

– Feliks e Theresa provavelmente entraram na fazenda pelos fundos – falou, estudando a direção das marcas. – Parece que eles deram ré no campo para fazer o retorno.

– Eles não ficaram muito tempo? – perguntei, torcendo para que isso significasse que também não precisaríamos ficar. – Talvez Feliks tenha decidido que não gostava mais desta fazenda do que das outras.

Nick sacudiu a cabeça, com as mãos na cintura, dando voltas nas marcas e pensando.

– Por que ele olharia um terreno que não está à venda? E por que entrar pelos fundos, a não ser que não quisesse ser visto? – perguntou, andando lentamente entre as marcas, pensando alto, como se tentasse ver o lugar pelos olhos de Feliks. – Se não quisesse arriscar ser visto aqui, não viria de dia. Viria à noite, depois do fechamento, quando estivesse tudo escuro...

Ele parou onde o Lincoln teria parado, um pé de cada lado do sulco na beira do campo, seu olhar parecendo seguir o trajeto do farol do carro até o lugar exato em que tínhamos cavado um buraco. Fiquei sem ar quando ele olhou para a terra sobre a cova de Harris.

– Zhirov quer esta terra por um motivo, e não liga que seja de outra pessoa, desde que ninguém o veja usá-la. Então o que ele está fazendo? Por que envolver uma corretora se não quer comprar? A não ser que...

Nick se calou. Ele andou para mais perto do lote de alqueive, esmagando terra com os pés e parando bem no limite. O vento uivava nos meus ouvidos. Ou talvez fosse o sangue. Fiquei tonta quando a expressão dele mudou de confusão para fascínio.

– É isso – falou, baixinho. – Ele não está usando Theresa porque ela é corretora, mas porque está prestes a se tornar proprietária. Legalmente, a fazenda vira dela assim que ela se casar com seu ex-marido – explicou, se afastando do campo, o olhar aceso com uma intensidade feroz. – Não acredito que não pensei nisso antes – murmurou, correndo de volta ao carro.

– Como assim, "é isso"? Aonde vamos agora?

Corri atrás dele. O motor já estava roncando quando entrei aos tropeços no carro. Ele passou um braço por trás do meu banco, se virando para olhar para trás e dar a ré no carro, a estrada à nossa frente obscurecida pelas nuvens espessas de poeira quando ele acelerou.

– Encontrar um juiz que ainda não esteja no bolso do Zhirov – disse ele. – De preferência alguém que emita um mandado de busca em um sábado.

Ele virou o volante, nos fazendo dar uma volta rápida. Eu me apoiei no painel.

– Para quê? – perguntei.

Ele estreitou os olhos, pisando fundo no acelerador.

– Para cavar a fazenda do seu ex-marido.

Nick se agarrou à pista da esquerda na interestadual, piscando os faróis para os carros mais lentos e pesando a mão na buzina. Ele estava com os dedos lívidos de tanto apertar o volante, a atenção concentrada na estrada. Eu praticamente sentia o cheiro de borracha queimando no cérebro a mil por hora dele.

– Não entendi. Por que precisam cavar a fazenda do Steven?

– Feliks não quer comprar terras. Se quisesse, entraria pela frente, mostraria o dinheiro e faria uma oferta que Steven seria bobo de recusar. Se Steven recusasse mesmo assim, Feliks o pressionaria para vender, provavelmente ameaçando usar violência. Acho que Feliks só quer usar a fazenda para fazer alguma coisa ilegal, da forma mais discreta possível. Por isso, procurou Theresa, que podia manipular facilmente com atenção e dinheiro. Aposto que Zhirov está pagando Theresa para usar a fazenda com propósitos bem específicos. Quaisquer que sejam, ele não planeja que dure muito tempo.

Pensei no dinheiro que Steven tinha encontrado na gaveta.

– Talvez Feliks só esteja encontrando gente lá – falei.

– Não – disse Nick, perdendo a paciência com o carro da frente e contornando pela direita, me obrigando a me segurar na porta enquanto ele costurava entre os carros. – Zhirov é dono de restaurantes e hotéis em todo o estado. Ele pode fazer reuniões em qualquer lugar. Se fosse só isso, ele não se daria a tanto trabalho.

– Então o que você acha que ele está fazendo?

– Não sei, mas aposto que a resposta está enterrada naquele campo.

Engoli uma onda de náusea.

– Por que acha isso?

– Tinha mais de uma marca de pneu. Vi duas outras marcas na borda do campo.

– Duas outras?

– Os três veículos entraram pelos fundos. Todos estacionaram em lugares diferentes, mas os três pararam de frente para aquela terra revirada. O contrabando de Feliks provavelmente está enterrado sob a interseção daqueles faróis.

– Talvez eles estivessem só... conduzindo negócios – falei, me encostando no banco quando seis pistas de trânsito se fecharam ao meu redor. – Sabe, por cima da terra. Discretamente. Na luz dos faróis.

Nick sacudiu a cabeça.

– A terra foi mexida recentemente. Não tinha nenhuma pegada. Alguém limpou seus rastros e eu vou descobrir exatamente o que escondeu.

Nick estava firme, apertando o maxilar. Eu não tinha dúvidas de que ele reviraria o condado inteiro até descobrir o que procurava.

– Quanto tempo vai levar para conseguir o mandado? – perguntei.

– Um dia, talvez. Dois é mais provável. A fazenda não fica na minha jurisdição, então precisamos coordenar com o pessoal de Fauquier. Vou te deixar em casa – falou, sem deixar margem para discussão. – Tenho que pedir uns favores. Juízes não gostam de ser abordados enquanto jogam golfe e provavelmente é melhor que eu faça isso sozinho.

Ele entrou na frente da minha garagem, girando o volante bruscamente. O carro parou de repente e eu segurei a maçaneta.

– Ei, espera – disse Nick.

Eu me virei, esperando que ele não visse a culpa e o medo em meu rosto. Ele levou a mão ao meu rosto e o acariciou.

– Sei que o dia hoje ficou meio doido – falou. – Que tal eu passar aqui mais tarde e te levar para jantar?

– Parece... – comecei, pigarreando para soltar minha garganta tensa. – Parece ótimo, mas eu provavelmente não posso sair para jantar hoje. Tenho muito trabalho e passei o dia fora. Tenho uns prazos apertados.

E um corpo morto.

Nick se aproximou e me deu um beijo doce e leve, que me deixou ainda mais culpada. Abri a porta, saí e esperei o carro dele se afastar. Ele acenou para o sargento Roddy ao passar pelo carro dele.

Do outro lado da rua, as cortinas da sra. Haggerty estavam escancaradas, o cabelo branco como um fantasma atrás do vidro. Eu já não aguentava mais aquela mulher. Era o fim. Eu ia confrontá-la.

Ela fechou a cortina quando atravessei a rua, meus saltos baixos batendo com força nos degraus que levavam à casa.

– Sra. Haggerty! – chamei, batendo à porta. – Finlay Donovan, aqui. Tenho que dizer uma coisa.

Eu levantei a mão para bater de novo, mas a porta foi escancarada. A lufada de ar quente que saiu me desequilibrou.

– Já era hora de você aparecer – disse a sra. Haggerty, olhando friamente para mim por cima do aro dourado dos óculos em meia-lua.

O batom rosa queimado estava pintado além das bordas dos lábios franzidos e enrugados, ela usava blush demais no rosto pálido, e o perfume de velha fez meu nariz coçar. Eu a encarei, boquiaberta e ofegante. Ela não fez gesto algum para me convidar para entrar, nem bateu a porta na minha cara.

– Como assim? – perguntei.

– Já era hora. Faz um ano que espero seu pedido de desculpas. Então, você disse que tem que me dizer uma coisa?

Ela levantou o queixo, a pele flácida balançando orgulhosa entre as correntes douradas penduradas dos óculos.

– Foi por isso que a senhora não abriu a porta para mim semana passada? Porque estava esperando que eu me... desculpasse?

Inclinei a cabeça para o lado, confusa, e ela assentiu, breve e determinada.

– Eu sabia que você acabaria aparecendo aqui, porque provavelmente quer saber se eu vi alguma coisa suspeita na sua garagem.

Senti o chão se abrir sob meus pés.

– A senhora viu alguma coisa suspeita na minha garagem?

– Não é à toa que sou da vigília do bairro.

– Não é? – perguntei, mas me interrompi, calei a boca antes de falar alguma besteira, e sacudi a cabeça. – Quer dizer, claro que não é. E a senhora está certa, foi exatamente por isso que vim. Para me desculpar. Por...

Ela ergueu as duas sobrancelhas finíssimas e tortas desenhadas a lápis. Eu não fazia ideia do que ela esperava que eu dissesse. Era ela quem espionava minha casa. Fora ela quem fofocara sobre Steven e chutara meu casamento escada abaixo. Fora ela quem espalhara para o bairro inteiro. Ainda assim, no fim das contas, a culpa era toda de uma só pessoa – que não a dona dos ombros ossudos e curvados na minha frente. Ela levantou o queixo ainda mais, esperando.

– Desculpa – falei, engolindo o que restava do meu orgulho – por ter gritado e chamado a senhora de coisas horríveis. Eu estava com raiva do meu marido, mas descontei na senhora, o que não deveria ter feito.

A sra. Haggerty franziu o nariz, ajustando os óculos para me olhar melhor, como se medisse minha sinceridade. Com um grunhido satisfeito, ela soltou os óculos, deixando eles penderem da corrente contra o peito.

– Quanto à garagem – falei, devagar. – O que exatamente a senhora viu?

Ela pegou a agenda encadernada na mesinha do hall, que abriu e, lambendo um dedo enrugado, folheou. Chegou à página que procurava com um suspiro, e pôs os óculos de novo.

– Na noite de terça-feira, oito de outubro, eu vi você sair com as crianças um pouco depois das seis. Depois vi você voltar sem elas, aproximadamente às seis e quarenta. Imaginei que você passaria a noite em casa, já que não costuma sair.

Ela olhou para mim com desprezo, e eu abri um sorrisinho tenso. Eu queria esganar aquela mulher.

– Mas aí vi você sair de novo – continuou –, toda arrumada para ir a um encontro, suponho que com aquele policial moreno que você tem visto ultimamente.

Ela levantou uma sobrancelha mal desenhada, me convidando a falar mais sobre o relacionamento com Nick, mas que diferença fazia? Ela parecia saber de tudo.

– Na verdade, eu te confundi com a sra. Hall a princípio, para ser sincera – prosseguiu. – Mas você tropeçou no salto ao sair da garagem e eu soube imediatamente que era você. Você é mais desajeitada que Theresa. E sua postura é horrível – acrescentou, analisando meus ombros. – Provavelmente por causa do tempo que passa na frente do computador. Isso não é saudável, sabia?

Fiz um gesto impaciente para ela continuar.

– Enfim, acho que isso foi pouco depois das sete – falou, voltando a atenção à agenda. – Depois disso, passaram-se algumas horas tranquilas. Vi meus programas na TV e comi uma fatia de torta, então sei que era por volta de nove e quarenta e cinco quando vi as luzes acesas na sua garagem. Você deixou a minivan ligada quando entrou em casa. Imaginei que fosse pegar alguma coisa que tinha esquecido antes de buscar as crianças de onde as tinhas deixado mais cedo.

– Da casa da minha irmã – falei, com mais um gesto.

– Sua irmã, a policial? Tem muitos deles por aqui ultimamente...

– É, ela estava cuidando dos meus filhos – falei, um pouco brusca. – A senhora viu mais alguma coisa?

– Claro – respondeu ela, irritada, como se questionar sua vigilância fosse uma ofensa. – Fiquei de olho na casa, para garantir que ninguém mexeria no seu carro enquanto você estava em casa. No começo, me irritei, porque você estava demorando muito e eu estava perdendo um programa na TV por causa disso. Mas aí aconteceu uma coisa estranha.

Ela ajustou os óculos, a corrente grossa de ouro agarrando nas ombreiras do suéter.

– O que a senhora viu?

Ela levantou um dedo artrítico.

– Vi alguém remexendo na sua garagem.

Perdi o fôlego. Era isso. A sra. Haggerty tinha visto quem matara Harris.

– A senhora se lembra de como era a pessoa?

– Foi difícil enxergar daqui, especialmente tão tarde. Os faróis da minivan estavam atrás dele, mas pude ver que era alto. Ele precisou se abaixar um pouco para olhar pela janela da minivan. Achei que fosse um pivete do bairro querendo roubar o carro, então desci para ligar para a polícia, mas quando cheguei ao telefone da cozinha imaginei que você tivesse saído e assustado ele. Quando olhei pela janela, o portão da garagem já estava fechado. Pelo que vi, ele tinha ido embora.

Olhei para trás dela, para a cadeira elevador elétrica encaixada na escada. Minha avó tinha uma daquelas e eu sabia que elas andavam muito devagar. Quem saberia quanto tempo a sra. Haggerty perdera? Ou se ela seria considerada uma testemunha ocular confiável. Ela não vira ninguém fechar o portão da garagem, afinal, e, mesmo se tivesse visto, não enxergava nem o rosto no espelho para passar batom. Um juiz talvez desconsiderasse o depoimento dela.

– Você falou que era um homem? – perguntei, para confirmar.

Ela assentiu, confiante. Passei a mão no cabelo, com dificuldade de encaixar as peças. Feliks era alto. Talvez tivesse sido ele com Theresa, ou até com Andrei, mas essa possibilidade não me parecia correta. Eu já encontrara

Feliks o suficiente para saber como ele trabalhava: ele não fazia o trabalho sujo. Era para isso que tinha Andrei, e Andrei não era sutil.

– A senhora viu quem estava com ele?

– Não vi mais ninguém. Só ele.

Não fazia sentido. Alguém precisaria estar lá para ajudar o assassino a fechar a garagem. Talvez tivesse esperado no carro e só saído quando a sra. Haggerty estava descendo a escada.

– A senhora viu o carro que ele usou?

Ela estreitou os olhos.

– Não tinha carro algum. Pelo menos não vi.

O culpado tinha vindo a pé, como eu suspeitara. Sem descrição do suspeito ou do veículo, sem prova de que outro alguém assassinara Harris intencionalmente, eu me tornaria a principal suspeita quando Nick descobrisse que eu era a mulher no Lush. Eu só podia esperar que Nick chegasse a um beco sem saída, que Julian não me identificasse para a polícia e que ninguém pudesse provar que Harris Mickler estivera na minha casa.

– A senhora... viu ou ouviu outra coisa naquela noite? Outra coisa estranha... na minha garagem? – perguntei, com cautela.

– Não – disse ela. – Não ouvi muita coisa, porque os cachorros da rua estavam todos latindo. Devem ter visto o ladrão e se agitado, porque pareceram se acalmar quando ele foi embora.

Ela coçou a cabeça, voltando à agenda.

– Vejamos... Vi sua babá entrar pela frente. Imaginei que estava tudo acertado e fui dormir pouco depois.

A sra. Haggerty franziu o nariz, juntando as rugas da testa em um labirinto de pensamentos.

– Na verdade, acordei antes do amanhecer porque ouvi um estrondo horrível, mas não sei dizer o que foi.

Certamente era o portão da garagem caindo com força quando eu e Vero voltamos da fazenda. O que significava que ela não nos vira ir ou vir.

– Que bom... Quer dizer, obrigada – falei, meus ombros relaxando de alívio. – A senhora chegou a ligar para a polícia? Em qualquer momento?

– Não – respondeu ela, a pele flácida balançando ao sacudir a cabeça. – Não precisei. Melhor não desperdiçar o...

Ela se interrompeu e tirou os óculos, me encarando com os olhinhos azuis.

– Por quê? – perguntou, ansiosa. – Aquele homem roubou alguma coisa? Se tiver roubado, podemos ir falar com aquele policial já, já – falou, apontando para o carro à paisana do sargento Roddy.

– Não, não. Está tudo bem – insisti, me afastando da porta.

Não era verdade. Não estava nada bem. Pelos meus cálculos, eu tinha no máximo quarenta e oito horas para descobrir quem matara Harris Mickler antes que Nick desenterrasse o corpo.

Destranquei a porta de casa e entrei, surpresa pelo silêncio até lembrar que as crianças estavam com o pai. Ainda assim, era estranho. A TV estava desligada. Todas as luzes também.

– Vero! – chamei.

O nome ecoou de volta. Talvez ela tivesse ido estudar na biblioteca.

Meus saltos ecoaram na cozinha. Entreabri a porta da garagem. O Charger de Vero estava lá, ao lado da vaga vazia onde eu costumava estacionar. Eu tinha deixado o carro de Ramón na oficina depois do ataque de Feliks, mas ainda não tinha voltado para buscar a minivan.

Fechei a porta da cozinha e, quando o som foi absorvido pela casa vazia, senti a impressão pesada e repentina de que eu não estava sozinha. Eu estava sendo observada.

Alguma coisa estava certamente errada. Muito...

– Surpresa!

Meu coração parou. Vero deu um pulo pela porta da sala de jantar, com Zach no colo. Delia pulou atrás dela. Um buquê de balões de hélio tinha sido amarrado aos botões do macacão com fitas multicoloridas combinando com as mechas espetadas do cabelo dela. Um bolo estava no meio da mesa dobrável onde antes ficavam as contas. Serpentinas tinham sido penduradas do lustre de latão, e uma garrafa de champanhe e duas caixas de suco estavam gelando em um balde.

Delia correu para abraçar minhas pernas e quase me derrubou. Eu a abracei com força, me atentando à forma dela, ao peso leve, à pele macia contra a minha, me perguntando quantos anos ela teria quando eu a visse de novo, depois de Nick encontrar o cadáver de Harris.

– Achei que vocês fossem passar o fim de semana com o papai.

Eu me afastei um pouco, para olhá-la nos olhos grandes e castanhos.

– O papai teve que trabalhar – falou Delia, suas mãozinhas mexendo nos meus brincos.

– Steven apareceu com eles faz uma hora – explicou Vero, balançando Zach no colo. – Ele disse que tinha uma emergência na fazenda e ele precisava resolver. Theresa estava mostrando imóveis e ele não conseguiu falar com ela, então pediu para as crianças passarem a noite aqui. Considerando a ótima notícia, nós três achamos que era uma boa desculpa para comemorar!

Delia me entregou um balão. Zach soprou cuspe em uma língua de sogra, sorrindo com os dentes.

– Que notícia? – perguntei.

Zach se esticou para mim, pedindo meu colo. Eu o abracei com força, certa de que nenhuma notícia seria mais importante do que a descoberta que Nick fizera naquela tarde.

Vero me entregou um exemplar dobrado da gazeta local.

– Fim da primeira página – falou.

Deixei Zach no chão e ele saiu cambaleando. Meu balão bateu no teto quando o soltei para abrir o jornal.

Ali estava eu.

Minha foto de autora – com a peruca loira, os olhos escondidos pelos óculos escuros – estava impressa em preto e branco sob a manchete: "Autora local vende livro policial por adiantamento de seis dígitos".

Meu coração voou por um segundo antes de desmoronar em um monte de cinzas flamejantes.

Eu estava no jornal. Meu livro estava no jornal. O que Sylvia tinha feito? Li a matéria por alto, o coração acelerado.

Uma entrevista com a agente de Fiona Donahue, Sylvia Barr, da Barr e Associados em Manhattan, revelou uma prévia do livro de Donahue, programado para sair no outono.

Quando perguntei por que ela achava que o livro tinha feito tanto sucesso na editora, a sra. Barr respondeu que "Fiona é verdadeiramente talentosa. Este livro vai torná-la best-seller. É inovador. É quente. Sinto cheiro de sucesso!".

Suspirei. Talvez ela só tivesse dito aquilo. Talvez não tivesse contado sobre o que era o l...

Caí na cadeira, certa de estar tendo um ataque cardíaco ao continuar a ler.

Quando uma assassina profissional é contratada por uma esposa desesperada para se livrar do marido difícil, um contador rico com conexões na máfia, alguém chega antes dela... e a esposa também desaparece. Determinada a investigar o assassinato misterioso de sua vítima antes que seja acusada pelo crime, a assassina profissional sexy se junta a um policial gato que não suspeita de nada para descobrir o que aconteceu.

– Parabéns, mamãe! A Vero falou que você é famosa. Que nem artista de TV – disse Delia, abraçando minhas pernas e me olhando com a mesma expressão inocente de adoração que costumava dirigir ao pai. – Agora a gente pode comer bolo?

– Isso, vamos comer bolo! – disse Vero.

Ela levou as crianças à cozinha enquanto eu lia o restante do artigo, com o coração na mão. Um mês antes, aquela notícia seria a concretização dos meus sonhos. No entanto, se Nick conseguisse um mandado para cavar a fazenda, aquela matéria serviria para fechar meu caixão.

Vero serviu um pedaço de bolo cheio de cobertura na bandeja da cadeirinha de Zach, e outro para Delia.

– Podemos conversar? – sussurrei.

– Depois do bolo – disse Vero, cortando um pedaço e jogando uma bola de sorvete por cima.

Eu a segurei pelo cotovelo e a arrastei, a colher de sorvete que ela segurava com teimosia pingando no caminho para a sala.

– Ai!

Ela me olhou feio, ajeitando o chapéu de festa. Resisti à tentação de arrancá-lo da cabeça dela.

– Nick e eu acabamos de voltar da fazenda do Steven – cochichei.

Vero empalideceu.

– O que vocês foram fazer lá?

– Ele encontrou grama no carro do Feliks e rastreou até lá. Ele solicitou um mandado para cavar.

Vero olhou para o jornal como se fosse vomitar. Uma coisa era ter seu mistério fictício no jornal local. Outra coisa era alguém encontrar o corpo de verdade.

– Por que raios você não impediu ele?

– Era para eu fazer o quê?

– Sei lá! – disse ela, gotas de baunilha escorrendo pela mão e se espalhando no carpete. – Distrair ele! Usar seus dotes de sedução, que nem antes!

– Porque ajudou muito!

Olhamos de relance para a cozinha, nós duas provavelmente pensando na mesma coisa.

– O que a gente faz agora? – perguntou Vero.

– Não sei.

Podíamos pegar o dinheiro de Irina, fazer as malas das crianças e fugir do país. Mas aonde iríamos? Quanto tempo Andrei e Feliks levariam para nos encontrar quando Irina contasse o que tínhamos roubado?

– Quanto tempo ele vai levar para conseguir um mandado?

– Não sei.

Eu não podia ligar para Julian e perguntar.

– Nick disse que não seria fácil encontrar um juiz no fim de semana – continuei. – Talvez levasse um ou dois dias.

– Tá – disse Vero, respirando fundo de um jeito que me lembrava da preparação para o parto. – Tá, que bom. A gente só precisa tirar o corpo de lá antes que ele encontre.

Uma gargalhada aguda soou na cozinha. Eu e Vero nos viramos e vimos Zach espalhar cobertura de bolo no cabelo. Delia o observava com um ar de leve desprezo, a boca manchada de azul do corante. Tinha açúcar o bastante naquele bolo para mantê-los acordados por quarenta e oito horas. Não seria fácil.

– Podia ser pior – disse Vero.

– Jura? Me diz exatamente como podia ser pior.

– Eles podiam ter chegado com um cachorro. Por favor, não mencione isso para Delia de jeito nenhum. Ela estava chorando até agora.

– Por que estava chorando?

– Steven levou eles ao abrigo hoje, mas Sam já não estava lá.

– Ele foi adotado?

– Aquele tal de Aaron... sabe, o amigo da Patricia... a funcionária do abrigo falou para o Steven que ele levou o Sam semana passada. Ela disse que achou estranho, porque ele adotou dois cachorros faz poucas semanas e não é fácil viajar com três cachorros.

Senti meu estômago afundar.

– Viajar? Como assim?

– Ele foi embora na mesma tarde. Disse que ia sair de férias, mas não voltou. Ninguém sabe aonde ele foi.

Nós nos entreolhamos.

– Você não acha...? – perguntou Vero.

Devia ter sido logo depois que eu o conhecera, quando eu perguntara tudo aquilo sobre Patricia. Eu preenchera a inscrição usando o endereço de Theresa. Nós morávamos na mesma rua. Se ele conhecesse a rua, talvez por causa da noite da morte de Harris, Aaron poderia ter entendido quem eu era – e por que eu a procurava.

"Animais resgatados são excelente companhia."

Seria isso? Aaron teria fechado o portão, determinado a salvar Patricia de seu lar violento, assim como fizera com Sam e os animais do abrigo, sem saber que ela já tinha planos de se virar? Será que eu tinha raptado Harris do bar antes que Aaron pudesse fazê-lo? Será que ele me seguira e aproveitara a oportunidade de acabar o trabalho que eu não tivera coragem de fazer?

"Não ouvi muita coisa, porque os cachorros da rua estavam todos latindo... pareceram se acalmar quando ele foi embora."

Cachorros latindo. Eu ouvira cachorros latindo no estacionamento do Lush quando botei Harris na minivan. De novo à noite, no telefone com Georgia. De acordo com o jornal na noite do desaparecimento de Patricia, ela não tinha cachorros. Aaron, por outro lado, tinha vários.

Será que Molly e Pirata estavam no carro com ele?

Pensei no Subaru marrom que eu vira na garagem de Patricia, com dois bonequinhos palito de pessoas e dois de cachorros. Na foto da sala de descanso do abrigo, Patricia estava junto de Aaron, com Molly e Pirata, e não usava aliança. Será que Aaron era mais do que um amigo? Seria um namorado? Um amante? Já teriam planejado um futuro juntos? Era aquele o motivo para a pressa em se livrar de Harris? Se fosse o caso, quem ajudara Aaron a trancar Harris na minha garagem?

Se ele estivesse mesmo sozinho, como a sra. Haggerty dissera, como impedira o portão de bater, se não estava próximo o suficiente para... segurar?

Eu me virei para Vero, peguei a colher de sorvete da mão dela e joguei no balde de gelo.

– Me dá seu cinto – pedi.

– Meu cinto?

– Confia em mim.

Vero desafivelou o cinto de couro e o puxou pelas passadeiras da calça jeans. Era mais fino do que o que Aaron usara naquele dia em que eu o encontrara no abrigo, mas parecia igualmente firme.

– Fique com as crianças – falei. – Já volto.

Apertei o botão na parede da garagem. A luz do fim de tarde se derramou no concreto e eu parei bem no meio, olhando para os trilhos, procurando um modo de usar o cinto para impedir o portão de cair, como Aaron fizera para manter o canil de Sam aberto.

Em um canto da garagem, no alto dos trilhos, perto da curva, duas barras de metal se cruzavam. Peguei o banquinho, subi e dei uma volta nelas com o cinto, prendendo logo abaixo do portão aberto. Em seguida, levei o banquinho ao meio da garagem, subi e soltei a corda de emergência.

O portão se soltou do motor com um estalo suave. Ele parou, suspenso pelo cinto de Vero.

Aaron matara Harris.

Não foram Theresa e Aimee, nem Feliks e Andrei. Aaron tinha feito aquilo sozinho. Ele sabia que o portão bateria com força e eu viria correndo, assim como os canis automáticos tinham causado o caos no abrigo quando Vero soltara os animais e deixara as portas se fecharem. Aaron tinha amarrado o cinto no trilho. Em seguida, puxara a corda para soltar o motor. Por fim, com cuidado, ele soltara o cinto com uma mão e, com a outra, abaixara o portão devagar.

Se Aaron matara Harris para ficar com Patricia, no entanto, por que o esforço de ir embora, já que Patricia morrera? Só eu sabia a verdade sobre a morte de Harris e, por mais culpada que eu parecesse, não tinha mais motivo do que Aaron para denunciar o que descobrira. Sem Patricia, Aaron podia tranquilamente ter ficado na cidade e tocado a vida. A não ser que...

"Patricia Mickler não existe mais. Eu garanti."

Pensei na conversa que tive com Irina na academia. Ela nunca disse explicitamente que Patricia morreu. Só que não restava nada de Patricia Mickler para encontrar.

"Ele tem amigos que podem fazer quase qualquer um sumir... nome novo, passaporte novo, e a pessoa some do mapa como se nunca tivesse existido."

E se Patricia Mickler não estivesse morta, afinal? E se Irina só tivesse ajudado a amiga a desaparecer? E se tivessem jogado o carro e as coisas dela no reservatório para fingir sua morte? E se Patricia simplesmente fosse outra pessoa agora, vivendo em outro lugar, com outro alguém? Alguém que cuidaria dela e a deixaria segura?

O carro que eu vira na garagem devia ser de Aaron; os bonequinhos na janela deviam ser eles e a família de cachorros. E se tivessem vivido felizes para sempre, fugindo naquele Subaru? Aaron e Patricia podiam estar em qualquer lugar. Tinham sumido do mapa, como se não existissem. Restava eu: a única suspeita da morte de Harris Mickler, minha palavra diante da montanha de provas contra mim.

Atordoada, desci do banquinho.

Meu telefone vibrava sem parar no bolso. Eu o peguei, surpresa ao notar que perdera dezenas de ligações: dos meus pais, da Georgia, da Sylvia... Provavelmente eram parabéns pela matéria no jornal. Eu não tinha coragem de falar com nenhum deles.

Ouvi pneus cantando na frente de casa e me virei, levando um susto quando o para-choque prateado parou a meros centímetros dos meus joelhos. O rosto de Nick estava furioso atrás do para-brisa do sedã. Ele apontou com um dedo rijo para mim e depois para o banco do carona.

– Entre – falou.

Olhei com tristeza para a sombra de Vero na janela da cozinha antes de abrir a porta do carro de Nick e entrar. Ele passou a marcha ré e pisou fundo no acelerador, voando para longe da minha casa, em uma fúria silenciosa. Com uma curva fechada, entrou em um beco sem saída no fim da rua e parou de repente na calçada, se recusando a me olhar.

– Aconteceu uma coisa engraçada quando saí da sua casa – falou. – Liguei para o meu chefe para dizer que tinha encontrado uma pista grande, que tinha notícias. Ele me disse que também tinha notícias, e me contou sobre um comunicado de imprensa na gazeta local.

Nick tirou um jornal do porta-luvas e o jogou no meu colo.

– Aparentemente – continuou –, sou *eu* o policial gato que não suspeita de nada, e minha investigação foi só um enorme projeto de pesquisa para o seu livro.

– Não foi isso... Não é o que você...

– Estou suspenso – disse ele, e as palavras roubaram o ar do carro. – Até meus superiores revisarem o caso. Pegaram minha arma, meu distintivo. Agora tenho que esperar até segunda-feira para entrar na sala do meu chefe e explicar por que deixei uma romancista pessoalmente envolvida no caso trabalhar na minha investigação. Até lá, pode estar tudo acabado.

Senti a boca secar.

– Como assim, acabado?

– Meu chefe pegou o caso para ele. Está coordenando com a polícia de Fauquier para avançar com o mandado. Se conseguirem amanhã, vão abrir aquele campo e deter Feliks e Theresa antes que eu recupere meu distintivo.

– Desculpa – soltei, em um fôlego de pânico. – Ninguém devia saber sobre o que era o livro. Eu só mandei para minha agente. Ela se empolgou e...

Ele se virou para mim, os olhos faiscando de raiva e traição.

– Te ocorreu que eu estava confiando em você com informações sigilosas? Que se alguém soubesse quanto eu te deixei ver e ouvir, eu perderia o emprego?

– Isso foi escolha *sua*, não minha! – retruquei, soltando meu cinto e me virando quando o pânico deu lugar à raiva. – Foi você quem me procurou, lembra? Você ofereceu ajuda na pesquisa do meu livro.

– Você me usou!

– E você *me* usou! Porque queria pegar a noiva do meu ex-marido em uma acusação inventada de sequestro e achou que eu arranjaria informações que você não conseguiria sozinho. Porque você não tinha provas o suficiente para justificar interrogá-la, muito menos investigar o escritório ou a casa dela. Então nem vem me falar de usar os outros!

Ele desviou o rosto, soltando um suspiro profundo e olhando pela janela.

– Me diga uma coisa – falou.

Nick enfiou a mão no bolso, tirou alguma coisa de dentro e largou na minha mão. Minha peruca acoplada ao lenço – o lindo disfarce que me escondia, a pessoa bem-sucedida que eu fingira ser aquele tempo todo, a identidade que deveria me manter segura e longe do perigo – estava embolada no meu colo. O lenço estava rasgado, as madeixas loiras cobertas de poeira. Nick encontrou meu olhar.

– O que vão encontrar quando cavarem aquela terra? – perguntou.

Ele me olhou como se não soubesse quem eu era, como se me visse pela primeira vez e não gostasse da minha cara.

Eu não respondi, então ele ligou o carro. Não falamos na volta para minha casa. Ele não se despediu quando me deixou.

Vero estava torcendo as mãos perto da porta quando finalmente entrei.

– O que aconteceu?

Um balão vagou pelo teto. As crianças estavam brincando na sala ao lado. O sorvete que Vero não comera tinha derretido, formando uma poça no prato.

– Precisamos mudar o corpo de Harris de lugar – respondi. – Hoje.

Eu e Vero paramos em frente ao porta-malas aberto do carro emprestado de Ramón. A luz fraca iluminava o conteúdo com um brilho estranho que tornava a escuridão dos arredores mais sinistra. Pelo menos, dessa vez as crianças não estavam dormindo no banco de trás.

Escapar do sargento Roddy não foi tão difícil quanto eu esperava. Eu implorei para minha irmã deixar as crianças dormirem lá, explicando que estava atrasada no trabalho e precisava de uma noite sozinha em casa para me concentrar. Depois de muita reclamação e suborno da minha parte, ela aceitou. Vero levou as crianças para o apartamento de Georgia, saindo casualmente da garagem com o Charger, enquanto eu me mantinha visível pela janela da cozinha, para que o sargento Roddy e a sra. Haggerty atestassem que eu estava em casa. Na volta, Vero trocou o Charger pelo carro emprestado que eu deixara na oficina. O sedã azul e velho chamaria muito menos atenção do que o carrão de Vero ou minha minivan, e se o porta-malas virasse uma cena do crime e fosse necessário desmontá-lo, ninguém sentiria falta.

Vero em seguida levara o carro ao nosso ponto de encontro, no parque do fim da rua. Enquanto isso, eu pegara uns timers de luzinha de Natal numa caixa empoeirada do porão, os conectara às lâmpadas do escritório, do quarto e da cozinha, e os programara para desligar e ligar a cada poucas horas. Quando escureceu, prendi o cabelo em um rabo de cavalo apertado, vesti calça de malha preta, luvas pretas e um moletom preto de capuz. Finalmente, fechara as cortinas e escapulira pela porta dos fundos, rezando para os vizinhos não vislumbrarem o branco dos meus tênis cortando caminho pelos quintais e decidirem atirar em mim antes que eu chegasse ao parque.

Assim, conseguimos chegar à entrada dos fundos da fazenda às onze em ponto, sem problemas.

O ar estava frio e seco. Minha respiração formava nuvens atrás do carro de Ramón, onde eu analisava nossas ferramentas.

– Por que tem novecentos metros de celofane na mala? – perguntei para Vero.

– Estava na promoção.

Fiz uma careta.

– E você decidiu que era hora de fazer estoque?

– Você me mandou trazer filme plástico.

– Eu mandei trazer *lona* plástica.

– Dá na mesma.

– Não dá, não. Filme plástico é para embrulhar sanduíches. Lona plástica é para embrulhar gente morta. É maior e mais grossa. Parece uma cortina de box.

– Você me disse para não trazer uma cortina porque pareceríamos culpadas!

– Porque nada é mais inocente do que um cadáver podre embrulhado em novecentos metros de plástico filme!

Peguei as pás e passei uma para Vero. Bati a mala e o som ecoou por quilômetros, o chão coberto de geada estalando alto sob nossos passos quando nos aproximamos da beira do campo.

Os faróis cortavam a terra em faixas luminosas, esticando nossas sombras. Vero cutucou a terra com a ponta da pá.

– Tem certeza que deixamos ele aqui? Não foi mais para lá? – perguntou, apontando um pouco para a direita.

– Não – respondi, ao lado dela. – Foi aqui mesmo.

Não falei que não tinha certeza completa. Tínhamos tomado cuidado para deixar o carro na estrada de cascalho, virando os faróis para o campo, em vez de deixar mais marcas de pneu que a polícia pudesse seguir na terra fofa. Entre a escuridão noturna e o túnel de luz estranho emitido pelo carro de Ramón, eu estava um pouco desorientada. De qualquer forma, precisávamos começar por algum lugar, e ali parecia razoável.

Ela olhou de relance para o trator amarelo enorme ali perto.

– Tem certeza que não quer que eu traga a artilharia pesada? Vi uns vídeos no YouTube...

– A gente *não vai* desenterrar ele com uma empilhadeira!

Não precisávamos ser acusadas de roubo, além de todo o resto.

– Ele não está tão fundo – insisti. – A gente consegue sozinha.

Vero resmungou baixinho ao adentrar a superfície irregular do campo e enfiar a pá na terra.

– Vamos acabar com isso – falou. – Está um gelo aqui.

Desliguei os faróis. Era melhor trabalhar no escuro, para ninguém notar a luz da estrada. Eu andei alguns metros além de Vero, mais próxima de onde ela tinha apontado, para o caso de ela estar certa. Minhas bolhas mal tinham se curado e formado calos, mas pelo menos tínhamos trazido dois pares de luvas e duas pás resistentes. Entre cavar e fazer spinning, eu me sentia mais forte, mais capaz de aguentar peso. Nossas pás abriam o chão em um ritmo regular, os dois buracos aumentando, convergindo no meio. A terra solta formava montinhos ao nosso redor, dando a impressão de estarmos mais fundo do que provavelmente estávamos.

– Aonde vamos levá-lo? – perguntou Vero, soltando uma nuvem de névoa azulada. – Para o cemitério? Que nem no seu livro?

Engasguei em uma gargalhada ofegante enquanto cavava. Se fizéssemos o que ela sugeria, aquela porra de livro provavelmente nos levaria para a cadeia.

– Não. Vamos ficar com ele uns dois dias até a investigação acabar, aí traremos de volta ao mesmo lugar. A polícia não vai conseguir outro mandado para cavar de novo a mesma terra. Além disso a terra vai estar macia, fácil de cavar, fácil de esconder – expliquei, ofegando.

– Uns dias?

Vero se apoiou no cabo da pá e secou a testa com a manga da camisa, seu nojo óbvio mesmo no escuro.

– Ramón vai me matar quando eu devolver o carro – comentou. – Você faz ideia do fedor de um corpo em decomposição? Plástico filme pode servir para muita coisa, mas não serve para conter tanto cheiro.

Enfiei a pá mais fundo na terra, o buraco já chegando na altura do quadril.

– Eu vi uma liquidação daqueles freezers enormes na JCPenney. A gente pode comprar um amanhã e instalar na garagem – falei.

Ela riu, desanimada.

– E você se preocupando com a cortina do box... *Nada* é mais a cara de um serial killer do que ter um freezer enorme na garagem.

– Você tem uma ideia melhor?

Um baque ecoou no chão. Cutuquei com a ponta da pá e encontrei uma coisa dura. Mexi a pá um pouco para longe e bati de novo, para o caso de ter chegado a uma pedra.

– Espera – disse Vero.

Ela franziu o nariz, cutucando o chão a poucos metros de mim, e farejou o ar com precaução, sentindo o cheiro pungente e enjoativo.

– Acho que encontrei ele – falou.

Troquei minha pá pela lanterna no meu bolso, direcionando a luz aos pés de Vero. Eu virei o rosto para me proteger do cheiro.

– Quão ruim é o estado dele? – perguntei.

– Hum... Finlay – disse Vero, a voz tomando um tom estranho quando ela se ajoelhou para afastar um pouco de terra. – Harris não estava de calça jeans quando enterramos ele, né?

Eu me ajoelhei ao lado dela, limpando freneticamente a terra de uma perna comprida de calça jeans. Logo abaixo, vi o logo da Nike.

– Não – respondi, engolindo a náusea. – E ele definitivamente não estava de tênis.

– Então quem é esse daqui?

– Não sei, mas certamente não é Harris.

Com cuidado, bati nos bolsos da calça do homem em busca de uma carteira, mas não tinha nada. Com o rosto virado para longe do cheiro, tirei punhados de terra do rosto do homem. Quase engasguei com saliva.

– Ah! Ah, não.

Enfiei o nariz na manga da camisa.

– O que foi? – perguntou Vero, engatinhando para ver.

Os olhos do homem estavam brancos e opacos, abertos e arregalados. A pele pálida estava flácida, com um tom horrível de cinza, e terra escapava dos cantos da boca azulada. Um buraco roxo escuro perfurava a têmpora.

– Acho que ele levou um tiro na cabeça – falei.

Vero parou de repente. Ela olhou devagar para baixo e cutucou a terra sob seus joelhos.

– Finlay.

Ela afastou um pouco da terra e soltou um palavrão em espanhol.

– Odeio dizer isso – falou, a voz trêmula –, mas acabei de achar outro sapato. E acho que também não é de Harris.

Eu me levantei, o chão instável sob meus pés. O cheiro piorou. Revelamos mais dois pares de sapatos, e meus olhos começaram a lacrimejar. Nick estava certo. Feliks estava *mesmo* usando a fazenda de Steven para trabalhar: como depósito de corpos.

– Como vamos encontrar Harris nessa bagunça? – perguntei.

– Não sei.

A voz de Vero estava à beira do pânico. A luz da lanterna dela ofuscou meu olhar.

– Aponta isso para baixo – falei, irritada, cobrindo o rosto. – Não estou enxergando.

– Apontar o quê? Não estou apontando...

A interrupção repentina da voz dela não foi normal. Levantei o braço para proteger os olhos e pisquei, mas não consegui enxergar o rosto dela contra a luz.

– Não é uma lanterna – sussurrou ela, frenética. – Tem alguém chegando!

Nós nos abaixamos, os pés dos homens mortos apertando nossas pernas, e espreitamos por cima da beira do buraco. Faróis quicavam pelo cascalho na nossa direção. As luzes eram quadradas e largas, do tipo que nunca queremos ver no retrovisor à noite.

– Merda! Acho que é o Nick – falei.

Eu deveria imaginar que ele estaria de olho na fazenda. Não tinha jeito de ele ficar de lado, deixando alguém tomar conta da investigação sem se meter. Ele provavelmente nos vira entrar. Provavelmente esperara até estarmos até a cintura em um buraco de provas para nos pegar. Eu só esperava que ele não tivesse pedido reforços.

– O que a gente faz? – sussurrou Vero, quando o carro de Nick parou devagar ao lado do nosso.

O carro esperou, ameaçador, a fumaça do escapamento se espalhando como névoa, os faróis apontados bem para nós.

– Não adianta a gente se esconder – falei.

Pronto. O único jeito de sairmos do nosso próprio buraco envolveria algemas e uma condenação.

– Ele conhece o carro de Ramón – expliquei. – Ele já sabe que estamos aqui. É melhor eu me entregar. Vou explicar tudo e dizer que foi ideia minha.

Vero soltou um som de protesto e segurou meu cotovelo quando me levantei. Larguei a pá, me entregando, com um braço protegendo os olhos do brilho do farol.

Vero se levantou do meu lado, a mão tremendo ao deixar a pá no chão. Com as mãos ao alto, esperamos Nick sair do carro e nos prender.

A porta do carro se abriu. Ele deixou o motor ligado, a fumaça do escapamento afastando o fedor dos cadáveres, e caminhou até nós devagar, as botas esmagando cascalho. Ele parou na frente do carro, o corpo em silhueta entre os faróis, e enfiou a mão no bolso esquerdo. Provavelmente ia pegar as algemas.

A roda de um isqueiro se arrastou uma vez. Duas.

Abaixei o braço, piscando para tentar enxergar contra a luz, vendo a chama se acender e apagar. A ponta vermelha do cigarro de Nick brilhou mais forte quando ele puxou longamente, pensativo.

– Eu não sabia que Nick fumava – cochichou Vero.

– Ele não fuma – falei, sem fôlego.

Vero se aproximou mais de mim. O homem soltou uma baforada longa e branca que se misturou à luz forte dos faróis e à fumaça do escapamento. Uma jaqueta acolchoada distorcia a silhueta do tronco, mas o que chamou minha atenção foram as pernas, afastadas na largura do quadril: eram mais grossas do que as de Nick, dois troncos de árvore subindo do chão. Eu as acompanhei com o olhar, me detendo no comprimento estranho do braço direito, muito maior do que o que segurava o cigarro.

– Finlay...

Vero segurou minha mão quando o cano da arma refletiu a luz. Meu coração parou quando o homem apontou a arma para mim.

– Posso explicar... – falei, torcendo para que o policial à minha frente conhecesse minha irmã, ou quem sabe pudesse ser subornado com um autógrafo.

A arma fez um clique suave e eu me calei. Ele se aproximou do buraco, a arma apontada para nós, o rosto à contraluz indecifrável.

– Saiam.

A voz era grave e áspera, estalando como a roda do isqueiro.

– Você não devia ler nossos direitos?

– Eu mandei sair!

Vero se agarrou ao meu braço. Com pernas bambas, saímos do buraco, nos equilibrando uma na outra.

– Virem – mandou o homem.

Nós duas nos viramos para o campo. Os faróis da viatura desenharam nossas silhuetas nas pilhas de terra cavada, por cima dos fantasmas de um par de tênis imundos e do desenho vago de rostos apodrecidos no escuro. Senti o pulso acelerar quando a sombra do policial se aproximou.

– Não sabíamos que esses corpos estavam aqui – gaguejei. – Minha irmã trabalha na DP de Fairfax. Se ligar...

– De joelhos – ladrou ele.

Pronto. Ele ia nos algemar.

– Olha, acho que houve um mal-entendido. Se eu puder falar com...

– Eu mandei se ajoelharem!

Ele empurrou minha cabeça com a arma e eu caí para a frente, quase tropeçando no buraco. Vero segurou meu braço para me equilibrar e obedeci à ordem, me ajoelhando devagar. Era melhor não sermos acusadas de resistir à prisão.

Vero se ajoelhou ao meu lado, segurando a minha mão, nós duas tremendo e esperando o tilintar das algemas.

Em vez disso, senti o aço gelado da arma contra a nuca.

Fiquei sem ar. Apertei os olhos com força.

– Você não vai nos prender? – perguntei, com a voz trêmula.

A arma tremeu quando ele gargalhou, uma risada profunda e rouca. Começou baixa e aumentou de volume, se arrastando pela garganta áspera e ecoando do buraco. Ele resmungou alguma coisa que não entendi. Soava muito como russo.

Vero enfiou as unhas na minha mão.

Andrei Borovkov.

Olhei para as pontas dos tênis brancos no buraco. Eram os corpos dele. Era a bagunça dele que Feliks escondia. Seríamos as próximas.

– O... o que você está fazendo aqui?

Tinha mais corpos no porta-malas dele? Estaria ali para enterrar mais alguém?

– Você não escuta tão bem. Feliks falou que ficaria de olho em você. Seu policial... aquele estacionado perto da sua casa... não foi um guarda-costas muito bom.

Sargento Roddy... Andrei estava de olho na minha casa.

– Você nos seguiu até aqui?

Senti ele dar de ombros pelo leve movimento da arma.

– Fiquei curioso para saber o que vocês estavam fazendo. Agora sei. Ficamos todos surpresos quando Harris Mickler sumiu de repente. Quando ele não devolveu a chave do cofre depois dos depósitos de costume, Feliks teve certeza que ele tinha fugido do país com o dinheiro.

A chavinha de Harris... Patricia a pegara quando me encontrara no Panera. Ela provavelmente usara o dinheiro para fugir com Aaron.

Andrei tragou o cigarro, pensativo.

– Eu? – continuou. – Eu apostei na minha mulher. Irina nunca gostou do marido de Patricia. Dizia que ele era um lixo imundo que merecia morrer.

Segurei a respiração por um bom momento, enquanto ele soprava uma baforada por cima da minha cabeça.

– Talvez eu nem conte para o Feliks o que vocês vieram fazer aqui – falou. – Não gosto de perder apostas.

Suspirei profundamente quando ele abaixou a arma. Será que nos deixaria ir embora? Nos chantagearia pelo silêncio?

Não ousei me mexer quando as pernas de Andrei apareceram ao meu lado. Ele apoiou um pé no monte de terra à beira do buraco, fumando e olhando para baixo. Um sorriso sinistro retorceu sua boca ao redor da baforada que soprou.

– Parece que vocês já fizeram boa parte do trabalho. Vai facilitar muito para enterrar vocês.

Vero soltou um barulho engasgado e meu estômago se revirou. Andrei ia nos matar. Ali mesmo. Uma execução, com tiro na cabeça. Eu ia cair no buraco em cima dos corpos todos, em cima de Harris Mickler. No dia seguinte, o chefe de Nick chegaria com um mandado e me desenterraria. Minha irmã precisaria identificar meu corpo.

Sacudi a cabeça em um protesto silencioso. Eu já não aguentava mais Harris Mickler. De jeito nenhum cairia naquela cova sem brigar.

Andrei tragou uma última vez antes de jogar a guimba no buraco, a bota jogando pedaços de terra na minha direção quando se virou.

Olhei para meu punho apoiado no chão, para a terra áspera na minha mão. Olhei então para Andrei, através das mechas esvoaçantes de cabelo que tinham se soltado do meu rabo de cavalo. O vento carregava a fumaça do escapamento para cima do buraco. Vi Andrei soltar sua última vaporada, inclinando a cabeça para a brisa não jogá-la de volta no rosto.

"Mandei mal na minha primeira blitz de trânsito quando um imbecil jogou o cinzeiro na minha cara."

Soltei a mão de Vero e a enfiei na terra. Fechei os punhos em dois pedaços secos de terra, que esmaguei em um pó mais fino entre os dedos. Os ombros de Andrei tremiam de rir silenciosamente, sacudindo a cabeça como se não acreditasse na própria sorte, quando ele se virou de novo para nós.

– Estou pronto – falou. – Vai ser rápido.

Levantei as mãos com força, jogando a terra. O pó se espalhou pelo vento e atingiu o rosto de Andrei. Ele soltou um grito, batendo violentamente nos olhos. A luz dos faróis se refletia na arma enquanto ele lutava para limpar a terra com as duas mãos. Esperei que ele largasse a arma, pronta para pegá-la e fugir, mas ele só apertou com mais força, o cano apontando para todos os lados enquanto ele gritava xingamentos. Eu me abaixei quando ele atirou, o disparo abafado espalhando terra perto do meu joelho.

Silenciador. Ele estava usando um silenciador. Ninguém ouviria os tiros, ninguém viria nos salvar.

Com o coração disparado, agarrei a mão de Vero e a arrastei comigo, correndo para me abrigar atrás do carro de Ramón.

Andrei berrou, uivando de dor, batendo com as botas desvairadamente na terra e coçando os olhos. Mais um tiro. Eu e Vero nos encolhemos juntas atrás do para-choques, apertando a boca com a mão, abraçadas com força. Outra bala atingiu o carro, perto do capô. Com um grito, corremos para o lado oposto do carro e nos agachamos atrás da roda de trás, de mãos dadas, enquanto Andrei se debatia e gritava.

Se conseguíssemos entrar no carro, talvez pudéssemos fugir.

Estiquei a mão para a maçaneta da porta do carona, do outro lado de Vero. Outro disparo soou e eu me encolhi, voltando a abraçar Vero. Um baque surdo ecoou da direção do buraco.

Silêncio.

Nós nos apertamos contra a lateral do carro, esperando que ele atirasse outra vez.

Só que os tiros pararam.

O único som era o ronco suave do motor de Andrei. O vento farfalhou nos cedros atrás de nós. Soltamos suspiros trêmulos. Nenhuma de nós ousou se mexer.

Depois de um bom tempo, espiei pelo lado do capô. A fumaça do escapamento do outro carro cobria o buraco. As pernas de Andrei estavam esticadas na terra bem na beirada. O resto dele sumira lá dentro, como se ele tivesse caído.

Vero se segurou atrás do meu moletom, me agarrando como uma sombra conforme eu dava a volta, com cuidado, no corpo. A arma de Andrei cintilava, largada na mão aberta. Eu entrei no buraco devagar, carregando Vero comigo, e tentei não pensar na umidade grudenta encharcando o tecido fino da minha calça conforme eu engatinhava até Andrei. Quando nos aproximamos, nós duas nos encolhemos com uma careta. O rosto de Andrei tinha sido destroçado inteiramente, uma poça escura se espalhando do que restava da cabeça.

Respirei profundamente, tremendo e me contendo para não vomitar.

– Ele atirou na própria cabeça.

– De propósito? – soltou Vero, gaguejando.

Olhei para a arma na mão de Andrei. Ele tinha sacudido para todos os lados, enlouquecidamente, se debatendo e arranhando o rosto entre tiros cegos na nossa direção.

"Doeu tanto que eu não conseguia nem pensar... Foi sorte não ter morrido."

– Acho que não. Acho que foi acidente.

– O que a gente faz agora?

A pilha de corpos que Andrei enterrara se assomava na sombra do buraco. Por cima deles, a ponta do cigarro abandonado se apagou.

– Desligue o carro dele – me ouvi dizer, enquanto bati nos bolsos dele, tirando a carteira e enfiando no meu casaco. – Não deixe impressões digitais.

Vero saiu do buraco e correu até o carro de Andrei. O campo caiu na escuridão quando ela desligou o motor. Parei por um instante para pensar, respirar, processar o que sabia, enquanto meus olhos se ajustavam ao luar.

A polícia desenterraria aquilo tudo nas próximas vinte e quatro horas. Encontrariam todas as vítimas de Andrei. Harris, também.

Nick já supunha que Feliks estava conectado à morte de Harris. Até onde sabiam, Harris era só outro corpo.

– Vamos deixar Harris aqui – falei, imprimindo o máximo de confiança possível às palavras.

– Deixar? – cochichou Vero, como se temesse que ele fosse nos escutar. – Não podemos só deixá-lo aqui!

– Se levarmos, a polícia vai continuar procurando por ele.

– Mas se o encontrarem com Andrei e o resto todo...

– Provavelmente vão supor que a máfia matou todo mundo.

Era um risco, mas tirar Harris dali seria muito mais arriscado.

– Me ajuda a juntar Andrei aos outros – falei.

Peguei o corpo pelos braços, Vero pegou pelas botas e, com um gemido, jogamos ele todo no buraco. Quando a polícia chegasse no dia seguinte e encontrasse aquela cova, achariam o cigarro recém-usado e a arma. Pareceria que alguém, provavelmente Feliks, encontrara Andrei ali, o vira enterrar os corpos, o executara e largara com as vítimas, livrando a organização do executor descuidado que vivia trazendo seu negócio sujo ao olhar do público.

Nick não estaria ali para levar o crédito pela descoberta, mas teria a satisfação de saber que resolvera o caso que finalmente levara Feliks à prisão. Patricia e Irina se livraram dos maridos, Patricia e Aaron podiam deixar de se esconder, e eu e Vero podíamos seguir com a vida.

Sem uma palavra, devolvemos a terra à cova e as pás ao porta-malas do carro, cuidando para não deixar nenhum rastro nosso para trás. Quando acabamos, entrei atrás do volante do carro de Andrei e Vero me seguiu no de Ramón até um campo abandonado a pouco menos de dois quilômetros dali. Largamos o carro de Andrei e deixamos a carteira no porta-luvas.

Na volta, paramos na garagem de Ramón, trocamos o carro dele pelo Charger de Vero e seguimos em silêncio até South Riding, chocadas e exaustas demais para falar.

Chegamos ao parque logo antes do amanhecer. Vero estacionou, confirmou que ninguém estava de olho, e entrei no porta-malas, que ela fechou com um sorriso de desculpas.

Enroscada ao lado das pás, ouvi os pneus voltarem à rua. O motor diminuiu a um ronco suave quando ela desacelerou perto do carro do sargento Roddy, garantindo que ele e a sra. Haggerty a vissem voltar sozinha para casa.

O carro entrou na frente de casa, me sacudindo, e desacelerou enquanto o portão se abria com um rangido. Finalmente, avançou mais poucos metros e o motor desligou. Através do metal do carro, ouvi o motor da garagem ranger, abaixando o portão. Vero bateu a porta, os tênis guinchando no concreto liso para dar a volta no carro. O porta-malas se escancarou, revelando o sorriso cansado e imundo dela, que estendeu a mão para me ajudar a sair do escuro.

Vero e eu deixamos a televisão ligada no noticiário, acompanhando as manchetes conforme o dia dava lugar à noite. Assim que pusemos as crianças para dormir, a notícia saiu.

Seis corpos, incluindo o de Harris Mickler, declarado como desaparecido pela esposa quase três semanas atrás, foram encontrados enterrados na Fazenda de Grama e Árvores Verdejantes no condado de Fauquier. Um dos corpos foi identificado como Andrei Borovkov, suspeito de ser executor da máfia. Detetives dos departamentos de polícia de Fauquier e de Fairfax dizem que os assassinatos parecem ter sido execuções ligadas ao crime organizado. Apesar de o dono da fazenda alegar não ter conhecimento prévio dos acontecimentos e de a polícia declarar que ele não está envolvido na investigação, o suposto chefe da máfia Feliks Zhirov e um associado ainda não identificado foram detidos na polícia para interrogatório. Mais detalhes conforme a história se desenvolver.

Meu celular vibrou e eu o desenterrei das almofadas do sofá. O nome de Steven piscou na tela.

– Finn? Está tudo bem com você e as crianças? – perguntou, frenético.

Odiaria admitir, mas foi bom ouvir a voz dele.

– Estamos bem. Acabei de ver o jornal. Está tudo bem com você?

– Acho que sim. Mas levaram Theresa para ser interrogada. Não sei o que está acontecendo.

Eu ouvia o barulho da delegacia ao fundo: walkie-talkies e o zumbido das portas, as vozes ecoantes dos policiais brincando nos corredores.

– Finn – continuou –, eu juro por deus que não sabia de nada disso.

– Eu acredito.

Abracei os joelhos. Era difícil não me sentir culpada pela minha parcela naquela história. Por outro lado, mesmo se eu não tivesse enterrado Harris e Andrei no campo do meu ex-marido, pelo menos quatro outros corpos estavam escondidos lá, graças a Feliks Zhirov. Pelo menos eles poderiam ser identificados e devidamente enterrados.

– Você acha que Theresa sabia? – perguntei.

– Honestamente, não sei. Ela jura que não, mas não sei mais no que acreditar. Estou na delegacia. Seu amigo policial está aqui... Nick. Ele disse que posso ficar até acabarem de interrogá-la, mas pode ser que ela só seja liberada daqui a algumas horas.

Se ela fosse liberada. Caso Nick ou o chefe dele acreditassem que Theresa tinha alguma ideia do que fora enterrado naquele campo, ela seria detida e acusada como cúmplice dos crimes.

– Pode ficar aí o tempo que precisar – falei, para tranquilizá-lo. – Eu e Vero cuidaremos das crianças. Quer que eu peça a Georgia que o encontre na delegacia?

Steven suspirou, trêmulo.

– Seria... ótimo. Dê um beijo nas crianças por mim. Ligo amanhã quando souber mais. Finn... Desculpa. Por isso tudo.

– Tudo bem – respondi. – Vamos dar um jeito.

Ele desligou.

– Será que Nick suspeita de alguma coisa? – perguntou Vero, quando abaixei o celular.

Ela se enroscara na outra ponta do sofá, usando pantufas fofinhas e um pijama quente, abraçando uma almofada. O jornal continuava na televisão sem som. As manchetes não tinham mudado tanto nas horas anteriores.

– Se suspeitasse, já estaríamos no banco de trás de uma viatura a caminho da delegacia.

Patricia teria que ser muito boba para confessar. Se fosse esperta, apareceria, alegando que suspeitava de que a máfia estava envolvida no desaparecimento do marido dela e que fugira, temendo a morte. Ela poderia ser testemunha ocular das conexões do marido com o negócio ilegal de Feliks, receber o dinheiro do seguro de vida de Harris e viver feliz para sempre com Aaron e seus três cachorros.

Irina Borovkov também devia estar em êxtase. O marido estava morto. Problema resolvido.

– O que vai acontecer com Theresa? – perguntou Vero, apoiando o queixo na almofada, parecendo tão cansada quanto eu.

Eu suspeitava de que nenhuma de nós dormiria bem naquela noite. Apoiei a cabeça no sofá, finalmente atingida pelos eventos da noite anterior.

– Acho que depende do quanto ela sabia. Se ela aceitou propina e deixou a máfia usar a fazenda, é cúmplice dos crimes que aconteceram lá. Se a polícia puder provar, ela provavelmente será presa.

– Seria assim tão ruim? – perguntou Vero.

Suspirei. Talvez eu devesse sentir alguma satisfação mesquinha porque, depois de tudo que Theresa fizera com minha família, ela tinha se dado mal. No entanto, eu não conseguia me sentir assim. Ela podia ter esse papel na minha vida, mas seu papel na vida dos meus filhos era outro, e meu coração doeu só de pensar no que eu diria para eles caso ela fosse presa. Eu esperava, tanto por ela quanto por eles, que ela não fizesse ideia do que Feliks queria mesmo. Parte de mim, a maior parte, talvez, também queria aquilo por Steven.

– Acho que Steven já sofreu o bastante – respondi.

Vero ergueu uma sobrancelha.

– Será que ele vai voltar se arrastando? – perguntou.

Dei de ombros.

– Ele pode tocar a campainha e ver se eu atendo, que nem todo mundo.

Georgia apareceu na minha porta no dia seguinte com olheiras e uma caixa de donuts. Aparentemente, ela passara a noite toda na delegacia, com Steven.

Fiz café enquanto ela me atualizava. O procurador oferecera um acordo a Theresa: se ela contasse tudo o que sabia sobre Feliks e a operação, assim como seu próprio envolvimento, receberia uma pena mais leve. Ela provavelmente perderia a licença para trabalhar como corretora imobiliária, mas não pisaria na cadeia. A decisão de Theresa foi fácil e ela passou a noite toda prestando depoimento.

Eu e Georgia tomamos café com donuts na sala. Seria mais fácil conversar no sofá, lado a lado, em vez de sentadas à mesa, uma em frente à outra. Daquela forma, eu não precisaria olhar nos olhos dela. Georgia sentou no sofá junto a mim, tomou um gole de café e começou a contar o que sabia, enquanto mastigava um donut.

De acordo com o que Georgia lera no depoimento, Feliks contratou Theresa para encontrar um terreno. Ele só falou que queria alugar, e ela nunca foi informada do objetivo, só que ele precisava enterrar algo por um período curto. Ela supôs que ele queria esconder drogas, e alegou que nunca teria deixado Feliks usar a fazenda se soubesse que a intenção era esconder cadáveres. Ela permitira que Feliks alugasse o campo de alqueive por alguns meses, em troca de uma quantia alta em espécie, cuja primeira parcela Steven encontrara na gaveta de calcinhas.

Steven presumiu que Theresa e Feliks tinham um caso, e não estava errado. Theresa tinha, sim, um álibi para a noite do assassinato de Harris Mickler: ela tinha consumado o acordo com Feliks com champanhe no banco de trás da limusine estacionada na fazenda, motivo pelo qual Nick encontrara a terra e a grama debaixo do carro. De acordo com o laudo inicial do legista, Harris provavelmente fora enterrado na mesma noite, as outras quatro vítimas alguns dias depois, e Andrei Borovkov recentemente, talvez trinta e seis horas antes. Só uma não recebera um tiro à queima-roupa.

A morte de Harris, pelo que Georgia explicou, levaria algum tempo para ser resolvida, mas esperava-se que Feliks fosse acusado dos seis assassinatos.

Mordi a beirada do meu donut.

– O que Nick acha que aconteceu? – perguntei.

– A teoria principal é que Andrei foi contratado para matar as cinco primeiras vítimas para Feliks, e Feliks mandou matar Andrei para não deixar rastros. Andrei andava sendo descuidado. Tantas detenções e manchetes o tornaram um perigo para o trabalho de Feliks, por isso Feliks provavelmente queria acabar com ele. Então o usou para alguns trabalhos rápidos e o enterrou com o resto do lixo. Nick acha que Feliks não tinha planos de desenterrar os corpos e mudá-los de lugar. Provavelmente só os deixaria lá, supondo que não seriam encontrados.

Georgia enfiou um pedação de donut na boca. O meu virou uma bola seca na minha língua.

– O que Feliks disse? – perguntei.

Era aquele o problema. Se Feliks admitisse que matara os quatro homens não identificados, mas alegasse ser inocente nos assassinatos de Harris e Andrei, será que a polícia acreditaria e iniciaria outra investigação? Ou suporiam que era mentira?

– Feliks ainda não prestou depoimento. Os advogados dele estão sendo cautelosos, demorando para organizar um plano. Com o depoimento de Theresa, Feliks vai ter dificuldade de se safar dessa. Pelo que Nick sabe, todas as vítimas naquele buraco estavam diretamente conectadas à organização de Feliks.

– Qual era a conexão de Harris Mickler?

– Lavagem de dinheiro. Aparentemente, ele era um contador e tanto, mas deve ter feito alguma coisa contra Feliks.

Feliks provavelmente não mencionara a chave roubada e o dinheiro desaparecido. Por que o faria? Só seria um argumento para a polícia usar contra ele.

– Encontraram a esposa? – perguntei.

Georgia riu, mastigando.

– Destroçaram aquele campo ontem, mas não encontraram. Ironicamente, ela ligou para a delegacia hoje cedo depois de ver o jornal. Ela disse que tinha fugido para se proteger, porque suspeitava de que a máfia estivesse por trás da morte de Harris. Ela falou que tinha recebido uma ameaça de morte em casa e não tinha coragem de falar com a polícia, porque não acreditava que eles poderiam protegê-la. O departamento de crime organizado foi à casa dela verificar a alegação e de fato encontraram uma marca de faca na porta dos fundos, exatamente onde ela falou. Aparentemente, a história bate. Quando ela viu que Feliks estava preso e Andrei estava morto, disse que finalmente se sentiu segura o suficiente para ressurgir.

– Aposto que sim.

Porque, visto que Feliks pagaria o pato, ela não precisava temer que eu a entregasse.

– Além disso – continuou Georgia –, ela se ofereceu para contar tudo que sabia sobre as atividades de lavagem de dinheiro de Harris, em troca de imunidade para qualquer acusação de obstrução. Ela aceitou ir à delegacia hoje para prestar depoimento e levar os documentos de Harris.

– Fico feliz que ela esteja bem – falei, forçando um sorriso.

Era quase verdade.

– E adivinha só – disse Georgia, animada. – A esposa de Andrei Borovkov ofereceu cooperação total com a polícia. Ela aceitou prestar depoimento sobre o envolvimento do marido com a máfia. O advogado dela fez um acordo com a procuradoria. Imunidade em troca das sujeiras de Zhirov.

Não tinha sido tudo tão simples, mas me parecia que Irina estava feliz. O trabalho fora feito e eu não precisaria mais me preocupar com ela.

– Nick deve estar feliz com essa história – falei.

Georgia lambeu o açúcar dos dedos.

– Nick está no sétimo céu – falou, com a boca cheia. – Entre os depoimentos de Patricia Mickler, Irina Borovkov e Theresa, ele deve ter o bastante para acabar com a operação de Feliks por muito tempo. Nick pode até sair dessa com uma promoção.

– Então ele não está em apuros?

– Por quê? Por causa do seu livro? – perguntou Georgia, com uma careta.

– Nada. Ele vai levar uma bronquinha por falar demais na cama...

– Não foi assim!

Georgia levantou uma sobrancelha e eu joguei o resto do meu donut nela.

– Não foi! – insisti. – Não teve cama nenhuma!

– Tanto faz.

Ela pegou o pedaço de donut no colo e o limpou com a mão.

– Banco de trás do carro, que seja – falou.

– Da frente – corrigi, a contragosto, e ela sorriu com malícia. – Ele ainda está chateado?

Georgia deu de ombros.

– Ele vai superar – falou. – Mas, se ele voltar, não facilite as coisas. Faça ele se esforçar um pouquinho.

Em geral, quando eu imaginava o reencontro com Nick, ele envolvia um mandado de prisão. Tudo que eu via quando imaginava o rosto dele era a decepção em seus olhos ao jogar a peruca em mim.

– Como vai Steven? – perguntei, mudando de assunto.

Georgia balançou a cabeça devagar.

– Não vou mentir, ele estava bem acabado. Nick diz que ouviu Steven e Theresa brigarem depois do depoimento dela. Steven falou que planejava sair de casa. Parece que o noivado acabou.

Georgia observou minha reação de soslaio.

– Se ele pedisse, você o aceitaria de volta? – perguntou.

– Não sou advogada para fazer acordo – falei, limpando o açúcar das mãos. – Vou seguir com a vida. Steven já está grandinho. Ele vai dar a volta por cima.

– Seguir com a vida, é? – perguntou Georgia, levantando a sobrancelha. – Com Nick?

– Não.

Apoiei meus pés, só de meias, na mesinha de centro e os cruzei no tornozelo. Considerei as possibilidades. Como era bom isso, ter possibilidades!

– Não – insisti. – Só eu. Eu, Vero e as crianças. Vai ficar tudo bem.

As contas estavam pagas, a minivan tinha voltado e restava um montinho de dinheiro no congelador, debaixo do brócolis. Eu sabia bem como acabar a história.

Georgia também apoiou os pés na mesa. Ela se recostou no sofá e fechou os olhos, com um sorriso satisfeito.

– Que bom. Acho que posso finalmente parar de me preocupar com você.

Abrir a caixa de correio não era mais tão assustador quanto antes. Normalmente, estava vazia, exceto por alguns catálogos e cupons, ou uma ou outra conta insignificante. Atravessei o quintal logo antes de escurecer, encolhida no casaco, as mãos enfiadas nos bolsos para me proteger do frio, e desviei dos esqueletos de papel pendurados na árvore e das lápides de isopor espalhadas na grama. O ar cheirava a fumaça das chaminés e abóboras cortadas, a noite enevoada cintilando com a promessa do halloween.

A relva congelada e afiada estalava sob meus pés, e acenei para a janela da cozinha da sra. Haggerty, certa de que ela me observava. Eu já não me incomodava tanto com suas intromissões.

A dobradiça da caixa de correio rangeu quando tirei uma pilha fina de envelopes. Eu os folheei distraidamente, voltando pelo quintal. Conta de luz, conta de água, internet, telefone, o de costume... Olhei com mais atenção um envelope grosso do advogado de Steven, que provavelmente continha o novo acordo de guarda compartilhada que ele propusera naquela semana.

Quando passei para o envelope seguinte, fiquei paralisada de repente. A carta fina não tinha selo. Não tinha remetente. Era só meu nome, escrito em letras grossas e firmes na frente.

Olhei para os dois lados da rua. Não havia carros estranhos no meio-fio, nem ninguém em pé no quintal. O sargento Roddy fora dispensado dias antes, assim que Feliks fora preso, e olhei de relance para a janela da sra. Haggerty, me perguntando se ela lembraria quem entregara a carta.

A casa me pareceu quente demais quando larguei as contas na mesinha do hall e fechei a porta com o pé. O ar pesava com os cheiros de queijo derretido e molho de tomate vindos da cozinha. Abri o envelope e desdobrei com cuidado a folha.

PANERA. AMANHÃ 10H.

– O que é isso?

Dei um pulo quando Vero veio olhar por cima do meu ombro.

– Você quase me matou de susto – falei.

– Está nervosa? – perguntou Vero, lendo o bilhete. – Acha que é Patricia Mickler?

– Quem mais seria?

Rasguei o papel, levei até a cozinha e enfiei os pedaços no triturador de lixo.

– Você não vai? – perguntou ela.

– Não. Acabou. Vou ficar feliz de nunca mais ver Patricia Mickler.

Era o mesmo que eu sentia por Irina Borovkov. Fazia dias que evitava as ligações dela. Não queria mais dinheiro. O que quer que Irina achasse, eu não matara o marido dela, então não havia motivo para aceitar o pagamento. Por mim, nosso negócio estava resolvido. Eu estava pronta para deixar aquele capítulo desastroso da vida para trás.

Entreabri o forno, aliviada ao ver que minha lasanha fervia, a massa na beirada tomando um tom de marrom dourado leve. Vero tentou levantar o papel alumínio, mas dei um tapa na mão dela.

– É minha vez de cozinhar – falei. – A festa é sua.

Fechei o forno e peguei duas taças de vinho. Vero tinha passado nas provas do semestre e nós quatro íamos comemorar.

– Bom, eu talvez tivesse uma ou outra palavrinha para aquela mulher, se fosse você – resmungou Vero, pondo a mesa.

– Quem? Patricia?

Ah, não me faltavam palavrinhas. Eu podia passar horas reclamando do truque de desaparecimento dela e do que o namorado dela aprontara na minha garagem. Abri a torneira e liguei o triturador, deixando o fim de Patricia Mickler e de seu marido doido se esvair enquanto lavava as panelas que usara para fazer o jantar.

A campainha tocou. Só fazia alguns dias que a polícia encontrara o corpo de Harris, e eu e Vero ainda perdíamos um pouco o fôlego toda vez. Desliguei o triturador. Vero encontrou meu olhar.

– Está esperando alguém? – perguntou.

Sacudi a cabeça.

– Deve ser o Steven, querendo conversar sobre o acordo de guarda compartilhada – falei. – Chegou hoje pelo correio.

Vero se esgueirou até a porta. Ouvi o estalido do trinco e a porta se abrir, deixando entrar uma lufada de vento frio.

– Oi, Vero. Finlay está?

Senti um calafrio quando reconheci a voz rouca.

– Detetive Anthony – cumprimentou Vero, em voz bem alta, para me avisar. – Não estávamos te esperando.

Georgia não mencionara nenhum desenvolvimento na investigação quando nos faláramos mais cedo. Pelo que eu sabia, os depoimentos tinham corrido bem. Feliks tinha alegado inocência em todos os casos, então a morte de Harris não se destacaria, necessariamente. Eu não falava com Nick desde o dia em que ele vira a notícia do meu livro. Por que motivo ele teria vindo me ver?

Continuei paralisada na cozinha durante a pausa constrangedora entre Vero e Nick.

– Posso entrar?

– Ah, claro, desculpa – gaguejou Vero.

Eu me preparei e saí da cozinha. Nick estava próximo à porta, com uma expressão triste. Ele franziu ainda mais as sobrancelhas escuras ao me ver, e segurava algo atrás das costas. Eu só esperava que não fosse um mandado de prisão.

– Oi, Finlay.

– Oi – falei, de olho na mão escondida.

– O que *ele* veio fazer aqui? – perguntou Delia, espreitando por trás da escada, vestindo a fantasia de princesa de cetim cor-de-rosa que usara a semana toda.

Eu e Vero olhamos para Nick, esperando a resposta no silêncio tenso. Ele tinha acabado de fazer a barba, e penteara perfeitamente as ondas escuras do cabelo. Vestia a calça jeans preta e a camisa de malha verde-escura de costume. Pelas lapelas abertas da jaqueta de couro, eu vislumbrava a arma no coldre. Não dava para saber se ele estava vestido para trabalhar ou para sair, ou se ele via alguma diferença naquilo.

– Vim visitar sua mãe – respondeu ele.

– Ah – disse Delia, remexendo na tiara de plástico, com o rosto franzido em um retrato perfeito de ingenuidade confusa. – O papai falou que você é um babaca.

Vero tossiu na mão. Ela apertou os lábios vermelhos.

– Delia Marie! – falei, apontando com o dedo em riste para o quarto dela.

Ela bufou e subiu as escadas, batendo os pés. Nick aceitou o ataque com um sorriso discreto, deixando escapar uma breve careta, como se ainda assim doesse um pouco.

– Desculpa – falei.

– Tudo bem – respondeu. – O pai dela provavelmente esteja certo.

Ele pigarreou e olhou para o chão.

– Eu... vou cuidar das crianças – falou Vero, sumindo escada acima.

Nick passou um tempo dolorosamente longo sem falar.

– Está tudo bem? – perguntei.

Olhei propositalmente para a mão atrás das costas dele. Se fosse um mandado de prisão, era melhor não enrolarmos.

– Ah, eu quase esqueci – falou, e meu corpo inteiro relaxou de alívio quando ele revelou uma garrafa de champanhe. – Nunca te dei parabéns. Pelo livro.

Senti uma pontada de culpa ao pegar a garrafa.

– Eu também devia te parabenizar. Georgia falou que você mereceu uma promoção.

– Ah, é – disse ele, coçando a nuca. – Não foi trabalho só meu.

Ele encontrou meu olhar. Analisei a garrafa, me sentindo corar. Não era uma marca barata. Ele investira num presente de qualidade.

– Não precisava, sério – falei.

– Precisava, sim.

Ele esfregou a mão vazia, como se não soubesse o que fazer depois de me dar a garrafa.

– Desculpa pelo que falei – continuou. – Eu só... fui pego de surpresa pelo artigo no jornal. Você estava certa. A respeito de tudo. Não foi culpa sua. Fui eu que te envolvi.

– Ainda assim – concedi –, eu devia ter te falado do livro.

Ele deu de ombros, e eu não sabia bem se era para concordar ou discordar.

– Acho que eu e você nos usamos um pouco. Mas eu estava pensando... – falou, e sua covinha surgiu quando ele abriu um sorriso torto e hesitante. – Se quiser me usar de novo, talvez eu possa te levar para jantar um dia desses.

Era tentador. Nick era bonito, firme, confiável. Além disso, meus pés se retorceram só de pensar em beijá-lo de novo. No entanto, eu já tomara mais decisões impulsivas do que devia naqueles tempos, e me dedicara muito a tentar ser alguém que não era. Nick nunca me vira de peruca, nem vestido. Nunca me conhecera como Theresa ou Fiona, ninguém além de Finlay Donovan. Ele entrara na minha casa e conhecera Vero e meus filhos. Ele me vira de robe e pantufas, mas, mesmo assim... Nick não me conhecia de verdade. Nunca poderia me conhecer. Porque, se conhecesse, eu imaginava que ele não gostaria do que veria.

Assim como Steven, às vezes me parecia que Nick só via as partes de mim que queria. Uma vez que fosse, eu só queria alguém que visse e apreciasse o que estava mesmo lá esse tempo todo.

Passei o dedo no rótulo da garrafa chique de champanhe na minha mão.

– Posso pensar?

A expressão de Nick desmoronou, mas ele logo se recuperou.

– Claro, com certeza. Eu entendo – falou, tentando não se mostrar surpreso, e deu um passo para trás, na direção da porta. – Sabe, é só ligar. Quando quiser. Se mudar de ideia.

– Obrigada de novo pelo champanhe. E boa sorte com o julgamento.

Eu esperava que ele conseguisse prender Feliks de vez, pelo bem de nós dois.

Nos despedimos meio constrangidos, eu dentro de casa e ele fora, e suspirei ao fechar a porta, esperando não me arrepender daquilo poucas horas depois, quando estivesse sozinha na cama, olhando para o teto.

Vero apareceu na porta da sala. Ofereci a garrafa de champanhe.

– Acabou? – perguntou, com um sorriso empático.

Eu não sabia se ela estava falando da investigação, ou do meu relacionamento com Nick.

– Por enquanto.

Ela franziu o nariz e apontou para a cozinha com a cabeça.

– A lasanha!

Corremos até o forno, de cuja porta escapavam fios de fumaça. Eu o escancarei e enfiei as luvas de proteção para largar a travessa fumegante em cima do fogão. Vero abriu as janelas e acenou para a sra. Haggerty, deixando um vento frio entrar.

– Pizza combina mais com champanhe caro – falou, em meio ao barulho do detector de fumaça.

Encostei o quadril no balcão, abanando meus olhos para afastar a fumaça que se espalhava da cozinha.

– Pizza me soa perfeito. Eu pago.

De acordo com nosso combinado, Vero tinha direito a quarenta por cento da pizza grande com queijo a mais que comemos naquela noite, mas nenhuma de nós se deu ao trabalho de contar as fatias.

Poucas horas depois, quando eu e Vero já tínhamos acabado com a pizza, uma porção de frango frito e todos os biscoitos Oreo da casa, levei minha cerveja para o quarto. A champanhe me deu dor de cabeça na primeira taça e eu jogara minha parte no ralo, lavando os restos teimosos do bilhete de Patricia.

Lambi a gordura da pizza dos dedos e caí na cama. O teto parecia próximo e baixo; a casa, silenciosa demais depois de as crianças dormirem. Limpei uma mancha de molho de tomate na camiseta. O tecido estava largo e esgarçado; a cor, desbotada depois de anos de lavagem. A estampa tinha sumido de tantos lugares que nem dava mais para ler. Eu não me sentia uma autora quase best-seller, mas também não me sentira uma assassina de aluguel antes. Encarei o teto, me perguntando quem eu era depois do fim daquele pesadelo, com meus filhos profundamente adormecidos nos quartos ao lado do meu e Vero instalada do outro lado do corredor. Com Steven morando sozinho no trailer da fazenda, finalmente tendo deixado para trás a ameaça de uma briga pela guarda.

Eu me recostei na cabeceira com a cerveja no colo, puxando a borda molhada do rótulo, pensando em Julian e no que ele dissera naquela noite no Lush. Ele me enxergara atrás do disfarce.

"O que eu pareço, então?"

"Do tipo que bebe cerveja fria e pede pizza em casa. Anda descalça, de jeans e camiseta desbotada e larga."

Deixei a garrafa na mesa de cabeceira e peguei o celular, hesitando em tocar o número dele. Era terça à noite, nove e meia.

"Você sabe onde me encontrar."

Mandei uma mensagem para Vero, apesar de ela estar ali no corredor.

Finn: *Pode ficar com as crianças para eu sair um pouco?*

Vero: *Achei que você nunca fosse perguntar.*

Saí da cama e enfiei os tênis e um moletom com capuz. Minha porta rangeu, se entreabrindo quando pus um boné. Vero espreitou pela fresta.

Ela olhou minha combinação de jeans e camiseta, fazendo uma cara de desgosto. Com um suspiro resignado, jogou uma sacolinha da Macy's para mim.

– Pelo menos usa um pouco de maquiagem se for encontrar seu advogado. Quero saber de tudo amanhã no café quando você chegar. Não vou esperar acordada – falou, com uma piscadela.

Ela fechou a porta. Abri a sacola e olhei para o que continha, esperando uma explosão de cor, e me surpreendi ao encontrar um gloss transparente e rímel marrom e simples. Eu me aproximei do espelho e passei a maquiagem, insegura mas satisfeita pela mulher que me encarava de volta ser alguém que eu reconhecia.

Por instinto, peguei a bolsa de fraldas. Pouco depois, a deixei de lado, notando que não precisava. Naquela noite, não. Em vez disso, peguei um pouco de dinheiro da mesa de cabeceira e enfiei numa bolsinha. Um objeto macio fez cócegas na minha mão dentro da bolsa. Tirei a peruca acoplada ao lenço. Estava rasgada e embaraçada, as mechas longas e loiras emboladas. Passei os dedos, acariciando a ceda amarrotada. Com um suspiro, larguei aquilo na mesa.

Eram três para as dez quando parei ao lado do Jeep de Julian no estacionamento vazio. As janelas do Lush estavam escuras, as pernas das cadeiras acima das mesas nas silhuetas contra as luzes douradas atrás do bar. Cobri os olhos para espreitar através da porta, surpresa quando abriu.

Julian estava de costas para mim, guardando garrafas na prateleira mais alta. As mangas da camisa branca e arrumada estavam arregaçadas, o colarinho desabotoado, como se já tivesse batido o ponto.

– Desculpa. O bar está fechando – falou, por cima do ombro.

– Não sou exatamente uma cliente metida.

Julian parou o que fazia, encontrando meu olhar na parede espelhada. Deixei a bolsa no bar e me sentei em um banco.

– Cheguei tarde para aquela cerveja?

– Garrafa ou chope? – perguntou ele, baixinho.

– Garrafa tá bom.

Ele se abaixou para pegar a cerveja em uma geladeira debaixo do bar. Ar escapou da tampa quando ele a abriu e deixou a garrafa em um guardanapo na minha frente. Julian pendurou um pano de prato no ombro e se encostou no balcão atrás dele, me observando beber. Um cacho caía sobre seus olhos, de cor decididamente dourada contra a luz âmbar por trás.

– Não me leve a mal, mas você não parece o tipo que costuma vir aqui.

– Ah, é? O que eu pareço?

Ele se afastou do balcão e parou à minha frente, as mãos apoiadas no bar.

– Autora famosa discreta. Do tipo que usa nomes falsos e disfarces horríveis.

Deixei a cerveja e estiquei a mão por cima do bar.

– Oi. Acredito que não nos apresentamos oficialmente. Meu nome é Finlay Donovan.

Ele sorriu, cansado.

– Não é Fiona Donahue?

– Posso te mostrar minha identidade, se quiser confirmar.

Ele pareceu considerar. Quando finalmente pegou minha mão, a sensação foi boa, e me deixei demorar. Ou talvez fosse ele.

– É um prazer conhecê-la finalmente, Finlay Donovan.

Corei e disfarcei por trás da cerveja, gostando de ouvir meu nome na voz dele.

– Tudo bem com você? – perguntou.

– Tudo – falei, me surpreendendo, porque, pela primeira vez em muito tempo, me parecia verdade. – Acho que tudo bem.

– Quer falar a respeito?

Mexi na beirada do guardanapo.

– É uma história meio comprida.

– Não tenho pressa.

Ele enfiou a mão na geladeira e tirou a tampa de uma cerveja, sem desviar o olhar do meu ao tomar um gole lento e longo.

Olhei para ele por debaixo da beira do meu boné.

– Nossa conversa seria protegida pelo sigilo profissional?

O tom de brincadeira sugeria que era flerte, mas a pergunta estava no limiar do meu medo bem concreto. Só Vero sabia a história inteira.

Ele me observou tomar outro gole da cerveja.

– Ainda não sou advogado, e você não é minha cliente. Mas qualquer barman de respeito cumpre um juramento solene e implícito com os frequentadores do estabelecimento. – Julian se inclinou para a frente, cruzando os braços contra o bar, a voz mais suave enquanto brincava com o gargalo da garrafa. – Vamos considerar um dever confidencial – falou.

O bar estava vazio. As luzes nas cabines do fundo foram se apagando, seção por seção, até que só restasse o brilho suave atrás da cabeça de Julian e a luz branca e forte através da porta de vaivém da cozinha, onde os sons de copos e pratos eram abafados pelo spray de pressão da pia.

Tirei o boné e o deixei em cima do bar e ajeitei o cabelo quando o olhar de Julian passou pelo meu rosto. Eu me preparei, respirando fundo e devagar, e comecei onde começa qualquer história: não na primeira página, mas bem no início. Falei da minha família e da minha infância, de Georgia, dos meus pais e do casamento com Steven. Falei do meu trabalho como autora e dos livros que eu escrevera e ninguém lera. Falei de Theresa e do fim do meu casamento. De Vero, dos meus filhos, do dia em que cortaram a luz. De encontrar Sylvia no Panera, da espiral descontrolada da minha vida a partir dali. Falei de tudo, sem esconder nada, observando as reações em seu rosto ao falar da noite em que eu escapara pelo fundos do Lush com Harris sob meu braço. Julian ouviu, só desviando o olhar uma vez, para trocar minha garrafa vazia por uma cheia. Não havia desgosto em seu rosto, nem julgamento em seus olhos. O pulso acelerado na pele lisa e bronzeada acima do dedão dele na hora em que contei nossa fuga de Andrei na fazenda foi meu único indício do que ele pensava.

Quando cheguei ao final, tínhamos acabado as cervejas. Ele não me ofereceu mais uma. Soltei um suspiro longo e trêmulo, abri a bolsa e deixei uma nota de vinte no bar.

– Obrigada pelas cervejas. E por ouvir. É melhor eu ir...

Julian fechou a mão sobre a minha quando peguei o boné.

– Meu turno acabou. Quer ir comer alguma coisa?

Meu coração deu um pulo.

– Eu gostaria disso, sim.

Julian sustentou meu olhar, seus olhos dourados e calorosos quando gritou para o chefe:

– Ei, Les, tô saindo. Até amanhã.

Ele deixou o pano de prato no bar e enfiou o casaco, me encontrando do outro lado. Senti seu olhar me percorrer, um sorriso enrugando os cantos dos olhos quando viu a camiseta comprida escapando debaixo do moletom. Ele segurou a porta para mim e ergueu uma sobrancelha quando tirei as chaves da bolsa.

– Aonde vamos? – perguntou, me seguindo até a minivan.

Às vezes, decidi, era preciso se sentar na frente da página em branco e começar a digitar. A minivan estava limpa. O alternador estava concertado. Eu tinha uma babá e muito dinheiro no bolso.

– Ainda não sei – falei, mas tinha uma sensação bem boa de que aquele capítulo teria um final feliz. – Entra. Vamos descobrir.

Eram quase dez da manhã quando saí, relutante, do apartamento de Julian. Descalço e sem camisa, ele me acompanhara até a porta, a calça jeans baixa nos quadris e as mãos emaranhadas no meu cabelo, cochichando despedidas entre beijos que eu sentia por todo lado. Com um sorriso teimoso, parada no sinal vermelho, cantarolei junto do rádio e desembaracei o cabelo com os dedos, me perguntando o que contaria para Vero. Tecnicamente, eu só devia quarenta por cento da história, mas era bom saber que alguém me esperava, ansiosa para saber o que acontecera, quando eu chegasse em casa.

Do outro lado do cruzamento engarrafado, o estacionamento do Panera tinha alguns carros espalhados. Conferi a hora no relógio do painel. Patricia Mickler provavelmente estava lá dentro me esperando. Por quê? O que ela teria para me oferecer além de uma explicação? Ou de um pedido de desculpas?

O sinal abriu. A Mercedes atrás de mim buzinou com tudo. Em vez de seguir, pisei no acelerador e virei o volante com força, cruzando duas pistas para entrar no estacionamento do Panera. Na frente do restaurante, desacelerei e olhei pelas janelas de vidro colorido do salão, mas não consegui identificar os rostos às mesas lá dentro.

Talvez Vero estivesse certa e eu precisasse tirar algumas coisas do peito. Parei em uma vaga, pendurei a bolsa no ombro e atravessei o estacionamento antes de mudar de ideia.

A fila do balcão era curta e todos os caixas levantaram o rosto quando entrei. Francamente, eu não me importava que Mindy, a gerente, me reconhecesse. O pior que ela faria seria me pedir que fosse embora, ou chamar a polícia.

Que ela tentasse! Com a cabeça erguida, marchei até o salão com a confiança de uma mulher que passara a noite com um advogado bem fantástico.

Procurei o rosto de Patricia, mas parei quando Irina Borovkov acenou casualmente de uma cabine.

Ela estava sentada sozinha no outro canto, me observando por cima do café, o sorriso pintado de vermelho aumentando quando a olhei, boquiaberta. Com um gesto, ela me convidou a sentar à sua frente. Ajeitei a bolsa no ombro, respirei fundo e atravessei o salão.

– Sra. Donovan – disse ela, me cumprimentando, quando me sentei –, que bom que recebeu meu recado.

Senti um calafrio. A forma como ela dizia meu nome, a forma sutil de deixar claro que sabia quem eu era e onde podia me encontrar, me lembrava um pouco demais de Feliks e da conversa na garagem de Ramón.

Irina passou a unha comprida e pintada na beirada da xícara. A outra mão estava escondida debaixo da mesa, e congelei ao me ocorrer que ela talvez estivesse armada.

– Achei que viesse encontrar Patricia – falei.

Irina assentiu, abaixando o rosto, pensativa.

– Patricia já prestou depoimento. Ela e o jovem companheiro estão agora mesmo em um avião para o Brasil, onde começarão uma vida nova em um lugar mais quente.

– Você está feliz por ela.

– Claro – disse ela, o cabelo preto caindo no rosto. – Senão, eu nunca a ajudaria a ir embora.

– E você? O que fará agora que...

Estremeci ao relembrar o rosto sangrento de Andrei. O som pesado e oco de quando eu e Vero o largamos na terra.

– Agora que meu marido se foi? – perguntou Irina, com um gesto elegante dos ombros. – Alguém precisa ficar aqui para garantir que Feliks acabará onde merece. Ele não gostará de descobrir como Andrei morreu. Nós duas custamos muito caro para ele, e Feliks não é bobo. Não vai demorar para entender.

Aquela ideia era desanimadora.

– Você acha que ele tem chances de escapar? – perguntei.

Ela ergueu uma sobrancelha perfeitamente desenhada, tomando um gole de café. Quando abaixou a xícara, sua mão estava firme.

– Suponho que tenha chances. Mas o seu detetive está bem determinado. E, como Patricia sugeriu, você fez o trabalho com a devida simplicidade. – Ela me analisou com a mesma expressão da aula de spinning, como se achasse graça. – Devo admitir que foi uma boa surpresa – concluiu.

Ela tirou a mão de debaixo da mesa e largou um envelope em cima, que empurrou na minha direção.

– O que é isso? – perguntei, tomada por um caso repentino e sufocante de *déjà-vu*.

– É a quantia que te devo. O trabalho foi feito, exatamente como discutido – respondeu, e eu resisti à tentação de olhar. – Não se preocupe. Foi lavado... não está marcado, nem é rastreável.

Eu me sentia mal de aceitar o dinheiro de Andrei. Dinheiro que Harris Mickler provavelmente lavara, e que Feliks provavelmente usara para pagar o marido de Irina.

Algo no sorriso dela endureceu.

– Se você não aceitar o pagamento – prosseguiu –, talvez eu desconfie de seus motivos. Talvez você esteja próxima demais do detetive Anthony? Ou está preocupada com sua irmã? – insistiu, empurrando mais o envelope. – Georgina, não é?

Peguei o pacote, conferindo que ninguém no salão estava de olho quando o puxei para perto. Um menino magrelo de uniforme do Panera varria migalhas do tapete com a cabeça baixa, e uma mulher grisalha comia sopa a poucas mesas dali. Ninguém se importava que eu estivesse enfiando um envelope de dinheiro sujo na bolsa. Ninguém além de mim.

Irina limpou a boca com um guardanapo e segurou a bolsa Prada debaixo do braço.

– Ótimo. Que bom que nosso negócio foi concluído de forma mutuamente satisfatória. Entrarei em contato se precisar de seus serviços novamente.

– Não, eu não...

Irina enfiou a mão no bolso e deixou um outro envelope, branco e fino, na mesa.

– Uma carta de Patricia. Não tomei a liberdade de abrir, mas, se não me engano, acho que é uma recomendação. Antes de encontrá-la, ela passou certo tempo em um fórum... um site para mulheres como nós.

Ao ver minha expressão confusa, ela explicou:

– Mulheres em situações difíceis que procuram profissionais com certas especialidades. – O sorriso conspiratório de Irina me deu vontade de tomar banho. – Patricia pareceu achar que este trabalho em especial te interessaria – continuou. – Ela me fez garantir que você o receberia.

Irina deixou o envelope na mesa e estendeu a mão, que ficou parada no espaço entre nós por um tempo desconfortavelmente longo. Todas as células do meu corpo se retraíram quando eu a apertei uma vez, com pressa para soltar.

Fui tomada pela exaustão ao vê-la ir embora, a absolvição que encontrara ao me confessar para Julian de repente enterrada por uma nova montanha de culpa. A carta de Patricia me parecia tão pesada quanto o tijolo de dinheiro que Irina me pagara. Eu a revirei, grata pelo envelope estar lacrado. Se estava lacrado, eu não sentiria tentação de abrir. Não poderia ser acusada de saber o nome que continha, ou quanto custava sua vida.

Enfiei a carta de Patricia na bolsa e saí do Panera, grata por não ser interrompida. Entrei no carro, grata pelo alternador funcionar. Grata pela noite passada com Julian. Grata por Patricia estar viva, Irina estar longe da minha vida e Feliks estar preso. Principalmente, me senti grata por voltar para casa, onde encontraria Vero e meus filhos, e pelo pesadelo das semanas anteriores ter acabado.

EPÍLOGO

A casa estava em silêncio. Vero via um reality show no térreo e as crianças já tinham ido dormir. Levei uma caneca de chocolate quente ao escritório, deixei no porta-copos ao lado do teclado e mexi no mouse. A tela acendeu.

Eu me preparei para encarar um novo documento em branco. A tela era clara, vazia e bastante assustadora. Eu entregara o manuscrito final para Sylvia na noite anterior e a editora já queria saber o enredo do livro seguinte.

Estalei os dedos e comecei a digitar.

LIVRO 2: Primeira Versão Sem Título de Fiona Donahue

Minhas mãos hesitaram sobre o teclado, esperando a inspiração. Encarei a tela pelo que pareceu uma eternidade, mas não fazia a menor ideia do que escrever.

Eu me recostei na cadeira. Tomei um gole do chocolate quente. A história anterior começara com o bilhete de Patricia Mickler... um papelzinho em uma bandeja do Panera.

Abri a gaveta e olhei de relance para o envelope lacrado ali no fundo. Eu e Vero tínhamos jurado nunca abrir. Ainda assim, nenhuma de nós se dispusera a jogá-lo fora. Eu o guardara, me dizendo que serviria como advertência da caixa de Pandora que abríramos antes.

Peguei o envelope e o levantei contra a luz da tela, mas a tinta era fraca demais e o envelope, muito grosso; não dava para ler o texto através da textura do papel. O cursor piscou, contando os segundos. Ali estava eu, desperdiçando minhas poucas horas preciosas de solidão, encarando uma tela vazia.

Eu só precisava de uma ideia. De uma faísca de inspiração.

Abri um buraquinho na beira do envelope e enfiei um dedo. O papel fez um som alto quando rasguei a lateral. Parei, tentando ouvir passos de Vero no corredor, certa de que o rasgo fora alto o bastante para me incriminar. O que escutei ao fundo foi uma gargalhada da televisão, então tirei a carta.

Eu só precisava de um nome. Do nome de um homem horrível, detestável, cuja vida pudesse dissecar na internet até inventar minha própria história.

Desdobrei o papel e li o bilhete de Patricia.

ENCONTREI ESTA PROPOSTA ON-LINE, EM UM SITE PARA PESSOAS COMO EU. NÃO SEI SE TE INTERESSA, MAS ACHEI QUE VOCÊ DEVERIA SABER.

Olhei para o nome e congelei. Li de novo, e depois o valor, convencida de que só podia ter lido errado.

STEVEN DONOVAN
US$ 100.000 EM ESPÉCIE

O endereço era o da fazenda do meu ex-marido.

AGRADECIMENTOS

Este livro nasceu em um Panera lotado em 2017, durante um almoço com minhas parceiras escritoras de longa data, enquanto conversávamos sobre furos de enredo especialmente difíceis em uma história especialmente sangrenta que eu estava escrevendo em um prazo especialmente apertado. Os outros clientes tinham nos olhado com muito estranhamento e, mais tarde, rimos falando da nossa sorte por eles não terem chegado a conclusões erradas sobre quem éramos e o que estávamos (e não estávamos) tramando ali. Naquele momento, a inspiração para o livro novo quase me derrubou, e na mesma noite nós três montamos um perfil bastante superficial de Finn e a premissa da história. Como é o caso de todos os livros que escrevi, sou profundamente grata a Ashley Elston e Megan Miranda. Obrigada pelo apoio, pelo encorajamento e pelas inúmeras gargalhadas no meio de tudo. Esta história é tanto de vocês quanto minha. Vocês continuam sendo a melhor parte desta aventura, e eu enterraria cadáveres com qualquer uma das duas.

Eu nunca teria encontrado essas duas amigas maravilhosas sem minha agente super-heroína de verdade, Sarah Davies. Obrigada por nos apresentar tantos anos atrás, obrigada por sua fé inabalável em mim desde então, e obrigada por amar Finn. Sou grata por tudo que aprendi e todas as formas com que você continua a me apoiar.

A história de Finlay é o primeiro livro que escrevi para o público adulto. Não sei nem expressar minha gratidão por Kelley Ragland e Hannah Braaten e sua disposição para dar uma chance para mim e Finn. Obrigada por me acolherem na Minotaur.

Tanta gente contribuiu com talento e força ao sucesso dos meus livros. Muito amor para a equipe toda da Minotaur e da St. Martin's Press, incluindo Catherine Richards, Nettie Finn, Laura Dragonette, o capista David Baldeosingh Rotstein, John Morrone, Allison Ziegler e Sarah Melnyk. Não imagino uma casa melhor para a história de Finn.

Muito obrigada a todos nos bastidores de Greenhouse Literary, Working Partners, e a equipe incrível da Rights People. Um milhão de agradecimentos a Flora Hackett na WME por vender Finlay com tanto entusiasmo. Sou grata por tudo que vocês fazem.

Abrir as asas e escrever um novo tipo de livro exige coragem, além de muito aprendizado. Sou grata pelos olhos atentos e corações abertos de amigas escritoras que se ofereceram para ler as primeiríssimas versões desta história. Tessa Elwood, Megan Miranda, Ashley Elton, Chelsea Pitcher, Romily Bernard e Christy Farley – vocês todas ajudaram a fortalecer a história de Finn. Seu entusiasmo inicial, enquanto minha confiança ainda estava um pouco abalada, significou tudo para mim.

Devo toda minha gratidão à família de Ashley Elston, especialmente Jim e Mary Patrick, que nos receberam para jantar. Estávamos todos ao redor da mesa, rindo do nosso almoço de trabalho no Panera, quando John e Sarabeth Ogburn fizeram a pergunta: "Não seria hilário se o pessoal do Panera achasse que vocês eram assassinas de aluguel?". Essa pergunta me levou a um caminho que eu nunca esperaria!

Minha mãe sempre foi minha maior fã, e isso não foi exceção na escrita deste livro. Mãe, obrigada por todas as ideias que anotou. Sua empolgação pelas minhas histórias é infalível e me mantém inspirada nos piores dias. É muita sorte ter uma "pessoa de ideias" como você. Obrigada também a minha mãe, meu pai e Tony pela paciência infinita e disponibilidade para vir ao resgate quando preciso de tempo para escrever. Não seria possível fazer este trabalho sem a confiança firme da minha família em tudo que faço.

A personagem e a voz de Finn emergiram das partes mais fundas de mim. Talvez por sermos autoras (e, portanto, sempre com dificuldade), mas principalmente por sermos mães. Assim como Finn, não há nada que eu não arriscaria ou daria de mim pelos meus filhos. Connor e Nick, de tantas formas, todos os meus livros são para vocês.

Por fim, para meus leitores, velhos e novos. Obrigada por acolherem Finn e por serem parte tão maravilhosa da minha história.

Esta obra foi composta em PSFournier Std e impressa
em papel Pólen Soft 70 g/m² pela BMF Gráfica e Editora.